LE PLAISIR DU BRIDGE

par
Audrey Grant
et
Éric Rodwell

Préface de
Easley Blackwood

ÉDITIONS DU TRÉCARRÉ

Photocomposition et mise en pages:
Ateliers de typographie Collette inc.

L'édition originale de cet ouvrage a paru en anglais sous le titre: *The Joy of Bridge.*

© Prentice-Hall Inc. 1984
Scarboroug, Ontario

Traduction: Bernard Bourget
Coordonateur: Neil Gailford
Couverture: Yvan Vallée
Conception graphique: Michael van Elsen Design Inc.

ISBN 2-89249-253-X   (Éditions du Trécarré)

Dépôt légal — 3e trimestre 1988

Bibliothèque nationale du Québec
1   2   3   4   5   ML   92   91   90   89   88

Imprimé au Canada

TABLE DES MATIÈRES

DEUXIÈME PARTIE: LES ENCHÈRES DE COMPÉTITION

QUATRIÈME PARTIE: LE JEU DE LA MAIN

À Dodi, Jeffrey et Sarah
Eric
Je dédie mon premier livre à mon premier enfant, Joanna.
Audrey

PRÉFACE

Un jour, dit-on, l'un des quatre membres d'un groupe de bridgeurs dilettantes n'étant pas disponible, l'hôtesse rejoignit une amie — nommons-la Julie Smith — pour lui demander de remplacer l'absent. Julie rétorqua qu'elle ignorait tout du bridge. L'hôtesse insista et l'invita à se présenter une demi-heure avant la partie pour qu'elle puisse l'initier à tous les secrets du jeu.

Cette anecdote fera sourire ceux de nous qui, même après plusieurs années d'expérience et d'étude, découvrent sans cesse de nouvelles facettes au jeu de bridge. Si une demi-heure semble insuffisante, le présent ouvrage apprendra à un nouvel adepte à jouer une partie fort convenable plus rapidement et avec moins de peine que tout autre méthode de ma connaissance. Les professeurs qui doivent enseigner le bridge à des néophytes devraient l'utiliser comme manuel de base.

Ces dix dernières années, Éric Rodwell a reçu neuf fois le trophée Easley Blackwood, décerné au meilleur groupe de l'Indiana Centre de la Ligue américaine de bridge contrat. Son ascension lui a permis de devenir champion des États-Unis au cours de multiples rencontres et d'obtenir le titre de champion du monde en 1981. À en juger par le succès de ses cours et la réussite de ses élèves, on doit convenir qu'Audrey Grant, de Toronto, a fait la preuve qu'elle est un des professeurs émérites de cette activité. En conjuguant leurs talents, Éric Rodwell et Audrey Grant ont produit un ouvrage extraordinaire.

Quoique ce manuel soit conçu pour les débutants, les bridgeurs chevronnés y puiseront des idées nouvelles. En voici un exemple: les théoriciens de ce jeu savent depuis longtemps que l'évaluation numérique d'une main telle qu'elle était pratiquée dans les années quarante se révèle insuffisante dans les années quatre-vingts. Rodwell et Grant évaluent ce problème sous un angle nouveau et le résolvent avec exactitude et simplicité.

Éric Rodwell est un théoricien raffiné et Audrey Grant une excellente pédagogue. Tous deux ont rédigé de concert un ouvrage dont l'influence sur le jeu de bridge sera tout à la fois profonde et durable.

Easley Blackwood

INTRODUCTION

Soyez le bienvenu dans le monde merveilleux du bridge! Une telle invite peut paraître étrange — ou même prétentieuse — car ce jeu a une réputation d'exigence, de dévoreur de temps, et est d'une maîtrise difficile. Plusieurs abordent le bridge avec appréhension, s'imaginant qu'ils n'ont pas le «sens des cartes»; ils craignent de ne pas être suffisamment doués ou de ne pouvoir consacrer assez de temps à le bien jouer. Quoi qu'il en soit, il demeure le jeu de la carte le plus en vogue dans le monde et en lisant *Plaisir du bridge*, vous en comprendrez la raison.

Éric a été témoin des difficultés rencontrées par certains à apprendre le bridge et à le comprendre. Comme compétiteur et théoricien, il connaît les obstacles à surmonter pour établir un système et s'en servir efficacement. Après avoir utilisé durant nombre d'années, tous les livres et manuels du marché, Audrey en est venue à la conclusion qu'il lui fallait découvrir une méthode *simple*, porteuse de *résultats*, une méthode qui ménagerait à la fois le plaisir du jeu de bridge et sa qualité.

Éric élabore enfin le système, Audrey le concrétise et en évalue les qualités pédagogiques auprès de plus de trois mille élèves. Après de nombreuses reprises et modifications, l'un et l'autre, nous atteignons notre objectif: un bridge simple et efficace joué avec entrain!

Le bridge est un merveilleux passe-temps dont on peut se délecter à tous les niveaux ... à condition de le bien connaître. Nous avons joué contre des milliers de débutants et d'adversaires plus expérimentés. Cela nous a permis de savoir qu'un enseignement et un jeu méthodiques requièrent trois conditions:
- une technique mettant en relief ce que vous avez besoin de savoir;
- une méthode lumineuse, «infusant de la vie aux notions»;
- des idées pour développer votre curiosité, votre sens de l'observation et pour vous faire apprécier le plaisir du bridge.

Dans *Plaisir du bridge*, nous avons inclus toutes ces composantes visant à la fois le débutant et le joueur d'expérience. Les néophytes pourront jouer en toute confiance plus tôt qu'ils n'auraient jamais pensé le faire et les experts pénétreront les arcanes que seuls, jusqu'à présent, maîtrisaient les joueurs émérites.

Joignez-vous à nous ... et découvrez le plaisir du bridge!

Audrey Grant
Éric Rodwell

xiii

REMERCIEMENTS

L'inlassable coopération de David Lindop à ce projet mérite notre reconnaissance toute particulière. Ses conseils et son savoir nous ont été précieux.

Evelynn Funston, que nous remercions chaleureusement, nous a permis d'entrer en communication avec Janice Whitford dont l'appui constant fut si important au cours de cette entreprise.

Connie MacDonald gagne toute notre estime pour les nombreuses heures consacrées à évaluer les données.

L'excellent travail d'édition de Neil Gallaiford et de Dick Hemingway mérite toutes nos louanges, ainsi que Joe Chin pour sa superbe conception graphique.

Enfin — et c'est le plus important — notre gratitude va aux milliers d'élèves qui nous ont aidés à évaluer, à réviser et à affiner *le Plaisir du bridge*.

COMMENT UTILISER CET OUVRAGE

Apprendre est un cheminement personnel et chacun aborde différemment une même matière. La structure de cet ouvrage permet au lecteur de faire son apprentissage en fonction de sa propre personnalité et de ses possibilités.

Voici les principales parties du *Plaisir du bridge*:
    Première partie   *L'enchère en partie libre*
    Deuxième partie   *Les enchères de compétition*
    Troisième partie   *Autres types d'enchères*
    Quatrième partie   *Le jeu de la main*
    Appendices

Si vous apprenez le bridge en solitaire, lisez dans l'ordre les trois premières parties et résolvez les exercices à la fin de chaque chapitre. Prenez tout votre temps. *Le plaisir du bridge* est un ouvrage que vous aurez plaisir à relire.

Même si le jeu de la main est à la fin du volume, vous pouvez lire cette partie à n'importe quel moment. Nous vous invitons à en prendre connaissance dès que vous commencez à jouer soit avec d'autres élèves, soit avec des amis qui s'adonnent à ce jeu.

Les annexes renferment un glossaire, les réponses aux exercices et un abrégé de la technique du calcul de la marque.

Le plaisir du bridge n'est pas uniquement un livre d'apprentissage; il peut aussi servir à divertir vos soirées. Invitez amis et voisins à apprendre le bridge à l'aide de ce manuel. Faites-le sans hésitation, car il a été conçu pour vous *aider* à jouer au bridge et à jouer avec plaisir.

Les exercices

Placés à la fin des chapitres, les exercices ont pour but de vous permettre de maîtriser la matière exposée. Si vous ne pouvez les compléter tous, nous vous conseillons cependant d'en aborder quelques-uns après chaque chapitre. Essayez d'abord de résoudre les exercices impairs et ensuite les exercices pairs lorsque vous revoyez la matière. Les réponses font l'objet du deuxième appendice.

Cette chronique se retrouve à la fin de certains chapitres. Ces données ne sont pas indispensables à la compréhension du jeu ni au plaisir que l'on en retire, mais elles fournissent au lecteur curieux plus de renseignements sur certaines notions traitées précédemment.

Si vous êtes débutant, nous vous conseillons de passer par-dessus. Vous y reviendrez quand vous aurez acquis plus d'expérience, au moment où certains points d'interrogation surgiront dans votre esprit. Si avant d'entreprendre la lecture de ce livre, vous possédez déjà quelque expérience du bridge, il se peut que ce matériel supplémentaire vous aide à faire la jonction entre les notions contenues dans l'ouvrage et celles que vous avez déjà.

Bien qu'il aille de soi de parler d'enchères au bridge, les décrire n'est pas aussi simple. Essayez de «sentir» instinctivement les cartes.

Si vous avez déjà une certaine expérience de jeux analogues tels le whist, les cœurs, l'euchre, les difficultés seront minimes. Et si vous travaillez avec un groupe de quatre personnes ou plus, cela vous permettra de vous entraîner tous ensemble.

Si vous apprenez le bridge seul, tâchez de simuler le jeu le plus possible. À l'aide d'un jeu de cartes, efforcez-vous de résoudre le plus grand nombre d'exercices en donnant les quatre mains et en les jouant vous-même. Lisez attentivement la partie consacrée au jeu de la main et donnez-vous quelques mains d'entraînement.

Le plaisir du bridge a été conçu et développé par le champion du monde Éric Rodwell qui a fait appel aux méthodes les plus couramment utilisées, elles-mêmes modifiées par le réputé professeur Audrey Grant. Ainsi conçu, ce manuel offre le système d'apprentissage du bridge le plus simple et le mieux équilibré.

Cependant, il en existe plusieurs autres. Vous rencontrerez des partenaires qui vous poseront des questions telles «Jouez-vous le trèfle court?» ou «Jouez-vous la majeure cinquième?» Bien que la théorie sous-jacente à ces variations soit valide, elles ne sont pas nécessairement requises pour jouer au bridge et y jouer avec plaisir. Autant que possible, nous avons évalué les autres systèmes et les avons insérés dans la section «Pour les fureteurs».

PREMIÈRE PARTIE

L'ENCHÈRE EN
PARTIE LIBRE

I

La préparation

Le bridge est l'un des jeux de carte les plus stimulants du monde. Il offre l'occasion de connaître de nouveaux visages, affine l'acuité mentale et favorise des rencontres amicales. Il ne nécessite que quatre personnes, un jeu de cartes, une table et des chaises, ainsi qu'un crayon et du papier pour la marque. Commencez donc à jouer sans plus tarder!

Le choix des partenaires

Le bridge est un jeu d'*équipe*. Les partenaires d'un même *camp* (ou paire) peuvent être déterminés au préalable ou choisis par une *coupe* des cartes. Avant de couper, les cartes sont battues et étalées face contre table. Chaque joueur tire une carte. Le choix des partenaires est arrêté par l'*ordre des cartes*. L'as possède le rang le plus élevé, suivi du roi, de la dame, du valet et du dix jusqu'au deux.

Les deux joueurs qui tirent les *plus hautes cartes* forment un camp et jouent contre ceux qui tirent les deux *plus petites cartes*.

On brise une égalité selon l'*ordre des couleurs*.

♠   les piques (les plus chères)
♥   les cœurs
♦   les carreaux
♣   les trèfles (les moins chères)

Par exemple, supposons qu'on ait tiré les cartes suivantes:

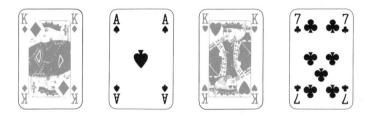

L'«égalité» entre les deux rois est brisée parce que les cœurs sont plus chers que les carreaux. Le joueur qui tire l'as de pique devient le partenaire de celui qui a tiré le roi de cœur. Celui qui détient le roi de carreau forme l'autre camp avec celui qui a enlevé le sept de trèfle.

Les joueurs s'asseoient autour de la table et les partenaires se font vis-à-vis.

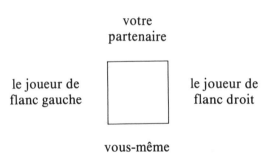

On identifie souvent les joueurs par leur position géographique autour de la table: Nord, Sud, Est et Ouest. Nord et Sud sont partenaires. Est et Ouest forment l'autre paire.

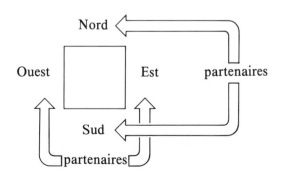

La donne

Lorsque les partenaires ont été choisis et que tous sont assis, la partie peut commencer. Le joueur qui a tiré la plus haute carte après la coupe devient le *donneur*. (S'il n'y a pas de coupe pour le choix des partenaires, faites-en une pour déterminer le donneur.) Les cartes sont données, face contre table, une à une, dans le *sens des aiguilles d'une montre*, en commençant par le joueur assis à la gauche du donneur. La *donne* est complétée lorsque chaque joueur détient treize cartes.

C'est alors que chacun des joueurs ramasse sa main, c'est-à-dire les cartes placées devant lui et les range par *couleur*. Il est plus commode d'alterner une couleur rouge avec une noire et, pour chaque couleur, de placer les cartes par ordre de valeur, les plus hautes se disposant à gauche.

La levée

Le but d'une *partie* consiste à gagner le plus grand nombre possible de levées. Une *levée* (ou pli) est composée de quatre cartes, une de chaque joueur. Les cartes sont jouées une par une en suivant le sens des aiguilles d'une montre autour de la table. Une levée peut être ceci:

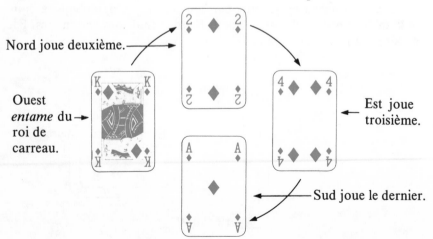

Nord joue deuxième.

Ouest *entame* du roi de carreau.

Est joue troisième.

Sud joue le dernier.

Pour obtenir une levée, il faut suivre certaines règles:

- L'un des joueurs *entame* en plaçant une carte de son choix, face vue, sur la table.
- Les trois autres joueurs, à tour de rôle, se départissent d'une carte de leur choix, en suivant la rotation dans le sens des aiguilles d'une montre.
- Lorsque cela est possible, les joueurs *suivent* dans la couleur attaquée par l'entame.
- Si un joueur ne peut suivre dans la couleur attaquée, il laisse tomber une carte d'une autre couleur. Cela s'appelle une *défausse*.
- La levée appartient à celui qui a joué la plus haute carte de la couleur attaquée. Celui qui gagne une levée *ouvre* de la levée suivante.

Dans l'exemple ci-dessus, Sud gagne la levée parce que l'as de carreau est la plus haute carte jouée. Sud ouvre de la levée suivante. Voici un autre exemple de levée:

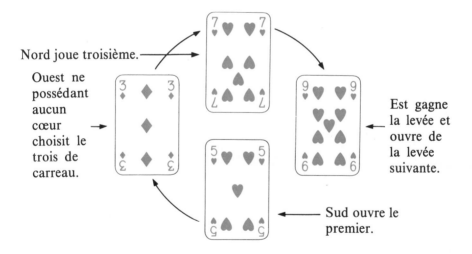

La cueillette des levées

D'habitude, lorsqu'un pli est gagné, l'un des joueurs du camp gagnant ramasse les quatre cartes, les retourne face contre table et les empile soigneusement devant lui. Il est plus facile de connaître le nombre de plis gagnés ou perdus si un seul joueur de chaque camp les ramasse.

Quand toutes les mains sont épuisées, on devrait compter treize plis gagnés soit par un camp, soit par l'autre.

La table devrait présenter l'aspect suivant:

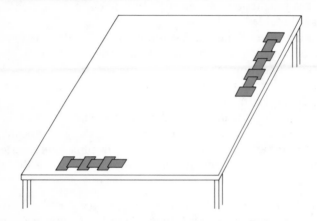

Quand les mains sont épuisées, les cartes sont battues et la donne avance, joueur après joueur, dans le sens des aiguilles d'une montre.

En période d'apprentissage, nous suggérons que les plis soient placés de la même façon que durant les tournois de bridge. Au lieu d'empiler les quatre cartes, chaque joueur ou joueuse aligne en face de soi sa carte jouée dans le pli. Lorsque le vainqueur d'une levée est connu, chacun retourne sa carte face contre table, pointant dans la direction du camp gagnant le pli. À l'épuisement d'une donne, la table aura l'apparence suivante:

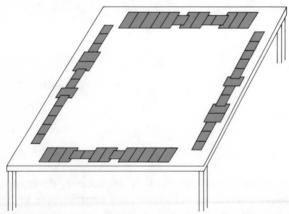

Jouer de cette façon permet à chacun ou chacune de garder à vue les levées gagnées et perdues et, en ramassant les cartes devant soi, de reconstituer sa main. Cela procure l'avantage, dans un second temps, de permettre aux joueurs de discuter de leur main.

Atout et sans atout

Au bridge, on peut jouer un contrat soit à sans atout (SA), soit à une couleur qui devient l'atout. À *sans atout* (SA), la plus haute carte dans la couleur attaquée enlève le pli. À une couleur d'*atout*, la plus haute carte de la couleur mentionnée à la dernière annonce emporte le pli. Si un joueur ne peut soutenir la couleur attaquée, il peut faire usage d'une carte d'atout. On dit alors *couper* une levée.

Un atout prime toute carte d'une autre couleur. Il est possible que plus d'un joueur ne puisse soutenir la couleur d'attaque. Si deux joueurs ou plus coupent d'un atout, la plus haute de ces cartes d'atout emporte le pli. Voici l'exemple d'une levée quand pique est l'atout:

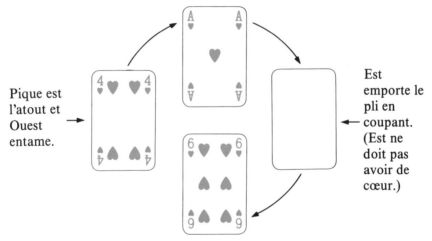

Pique est l'atout et Ouest entame.

Est emporte le pli en coupant. (Est ne doit pas avoir de cœur.)

L'enchère

Avant d'entamer, on doit préciser la couleur d'atout. Cela se passe à la suite d'une séquence d'*enchères* ou d'annonces. Les annonces au bridge ressemblent à celles d'un *encan*. L'annonce commence quand le donneur (ouvreur) propose une couleur d'atout, un SA ou s'abstient en disant *passe*.

Lors d'un encan, les enchères s'ouvrent en déclarant une somme d'argent minimale. Au bridge, *ouvrir les enchères* signifie que vous vous engagez dès le début à enlever plus de la moitié des plis. L'*enchère d'ouverture* est une promesse d'enlever au moins sept des treize levées possibles. Le premier joueur à ouvrir les enchères est appelé le *déclarant* ou l'*ouvreur*.

Habituellement, les enchères s'ouvrent au *niveau de un*. Mais ce *niveau de un* ne signifie pas une promesse de ne remporter qu'un pli. Les six premiers plis sont pris pour acquis; on les appelle le *livre*. Donc le niveau de un consiste à enlever 6 + 1 = 7 levées. Si l'enchère se décide au niveau de trois, cela signifie une promesse d'essayer de gagner 6 + 3 = 9 levées.

13	NIVEAU DE SEPT
12	NIVEAU DE SIX
11	NIVEAU DE CINQ
10	NIVEAU DE QUATRE
9	NIVEAU DE TROIS
8	NIVEAU DE DEUX
7	NIVEAU DE UN

6
5
4
3
2
1

Le LIVRE — les six premières levées

Un joueur fait une *annonce* en nommant d'abord le *niveau* et, ensuite, la *dénomination* (à la couleur ou à SA).

Dire   «un pique»   signifie que   «notre camp va tenter d'enlever au moins sept levées avec pique comme atout».

niveau: un   dénomination: pique

Niveau de un: 6 + 1 = 7 levées

Commencées par le donneur, les annonces se poursuivent, autour de la table, dans **le sens des aiguilles d'une montre.** Chacun a ainsi l'occasion de participer aux enchères.

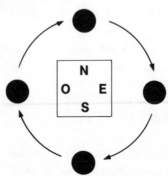

Il y aura des égalités. En annonçant un cœur, un joueur s'oblige à gagner sept levées à cœur. Un membre du camp opposé veut également s'obliger à remporter sept levées, mais à pique cette fois. Comment peut-il rompre l'égalité?

Au cours d'une enchère, les couleurs sont **ordonnées** de la même façon que durant la coupe. Les trèfles sont les derniers, puis viennent les carreaux, les cœurs et les piques. Cela signifie qu'une annonce de un pique a priorité sur tout autre enchère au niveau de un à la couleur. Le SA a priorité sur les piques. Donc, un SA occupe un rang supérieur à toute annonce au niveau de un.

Introduisons ici *l'échelle des enchères* telle qu'elle est illustrée à la page suivante. Vous devez toujours annoncer un niveau supérieur à l'enchère précédente sur l'échelle des enchères. Par exemple, si un joueur annonce un pique et que vous désirez nommer une autre couleur, mettons trèfle, vous devez annoncer deux trèfles, car les piques ont priorité sur les trèfles. Cela laisse entendre que vous vous engagez à compléter huit levées.

Les enchères se poursuivent dans le sens des aiguilles d'une montre; chaque joueur, à tour de rôle, annonce plus haut que l'enchère précédente ou bien il passe. Les participants peuvent annoncer plus d'une fois. Lors d'un encan, l'enchère prend fin quand vous entendez «une fois, deux fois, trois fois». Au bridge, quand vous entendez «passe, passe, passe», l'enchère est complétée.

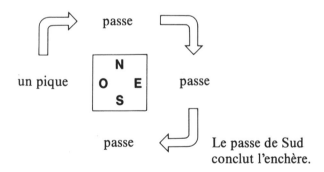

Le dernier niveau mentionné et la dernière dénomination signalée deviennent l'engagement définitif ou le *contrat* définitif. Par exemple, si un joueur annonce un pique suivi de passe, passe, passe, le contrat est à un pique, soit un engagement à prendre 6 + 1 = 7 levées, pique étant l'atout.

L'ÉCHELLE DES ENCHÈRES

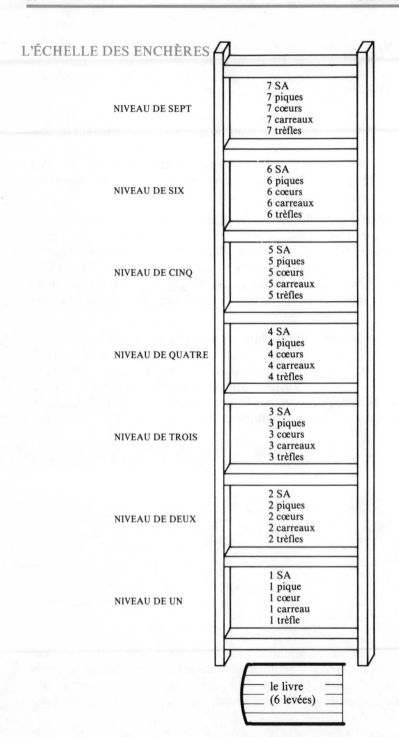

NIVEAU DE SEPT
- 7 SA
- 7 piques
- 7 cœurs
- 7 carreaux
- 7 trèfles

NIVEAU DE SIX
- 6 SA
- 6 piques
- 6 cœurs
- 6 carreaux
- 6 trèfles

NIVEAU DE CINQ
- 5 SA
- 5 piques
- 5 cœurs
- 5 carreaux
- 5 trèfles

NIVEAU DE QUATRE
- 4 SA
- 4 piques
- 4 cœurs
- 4 carreaux
- 4 trèfles

NIVEAU DE TROIS
- 3 SA
- 3 piques
- 3 cœurs
- 3 carreaux
- 3 trèfles

NIVEAU DE DEUX
- 2 SA
- 2 piques
- 2 cœurs
- 2 carreaux
- 2 trèfles

NIVEAU DE UN
- 1 SA
- 1 pique
- 1 cœur
- 1 carreau
- 1 trèfle

le livre
(6 levées)

L'offensive et la défense

Lorsque les enchères sont conclues et que le contrat définitif est précisé, il y aura deux paires ou camps.

Le camp *offensif* est celui qui a fait la plus haute enchère. Les membres du camp offensif s'engagent par contrat à opérer un certain nombre de levées. Ils *honorent* leur contrat quand ils complètent au moins le nombre de plis qu'ils ont promis de gagner.

Le camp *défensif* essaiera d'empêcher le camp offensif de remporter le nombre de plis promis. S'il réussit, il fait *chuter* le contrat de l'autre camp.

Le déclarant et le mort

Le premier joueur du camp offensif à proposer la couleur du contrat définitif se nomme le *déclarant*. Par exemple, si le contrat définitif est à deux cœurs, le premier joueur du camp offensif à avoir annoncé cœur est le déclarant. Voici l'exemple d'une séquence complète d'enchères:

OUEST	NORD	EST	SUD
(le donneur)	(le déclarant)		
passe	un cœur	un pique	deux cœurs
passe	passe	passe	

Ouest est le donneur et dit passe. Nord ouvre l'enchère de un cœur. Est déclare un pique et Sud propose deux cœurs. Au tour suivant, Ouest, Nord et Est passent. Les enchères sont maintenant terminées. Le contrat définitif est deux cœurs, et le déclarant est Nord, le premier joueur à annoncer cœur du camp offensif. Est et Ouest formeront le camp défensif.

Le déclarant maîtrise les deux mains du camp offensif: la sienne et celle de son partenaire. Le joueur du camp défensif situé à gauche du déclarant (ou le joueur de flanc gauche) *entame* en plaçant, face vue sur la table, une carte de son choix. C'est à ce moment que le partenaire du déclarant étale sa main, face vue sur la table. Cette main découverte est appelée le *mort*. On identifie également le partenaire du déclarant comme étant le *mort*.

le partenaire du déclarant (le mort)

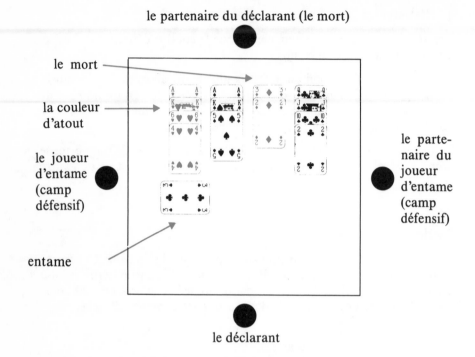

le mort

la couleur
d'atout

le joueur
d'entame
(camp
défensif)

le parte-
naire du
joueur
d'entame
(camp
défensif)

entame

le déclarant

Voici quelques règles relatives à la main du mort:

- La main du mort est étalée *après* l'entame.
- Les cartes sont étalées en ordre décroissant sur quatre colonnes, une colonne par couleur.
- S'il y a un atout à la couleur, celle-ci est placée à la *droite* du mort (à la gauche du déclarant).
- Tous les jeux du mort sont faits par le déclarant (cela signifie que le déclarant joue deux mains, la sienne et celle du mort).
- Au bridge de compétition, le déclarant doit nommer la carte à jouer du mort (par exemple, «jouez l'as de pique»), mais c'est son partenaire, le mort, qui manipule ses cartes.

Un exemple de partie libre

Afin d'illustrer le déroulement du jeu, prenons un exemple. Pour simplifier les données, posons que Sud joue un contrat à SA et que huit levées ont été complétées. Il ne reste que cinq cartes dans la main de chaque joueur. Sud a remporté la levée précédente et il doit attaquer d'une carte.

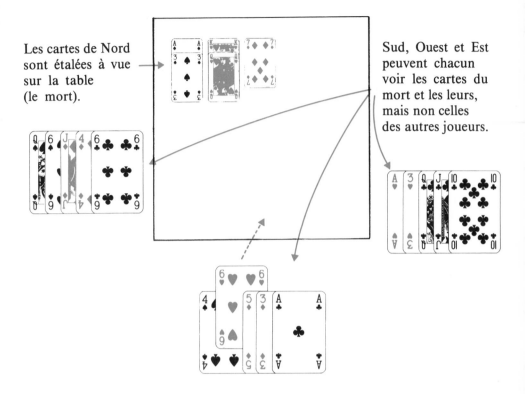

Les cartes de Nord sont étalées à vue sur la table (le mort).

Sud, Ouest et Est peuvent chacun voir les cartes du mort et les leurs, mais non celles des autres joueurs.

Afin de mieux comprendre le déroulement des levées restantes de ce contrat, il est préférable d'étaler les cartes comme sur l'illustration et de les jouer de la manière suivante:

Sud décide d'ouvrir du six de cœur. Ouest, dépourvu de cœur, laisse tomber le quatre de carreau. Sud demande à Nord de jouer la dame de cœur du mort et Est gagne le pli avec l'as de cœur.

Ayant enlevé le pli, il appartient à Est d'attaquer. Est décide d'ouvrir de la dame de trèfle, Sud lâche l'as, Ouest joue le six et Sud demande à Nord de suivre du trois de pique du mort. Sud enlève le pli.

Maintenant Sud attaque du quatre de pique, Ouest joue le six, l'as du mort est joué et Est laisse tomber le trois de cœur. Le mort gagne le pli.

Sud invite Nord à attaquer du roi de cœur du mort. Est lâche le dix de trèfle, Sud joue le trois de carreau et Ouest doit se décider à jouer soit le valet de carreau, soit la dame de pique. Comme le mort est sur le point de remporter le pli, Ouest, voyant que la dernière carte du mort, le sept de carreau, ouvrira le dernier pli, joue la dame de pique.

À la dernière levée, Nord ouvre du sept de carreau, Est laisse tomber le valet de trèfle, Sud lâche le quatre de carreau et Ouest gagne la levée à l'aide de son valet de carreau qu'il avait soigneusement réservé.

Le chapitre 24, *Le jeu de la carte*, expose certaines solutions qui peuvent vous aider à attaquer un jeu.

Résumé

Les quatre joueurs sont partagés en *deux camps* ou *paires*. Les cartes sont données dans le sens des aiguilles d'une montre, face contre table. Lorsque chaque joueur a mis en ordre les couleurs de sa main, l'ouvreur *annonce* ou *passe* le premier, suivi de chacun des autres joueurs, à tour de rôle, dans le sens des aiguilles d'une montre.

Sur l'échelle des enchères, une annonce doit être supérieure à celle qui précède. Les enchères prennent fin quand la dernière est suivie de passe, passe, passe. Le camp qui fixe la plus haute enchère devient la *paire offensive*. Le membre du camp offensif qui, le premier, ouvre de la couleur du *contrat définitif* devient le *déclarant*. L'autre membre du même camp offensif est *le mort*.

Le joueur de flanc gauche du déclarant *entame* le premier pli, puis le mort étale ses cartes sur la table, à vue. Le déclarant joue les deux mains du camp offensif et essaie de gagner suffisamment de *levées* pour honorer son contrat. Les deux membres du camp *défensif* collaborent en s'efforçant de s'approprier assez de levées pour faire chuter le contrat.

Exercices (les solutions sont données à l'annexe 2)

Il vous sera utile de vous servir d'un jeu de cartes pour résoudre les exercices suivants.

1. Quatre personnes sont assises autour d'une table et l'une d'elles coupe un jeu de cartes pour déterminer les partenaires. Les cartes tirées sont le quatre de carreau, le dix de cœur, la dame de cœur et le dix de trèfle. Quels joueurs seront partenaires? Quel joueur sera le donneur?

2. Quelle est la plus haute carte d'un jeu de cartes? Quelle est la plus petite? 2 trèfle   AS pique

3. Quel nombre maximal de plis votre camp peut-il gagner lors d'un seul contrat? 13

4. Ouest attaque du cinq de carreau, Nord se départit de la dame de

carreau, Est joue l'as de carreau et Sud, le deux de carreau. Qui enlève le pli? Qui ouvrira du prochain pli? *EST ; EST*

5. Dans un contrat à SA, Sud entame du valet de cœur, Ouest joue le cinq de cœur, Nord laisse tomber le huit de cœur et Est joue le roi de pique. Qui enlève le pli? Qui ouvrira de la levée suivante? *Sud   Sud*

6. Dans un contrat à pique comme atout, Nord attaque du six de trèfle, Est laisse tomber le cinq de pique, Sud, le neuf de pique et Ouest se départit du huit de trèfle. Qui enlève le pli? *Sud   Sud*

7. Au cours d'une séquence d'enchères, vous annoncez deux piques. *8* Combien de levées vous engagez-vous à essayer de faire? Que doit-il se passer pour que deux piques devienne un contrat définitif? *pique : passe, passe, passe.*

8. L'un de vos adversaires annonce un contrat à quatre cœurs. Combien de plis devez-vous gagner pour faire chuter leur contrat? *4*

9. Votre adversaire de flanc droit annonce trois piques. Quelle est la plus basse enchère à annoncer pour que le contrat soit à cœur? *4*

10. Vous devenez le déclarant d'un contrat à trois trèfles. Qui doit entamer? Qui est le mort? Combien de plis devez-vous enlever pour honorer votre contrat? *9*

II

L'ouverture des enchères au niveau de un

Comment vous y prendriez-vous pour ouvrir — ou ne pas ouvrir —une enchère au niveau de un?

À un encan, avant d'annoncer une enchère, il vous faut savoir de quelle somme d'argent vous disposez. Au bridge, vous devez connaître la valeur de votre main. Donc, avant d'ouvrir, vous devez d'abord évaluer votre main.

L'évaluation de la main

Deux éléments permettent de déterminer la valeur potentielle d'une main en vue de gagner des levées:

- les **hautes cartes**: (as, rois, dames et valets)
- les **couleurs longues**: (Une main contenant l'as, le roi, la dame, le sept, le six et le trois, par exemple, permet souvent d'obtenir cinq ou six levées.)

Une main moyenne peut enlever huit des treize levées possibles avec des hautes cartes, et cinq levées avec des petites cartes. Au bridge, l'*évaluation* d'une main tient compte de ces deux éléments. La *valeur* en points d'une main est déterminée par les *hautes cartes* (les *honneurs*) et par la *longueur* des couleurs (*distribution*).

ÉVALUATION DE LA MAIN		
POINTS D'HONNEURS (PH)		**POINTS DE DISTRIBUTION (PD)**
as	4 points	couleur cinquième = 5 cartes de la couleur 1 point
roi	3 points	couleur sixième 2 points
dame	2 points	couleur septième 3 points
valet	1 point	couleur huitième 4 points

16

Pour calculer la *valeur totale* en points d'une main (DH), on ajoute les points d'*honneur* (PH) à ceux de *distribution* (PD)

Par exemple:

	Points d'honneur (PH)	Points de distribution (PD)
♠ A 7 3	4	0
♥ R 4	3	0
♦ V 9 8 6 3	1	1
♣ D 7 3	2	0
	10 points +	1 point = 11 points

Cette main vaut 11 points (DH). Voici un autre exemple:

	PH	PD
♠ 3	0	0
♥ R 9 7 6 5 2	3	2
♦ A D 8 6 3	6	1
♣ A	4	0
	13 points +	3 points = 16 points

Cette main vaut 16 points (DH).

Maintenant, voyons comment se servir de la valeur en points d'une main pour savoir si l'on est ou non en mesure d'ouvrir les enchères.

Les annonces d'ouverture décrivent une situation

L'annonce d'ouverture révèle à votre partenaire certains éléments de votre main:

> La *distribution*: vous ouvrez de SA ou vous annoncez votre couleur la plus longue.

> La *force*: vos annonces d'ouverture indiquent que votre main possède au moins 13 points.

L'annonce n'est pas seulement une enchère, mais également le moment pour vous de décrire votre main à votre partenaire et, pour lui, de vous décrire sa main. Durant cette «conversation» vous décidez du meilleur contrat possible. L'annonce d'ouverture permet aux partenaires d'engager la conversation relativement aux enchères. Il est important que votre annonce d'ouverture décrive votre main le plus exactement possible.

La première priorité — un SA

Certaines enchères décrivent une main en termes vagues, alors que d'autres sont très significatives. Autant que possible, le déclarant doit s'efforcer de décrire sa main avec le plus de précision possible. L'ouverture la plus descriptive est: **un SA**.

RÈGLES À SUIVRE POUR UNE OUVERTURE DE UN SA

Pour ouvrir de un Sa, il vous faut:

16 ┊ 17 ┊ 18

• une **main équilibrée**;
• 16, 17 ou 18 points.

Qu'est-ce qu'une *main équilibrée*? C'est une main qui ne contient pas de *chicane* (une couleur manquante), aucun *singleton* (une couleur d'une carte), et pas plus d'un *doubleton* (une couleur de deux cartes). Les trois mains suivantes sont dites équilibrées:

* Une main d'une couleur de 4 cartes (couleur quatrième) et de trois couleurs de 3 cartes (couleurs troisièmes); cette distribution est décrite comme étant 4-3-3-3. Par exemple:

♠ D V 10 9   Cette main vaut 17 points (DH).
♥ 8 7 6   La distribution est de 4-3-3-3:
♦ A R V   quatre piques, trois cœurs, trois
♣ A D 7   carreaux et trois trèfles.

* Une main de deux couleurs de 4 cartes (couleurs quatrièmes), d'une couleur de 3 cartes (couleur troisième) et d'un doubleton; cette distribution est décrite comme étant 4-4-3-2. Par exemple:

♠ 8 7   Cette main vaut 18 points (DH).
♥ A R 8   La distribution est de 4-4-3-2:
♦ R D V 4   quatre trèfles, quatre carreaux,
♣ A V 7 6   trois cœurs et deux piques.

* une main d'une couleur de 5 cartes (couleur cinquième), de deux couleurs de 3 cartes (couleurs troisièmes) et d'un doubleton; cette distribution est décrite comme étant 5-3-3-2. Par exemple:

♠ A 8 7   Cette main vaut 16 points (DH).
♥ 9 8 7   La distribution est de 5-3-3-2: cinq
♦ A R V 8 5   carreaux, trois piques, trois cœurs
♣ R 8   et deux trèfles.

Pourquoi vouloir une main équilibrée? Lorsque l'annonce d'ouverture est de un SA, vous signifiez à votre partenaire que vous souhaiteriez un contrat à SA. Vous ne choisiriez certainement pas cette option si vous aviez une ou deux couleurs longues pour un contrat à la couleur ou, inversement, si vous possédiez une ou plusieurs couleurs très courtes.

Les mains suivantes sont des exemples d'ouvertures de un SA:

♠ A D 2	♠ R D V
♥ R D V	♥ 8 7 5 4
♦ A V 9 8 7	♦ A R
♣ 9 7	♣ D V 8 5
distribution: 5-3-3-2	distribution: 4-4-3-2
points: 18	points: 16

N'oubliez pas d'ouvrir de un SA si vous avez une main de 16 à 18 points et une *distribution* équilibrée. Décrire sa main avec exactitude est l'un des principaux éléments d'une bonne enchère.

Les enchères au niveau de un à la couleur

Le plus souvent, votre main ne vous permettra pas d'annoncer clairement un SA dès l'ouverture. Votre deuxième choix: annoncer un à la couleur.

RÈGLES D'OUVERTURE DES ENCHÈRES AU NIVEAU DE UN À LA COULEUR

Ayant de *13 à 21 points* (points d'honneur et points de longueur), ouvrez les enchères de votre couleur *la plus longue*.

la couleur la plus longue

Pourquoi devez-vous annoncer d'abord votre couleur *la plus longue* et non votre couleur la plus forte? La meilleure couleur d'atout de votre camp est habituellement la couleur dans laquelle votre camp possède le plus grand nombre de cartes (vos adversaires en ayant moins que vous). La meilleure façon pour votre camp de commencer à chercher votre couleur la plus longue est, précisément, de déclarer à votre partenaire la couleur la plus longue de votre main.

Avec moins de 13 points, vous n'ouvrez pas les enchères. Vous dites alors «passe». Pourquoi devez-vous détenir au moins 13 points? Cela constitue, comme nous le verrons, une partie du langage des enchères. Vous essayez d'échanger des renseignements avec votre partenaire dans le but d'aboutir à un contrat que votre camp devra réaliser. Pour que votre partenaire puisse coopérer, il doit avoir une certaine idée de la valeur minimale de votre main quand vous ouvrez les enchères. Ce minimum a été fixé à 13 points. Les mains de 22 points ou plus seront étudiées au chapitre intitulé *Les mains fortes.*

Voici quelques exemples. Dans chaque cas, vous ouvrez les enchères. Quelle doit être votre annonce d'ouverture avec chacune des mains suivantes?

1. ♠ A R 8 7 6   2. ♠ 8 7   3. ♠ A R D V   4. ♠ 8 7
   ♥ A 7 3   ♥ R V 9 8 7 6   ♥ 9 8 7 6 5 4   ♥ A R D V
   ◆ D 6   ◆ D 8 7   ◆ A 5   ◆ D V 9 8 7
   ♣ 9 8 3   ♣ 7 6   ♣ 8   ♣ A R

1. UN PIQUE La main compte 13 PH plus un point pour la couleur cinquième à pique. Le total des points, 14, suffit pour ouvrir les enchères. Bien que la main soit équilibrée, elle n'a pas suffisamment de points pour ouvrir de un SA. Au lieu de cela, choisissez la couleur la plus longue et ouvrez de un pique.

2. PASSEZ Il y a 6 PH plus deux points pour la couleur sixième à cœur, soit un total de 8 points. C'est insuffisant pour ouvrir les enchères, alors, passez.

3. UN CŒUR La main compte 14 PH plus deux points de longueur. Cela suffit pour ouvrir les enchères. Bien que vous ayez 16 points, vous ne pouvez annoncer un SA parce que votre main n'est pas équilibrée. Choisissez la couleur la plus longue, bien qu'elle soit faible en hautes cartes, et ouvrez les enchères de un cœur.

4. UN CARREAU Il y a 20 PH plus un point de longueur. C'est une main forte, mais vous ouvrez quand même de un à la couleur. Ouvrez de un carreau.

Le choix parmi les couleurs de même longueur

Certaines mains détiennent plusieurs couleurs de même longueur. Il existe des règles simples qui vous permettent de choisir la couleur d'ouverture appropriée. Vous trouverez la justification de ces règles sous la rubrique «Pour les fureteurs» à la fin du chapitre.

RÈGLES D'OUVERTURE DES
ENCHÈRES AYANT DEUX
COULEURS CINQUIÈMES OU
SIXIÈMES

Lorsque vous possédez deux couleurs cinquièmes ou sixièmes, ouvrez de la couleur *la plus chère*.

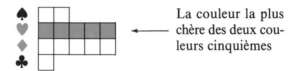

La couleur la plus chère des deux couleurs cinquièmes

Par exemple:

1. ♠ 7
   ♥ D 8 7 6 5
   ♦ A R D 7 6
   ♣ V 8   14 pts

2. ♠ R 9 8 7 5
   ♥ R 7
   ♦ A R D V 7
   ♣ 8

1. UN COEUR Il y a 12 PH plus deux points de longueur pour un total de 14 points. Vous avez deux couleurs cinquièmes, alors vous annoncez la couleur la plus chère. Vous devez ouvrir de un coeur.

2. UN PIQUE La main compte 16 PH plus un point pour chacune des couleurs cinquièmes, soit un total de 18 points. Disposant de deux couleurs cinquièmes, ouvrez de la plus chère, soit un pique.

RÈGLE D'OUVERTURE DES
ENCHÈRES AYANT DEUX
COULEURS QUATRIÈMES

Lorsque vous possédez deux couleurs quatrièmes, ouvrez de *la moins chère*.

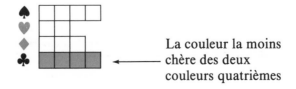

La couleur la moins chère des deux couleurs quatrièmes

> ## RÈGLE D'OUVERTURE DES ENCHÈRES AYANT TROIS COULEURS QUATRIÈMES
>
> Lorsque vous possédez trois couleurs quatrièmes, ouvrez de la couleur *médiane*.

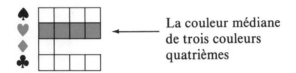

La couleur médiane
de trois couleurs
quatrièmes

Voici d'autres exemples:

3. ♠ 9 8
    ♥ A R D 4
    ♦ R D 9 8
    ♣ A V 6

4. ♠ R D V 8
    ♥ A 8 7 6
    ♦ V 7 6 4
    ♣ A

3. UN CARREAU On compte 19 PH et c'est suffisant pour ouvrir les enchères. bien que la main soit équilibrée, elle compte trop de points pour ouvrir de un SA. Possédant deux couleurs quatrièmes, ouvrez de la couleur la moins chère, les carreaux.

4. UN CŒUR Avec 15 PH et trois couleurs quatrièmes, ouvrez les enchères de la couleur médiane. Annoncez un cœur.

Résumé

La première étape d'une séquence d'enchères est celle où vous êtes le premier *à déclarer*. Afin de savoir si vous devez ouvrir les enchères ou non, *évaluez* votre main.

ÉVALUATION DE LA MAIN		
POINTS D'HONNEURS (PH)		**POINTS DE DISTRIBUTION (PD)**
as	4 points	couleur cinquième	1 point
roi	3 points	couleur sixième	2 points
dame	2 points	couleur septième	3 points
valet	1 point	couleur huitième	4 points

Afin de connaître la valeur de votre main, additionnez les *points d'honneurs* (PH) et les *points de distribution* (PD), et décidez si oui ou non vous devez ouvrir les enchères.

OUVERTURE DES ENCHÈRES AU NIVEAU DE UN

- Vous avez moins de 13 points; passez.

- Vous avez de 13 à 21 points*:
  - ouvrez les enchères de un SA quand vous avez de 16 à 18 points et que votre main est équilibrée;
  - sinon, ouvrez les enchères au niveau de un dans votre couleur la plus longue.

- Si vous avez un choix de couleurs longues:
  - annoncez la plus chère de deux couleurs cinquièmes ou sixièmes;
  - annoncez la moins chère de deux couleurs quatrièmes;
  - annoncez la couleur médiane de trois couleurs quatrièmes.

Exercices

1. Vous êtes le donneur et, par conséquent, vous avez l'occasion d'ouvrir les enchères. Qu'annonceriez-vous avec chacune des mains suivantes?

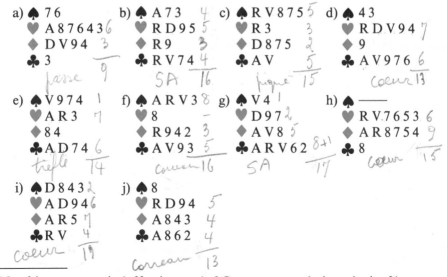

a) ♠ 7 6
  ♥ A 8 7 6 4 3
  ♦ D V 9 4
  ♣ 3

b) ♠ A 7 3
  ♥ R D 9 5
  ♦ R 9
  ♣ R V 7 4

c) ♠ R V 8 7 5
  ♥ R 3
  ♦ D 8 7 5
  ♣ A V

d) ♠ 4 3
  ♥ R D V 9 4
  ♦ 9
  ♣ A V 9 7 6

e) ♠ V 9 7 4
  ♥ A R 3
  ♦ 8 4
  ♣ A D 7 4

f) ♠ A R V 3
  ♥ 8
  ♦ R 9 4 2
  ♣ A V 9 3

g) ♠ V 4
  ♥ D 9 7
  ♦ A V 8
  ♣ A R V 6 2

h) ♠ —
  ♥ R V 7 6 5 3
  ♦ A R 8 7 5 4
  ♣ 8

i) ♠ D 8 4 3
  ♥ A D 9 4
  ♦ A R 5
  ♣ R V

j) ♠ 8
  ♥ R D 9 4
  ♦ A 8 4 3
  ♣ A 8 6 2

---

*Que faire avec une main de 22 points ou plus? Ces cas seront soulevés au chapitre 21.

Pour les « fureteurs »

Pourquoi ouvrir de la plus chère de deux couleurs cinquièmes?

Comme vous le verrez dans les chapitres suivants, l'annonce d'ouverture n'est que le début des enchères. À mesure que celles-ci se déroulent, l'ouvreur décrit de plus en plus sa main, aidant ainsi son partenaire à décider du contrat définitif. Disposant de deux couleurs cinquièmes, l'ouvreur essaie habituellement au cours des enchères de communiquer à son partenaire certains éléments de ces deux couleurs de façon à ce qu'il puisse choisir la couleur d'atout. Il appartient à l'ouvreur d'opter pour la manière la plus profitable d'échanger ces renseignements.

Supposons que l'ouvreur dispose de la main suivante:

♠ A V 7 5 3
♥ A R 10 9 5
♦ 8 5
♣ 10

[annotation manuscrite: 5+5+1+2 / 12+2=14]

S'il ouvre les enchères de la couleur la moins chère, cœur, les annonces seront:

L'OUVREUR	SON PARTENAIRE
un cœur	un SA
deux piques	?

À ce stade, le partenaire de l'ouvreur doit souvent choisir entre cœur et pique comme couleur d'atout. S'il préfère pique, il peut dire passe et le contrat définitif est deux piques... un contrat de huit levées. Cependant, s'il préfère cœur, il doit annoncer trois cœurs... un contrat de neuf levées.

Si, par contre, l'ouvreur annonce d'abord une couleur plus chère, pique, les enchères peuvent être:

L'OUVREUR	SON PARTENAIRE
un pique	un SA
deux cœurs	?

Si le partenaire de l'ouvreur préfère cœur, il peut dire passe et le contrat définitif est deux cœurs... un contrat de huit levées. S'il opte pour pique, il peut annoncer deux piques... également un contrat de huit levées.

Donc si l'ouvreur annonce d'abord une couleur plus chère, son partenaire peut choisir parmi plusieurs couleurs d'atout au niveau de deux. Si l'ouvreur annonce d'abord la couleur la moins chère, son partenaire sera peut-être contraint d'aller au niveau de trois pour indiquer sa couleur préférée.

L'exemple ci-dessus n'est qu'une façon parmi d'autres de continuer les enchères. Cependant l'expérience démontre qu'en général il est préférable d'ouvrir de la plus chère de deux couleurs cinquièmes.

Pourquoi ouvrir de la moins chère de deux couleurs quatrièmes?

Comme vous le verrez plus loin, le partenaire de l'ouvreur annonce une couleur quatrième au niveau de un à condition qu'il existe d'autres options sur l'échelle des enchères. En annonçant d'abord la moins chère de deux couleurs quatrièmes, vous permettez à votre partenaire de choisir la couleur d'atout la plus appropriée. Si votre partenaire ne souligne pas votre seconde couleur au niveau de un, alors n'essayez pas d'en faire une couleur d'atout. Dans ce cas, votre choix se porte vers un contrat à SA.

Par exemple, supposons que l'ouvreur possède la main suivante:

$$\spadesuit \text{ A R 10 7}$$
$$\heartsuit \text{ R 10 9 5}$$
$$\diamondsuit \text{ R 8 5}$$
$$\clubsuit \text{ 10 2}$$

Si son annonce d'ouverture est à la couleur la plus chère, pique, les enchères se poursuivent ainsi:

L'OUVREUR	SON PARTENAIRE
un pique	un SA
?	

À ce stade, l'ouvreur sait que son partenaire n'aime pas pique, mais ne sait pas s'il préfère coeur. Il est possible que son partenaire ait une bonne couleur à coeur mais, comme vous le verrez plus loin, il se peut qu'il n'ait pas suffisamment de points pour l'annoncer au niveau de deux. Si l'ouvreur annonce deux coeurs, peut-être s'apercevra-t-il que son partenaire n'aime aucune de ces couleurs. Le risque existe que le camp offensif aille trop haut sur l'échelle des enchères alors qu'il tente de trouver un contrat définitif raisonnable.

Si, par contre, l'ouvreur annonce d'abord la couleur la moins chère, coeur, les enchères peuvent être:

L'OUVREUR	SON PARTENAIRE
un cœur	un SA
?	

À ce moment, l'ouvreur sait que son partenaire n'aime pas cœur et de plus il constate que son partenaire n'a pas quatre piques (ou plus) puisqu'il n'en a déclaré aucun. Par conséquent, l'ouvreur a plus de certitude qu'un SA devienne un contrat définitif raisonnable. Il passe.

Il existe plusieurs séquences possibles d'annonces lorsque l'ouvreur amorce les enchères de l'une de ses deux couleurs quatrièmes. Cependant l'expérience démontre que les enchères se déroulent plus facilement si l'ouvreur annonce d'abord la moins chère de ses deux couleurs quatrièmes. Cela apparaîtra plus clairement lorsque vous verrez comment le répondant (le partenaire de l'ouvreur) réagit à une ouverture de un à la couleur (chapitre 7).

La raison qui justifie une ouverture à la couleur médiane de trois couleurs quatrièmes est analogue à celle qui a été traitée plus haut. Une ouverture à la couleur médiane permet toujours à l'ouvreur d'annoncer une deuxième couleur disponible si son partenaire n'accepte pas celle qu'il a proposée en premier lieu. Cela paraîtra plus évident à la lecture des chapitres 8 et 9.

Majeures cinquièmes et meilleures mineures

Supposons que l'ouvreur dispose de la main suivante:

D'après les directives précédentes, l'annonce d'ouverture doit être un cœur. Vous constaterez plus tard que cette enchère est parfaitement justifiée puisque le partenaire, fort probablement, n'acceptera pas cœur comme atout, à moins d'en posséder lui-même quatre.

Certaines méthodes proposent de détenir au moins *cinq* cartes dans une couleur *majeure* (cœur ou pique) avant d'ouvrir les enchères de cette couleur. Quelle serait votre annonce avec la main ci-dessus? Au lieu d'ouvrir de la majeure quatrième, vous annonceriez la meilleure *mineure* troisième (trèfle ou carreau). Avec la main ci-dessus, vous ouvririez de un carreau. On appelle cette ouverture «la meilleure mineure». Bien qu'il existe des raisons valables de procéder ainsi, des joueurs débutants ne sont nullement obligés d'utiliser ces méthodes.

Avec de telles mains, certains joueurs ouvrent de un trèfle, «le trèfle court» ou «le trèfle opportun». Comme vous pouvez le constater d'après la distribution, une telle annonce déforme l'image de la main que l'ouvreur tente de transmettre à son partenaire.

III
Les objectifs

Le bridge a pour objectif de gagner le plus grand nombre de levées possible, parce que c'est la façon de gagner des *points*. Si vous êtes du camp offensif, vous marquez des points en complétant suffisamment de levées pour réaliser votre contrat. Si vous êtes du camp défensif, vous marquez des points en enlevant assez de levées pour faire chuter le contrat du camp adverse.

On trouvera plus loin une méthode simplifiée de marquer les points. La méthode traditionnelle de marquer les points d'un *robre* est étudiée sous la rubrique «Pour les fureteurs» à la fin de ce chapitre.

La marque

Lorsque vous avez coupé les cartes pour choisir les partenaires et déterminer le donneur, vous êtes prêts à jouer un *tour* de bridge. Celui-ci comprend quatre donnes (ou mains), chaque joueur donnant une fois, à tour de rôle. La fin d'un tour est le moment idéal pour cesser le jeu. Vous additionnez les points de chaque camp pour connaître les vainqueurs. Après quoi, vous pouvez jouer un autre tour avec le même partenaire, ou couper pour former de nouvelles paires, ou vous arrêter pour prendre une collation, ou lever la séance.

On note les points gagnés sur une *feuille de marque* divisée en deux colonnes intitulées NOUS et EUX. Les points remportés par votre camp sont inscrits sous le NOUS et ceux du camp adverse, sous le EUX.

NOUS   EUX

Vous obtenez des *points de levées* pour les levées déclarées et réussies, et des *points de prime* pour avoir réalisé votre contrat. Si vous faites chuter le contrat du camp offensif, vous gagnez en prime des *points de pénalité*.

Les points de levées

Un camp gagne des points pour les levées déclarées et réussies (au-delà du livre) quand il s'agit du camp offensif, c'est-à-dire celui qui a gagné les enchères. On enregistre la marque comme suit:

POINTS DE LEVÉES

- 20 points par levée déclarée et réussie à carreau ou à trèfle (*couleurs mineures*)
- 30 points par levée déclarée et réussie à pique ou à coeur (*couleurs majeures*)
- 40 points pour la première levée déclarée et réussie à SA, et 30 points pour chaque levée supplémentaire déclarée et réussie à SA

Par exemple, votre camp déclare deux cœurs, s'obligeant à réaliser huit levées (6 + 2 = 8) à cœur, couleur d'atout. Lorsque les mains ont été jouées, si vous réussissez huit levées, vous recevez 30 points pour chaque levée déclarée et réalisée, soit 30 + 30 = 60 points. Vous n'obtenez pas de points pour les six premières levées gagnées.

D'une façon analogue, si vous déclarez trois SA et le réalisez, vous gagnez 100 points de levées (40 + 30 + 30).

La manche

Si vous déclarez un contrat de 100 points ou plus et le réussissez, vous gagnez une *manche*. Lorsque vous gagnez une manche, vous additionnez les points de prime aux points de levées. Par conséquent, votre premier but est de remporter les manches. On *marque* les points de manche en déclarant les contrats suivants et en les réussissant.

La manche partielle

Un contrat dont la valeur est inférieure à 100 points porte le nom de *manche partielle* (*marque partielle*). Vous méritez une petite prime pour une manche partielle. Par exemple:

Contrat	Points de levées
Une manche partielle à deux SA:	40 + 30 = 70
Une manche partielle à deux carreaux:	20 + 20 = 40

CONTRATS DE MANCHE

Une manche à SA: trois SA (9 plis)
40 + 30 + 30 =100

Une manche dans une majeure: quatre coeurs ou quatre piques (10 plis)
30 + 30 + 30 + 30 = 120

Une manche dans une mineure: cinq trèfles ou cinq carreaux (11 plis)
20 + 20 + 20 + 20 + 20 = 100

La vulnérabilité

Pour réussir un contrat ou pour le faire chuter, le nombre de points de prime dépend d'un facteur appelé la *vulnérabilité*. Si votre camp est **vulnérable**, les points de prime sont supérieurs à une situation de **non vulnérabilité**. On détermine le camp vulnérable de la façon suivante:

Aucun camp n'est vulnérable durant la première donne d'un tour. Les deux camps sont vulnérables durant la dernière donne d'un tour. À la deuxième et à la troisième donnes, le camp du donneur est vulnérable et l'autre non.

VULNÉRABILITÉ DURANT UN TOUR DE BRIDGE

Première donne: aucun camp n'est vulnérable
Deuxième donne: le camp du donneur est vulnérable
Troisième donne: le camp du donneur est vulnérable
Quatrième donne: les deux camps sont vulnérables

Supposons que Nord gagne la coupe pour déterminer le donneur. Aucun camp n'est vulnérable à la première donne. Est donne la deuxième main et son camp devient vulnérable tandis que le camp Nord-Sud ne l'est pas. Sud donne la troisième main et son camp devient vulnérable, mais non Est-Ouest. Quand Ouest donne la dernière main, les deux camps sont vulnérables.

Les points de prime de manche et de manche partielle

Tous les points qui ne sont pas des points de levées déclarées et réalisées sont des *points de prime*.

- 500 points pour avoir déclaré et réalisé une manche vulnérable
- 300 points pour avoir déclaré et réalisé une manche non vulnérable
- 50 points pour avoir déclaré et réalisé une manche partielle vulnérable ou non vulnérable

Par exemple, si vous ouvrez, puis que votre camp déclare un contrat à quatre cœurs à la première donne d'un tour et le réalise, vous obtenez les points suivants:

Points de levées (30 + 30 + 30 + 30)	120
+ Points de prime de manche non vulnérable	300
= Marque totale	420

À la deuxième donne, si vos adversaires déclarent le contrat à trois trèfles et le réalisent, ils se voient attribuer les points suivants:

Points de levées (20 + 20 + 20)	60
+ Points de prime de manche partielle	50
= Marque totale	110

À la troisième donne, votre partenaire donne, rendant ainsi votre camp vulnérable. Si vous déclarez un contrat à trois SA et le réussissez, vous obtenez les points suivants:

Points de levées (40 + 30 + 30)	100
+ Points de prime de manche vulnérable	500
= Marque totale	600

Les levées supplémentaires

Si vous récoltez plus de levées que le contrat ne l'exige, les points pour les levées supplémentaires sont additionnés à votre résultat. Par exemple, si vous déclarez deux piques et que vous réussissez dix levées (deux de plus), votre marque devient:

Points de levées (30 + 30)	60
+ Points de prime de manche partielle	50
+ Points de prime pour les levées supplémentaires	
(30 + 30)	60
= Marque totale	170

Notez bien que vous **ne recevez pas** de primes de manche, mais seulement de manche partielle, bien que vous ayez suffisamment de levées pour un contrat de manche à pique. On n'alloue des points de manche que lorsque le contrat **déclaré** et **réalisé** en est un de manche.

Comme les points de prime de manche sont considérablement plus élevés que ceux de manche partielle, **vous devez toujours essayer de déclarer un contrat de manche si vous croyez qu'il existe une possibilité raisonnable de la réussir.** Les prochains chapitres traitent de la façon de décider si oui ou non votre camp est en mesure de déclarer un contrat de manche.

Les levées de chute

Qu'arrive-t-il lorsque vous déclarez un contrat et que vous ne pouvez réussir le nombre de levées? Votre contrat a *chuté*: vous n'avez pas réussi votre contrat. Vos adversaires gagnent une prime appelée *prime de pénalité* pour chacune des levées (chaque levée de chute) qui a causé votre échec. La pénalité dépend de la vulnérabilité ou non du camp défait:

- Vulnérable: 100 points par levée de chute
- Non vulnérable: 50 points par levée de chute

Par exemple, si vous n'êtes pas vulnérable, que vous avez déclaré un contrat à quatre piques et ne réalisez que sept levées (vous avez chuté de trois levées), vos adversaires reçoivent une somme de 150 points (50 + 50 + 50). Si vous êtes vulnérable, ils obtiennent 300 points (100 + 100 + 100).

Les points de prime de chelem

Les points de prime s'obtiennent aussi:

- en déclarant et en réalisant un *petit chelem* — un contrat au niveau de six (12 levées)
- en déclarant et en réalisant un grand chelem — un contrat au niveau de sept (13 levées)

L'appendice 3 propose un abrégé du calcul de la marque si vous désirez connaître la valeur de certaines primes spécifiques.

Résumé

Le jeu de bridge a pour objectif de vous faire gagner plus de points que vos adversaires; pour cela, vous devez:

1. Réaliser le contrat que vous avez déclaré:

POINTS DE LEVÉES

- 20 points par levée déclarée et réussie à carreau ou à trèfle (*couleurs mineures*)
- 30 points par levée déclarée et réussie à pique ou à cœur (*couleurs majeures*)
- 40 points pour la première levée déclarée et réussie à SA, et 30 points pour chaque levée de supplément déclarée et réussie à SA

---

2. Obtenir les points de prime de manche partielle, de manche ou de chelem déclaré et réalisé (les points de prime sont traités à l'appendice 3):

CONTRATS DE MANCHE

- Une manche à SA: trois SA (9 plis)
  $40 + 30 + 30 = 100$
- Une manche dans une majeure: quatre cœurs ou quatre piques (10 plis)
  $30 + 30 + 30 + 30 = 120$
- Une manche dans une mineure: cinq trèfles ou cinq carreaux (11 plis)
  $20 + 20 + 20 + 20 + 20 = 100$

POINTS DE PRIME DE MANCHE ET DE MANCHE PARTIELLE

- 500 points pour avoir déclaré et réalisé une manche *vulnérable*
- 300 points pour avoir déclaré et réalisé une manche *non vulnérable*
- 50 points pour avoir déclaré et réalisé une manche partielle vulnérable ou non vulnérable

---

3. Faire chuter les contrats de vos adversaires:

POINTS DE PÉNALITÉ

- Si le camp est vulnérable: 100 points par levée
- Si le camp est non vulnérable: 50 points par levée

Exercices

Les exercices ci-dessous traitent de la marque. Certains sont de véritables défis, mais n'attachez pas une importance exagérée au nombre de réponses correctes obtenues.

1. Le camp adverse entame. À la première donne du tour, personne n'est vulnérable. Vous déclarez quatre piques et le réalisez. Quels sont vos points de levées? Quels sont vos points de prime?

2. À la deuxième donne, vos adversaires déclarent un contrat à quatre cœurs et le réalisent. Quel camp est vulnérable? Combien de points le camp adverse reçoit-il?

3. À la troisième donne, vous déclarez un contrat à deux carreaux et le réalisez. Quels sont vos points de levées? Quels sont vos points de prime?

4. À la quatrième donne, vos adversaires déclarent un contrat à quatre piques et ne réussissent que neuf levées. Quels sont vos points de pénalité?

5. Préparez la feuille de marque indiquant la marque finale des contrats déclarés et honorés aux exercices 1, 2, 3 et 4. Qui a gagné le tour?

6. Si vous désirez que pique soit l'atout, quel contrat devez-vous déclarer pour obtenir des points de manche? Pourquoi serez-vous enclin à annoncer un niveau supérieur? Quel danger vous guette en annonçant un niveau supérieur?

7. Supposons que votre camp réalise exactement neuf levées, soit à SA, soit dans un contrat à trèfle. Quel contrat est préférable? Pourquoi?

8. Vos adversaires sont vulnérables et annoncent deux piques. Combien de levées devez-vous réussir pour faire chuter leur contrat? Que se passe-t-il si vous le faites chuter d'une levée?

9. À la première donne d'un tour, vous annoncez un contrat à deux cœurs et réussissez neuf levées. Combien de points gagnez-vous? Que se passe-t-il si vous ne réussissez que sept levées?

10. Vous-même et votre partenaire, étant vulnérables, annoncez un contrat à quatre cœurs et le réalisez. Combien de levées avez-vous gagnées? Combien de levées vos adversaires ont-ils gagnées? Combien de points avez-vous accumulés?

Pour les «fureteurs»

La marque au robre

La méthode de la marque exposée au cours de ce chapitre ressemble à celle qu'on utilise lors d'un tournoi où l'on compile les marques individuelles de chaque donne. Assez souvent, on se sert d'un procédé plus traditionnel de la marque lors de rencontres entre amis afin de jouer à un jeu qu'on appelle le «robre». Cette méthode est beaucoup plus compliquée que celle de la marque proposée dans le présent ouvrage.

Au robre, les points sont notés sur une feuille de marque ressemblant à une croix (voir ci-dessous). Une droite verticale divise la feuille en deux partie: NOUS et EUX. La ligne horizontale est appelée, à juste titre, *la ligne*. Les points de levées des contrats sont inscrits *au-dessous de la ligne*, les points de prime, *au-dessus de la ligne*.

Le *robre* (analogue au système de la marque d'un tour décrit dans le *Plaisir du bridge*) se poursuit jusqu'à ce qu'un camp ait gagné deux manches. Aucun point de prime n'est octroyé pour une manche partielle ou une seule manche. En plus de remporter une manche en annonçant un contrat de 100 points ou plus, on peut également gagner une manche en déclarant deux ou plus de deux contrats de manche partielle et en les réussissant si chacun vaut moins de 100 points, mais si leur somme donne 100 points ou plus. Lorsqu'un camp remporte une manche, une ligne horizontale est tracée sous les résultats des deux camps pour indiquer qu'une nouvelle manche commence. Le résultat des manches partielles antérieures ne s'ajoute pas à ceux de la future manche.

Au bridge de robre, un camp devient vulnérable selon les règles suivantes: quand un des deux camps a remporté une manche, cette paire devient vulnérable; par conséquent, lorsqu'un robre commence, aucun camp n'est vulnérable. Lorsqu'un camp gagne une manche, il devient vulnérable et l'autre non. Si les deux camps gagnent une manche, ils sont tous deux vulnérables. La vulnérabilité ou la non-vulnérabilité d'un camp influence la marque des points de prime inscrits au-dessus de la ligne.

Par exemple, les points de prime acquis lors du gain d'un robre dépendent du fait que le camp adverse ait ou non gagné la manche. Si vous gagnez un robre deux manches contre zéro, vous obtenez 700 points de prime. Si vous enlevez un robre deux manches contre une, vous récoltez 500 points de prime.

Voici un exemple de la marque complète d'un robre:

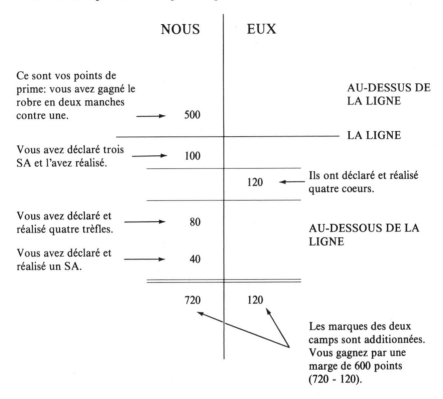

NOUS   **EUX**

Ce sont vos points de prime: vous avez gagné le robre en deux manches contre une. ⟶ 500

AU-DESSUS DE LA LIGNE

LA LIGNE

Vous avez déclaré trois SA et l'avez réalisé. ⟶ 100

120 ⟵ Ils ont déclaré et réalisé quatre coeurs.

Vous avez déclaré et réalisé quatre trèfles. ⟶ 80

AU-DESSOUS DE LA LIGNE

Vous avez déclaré et réalisé un SA. ⟶ 40

720   120

Les marques des deux camps sont additionnées. Vous gagnez par une marge de 600 points (720 - 120).

IV

Le capitaine

Que faites-vous lorsque votre partenaire ouvre les enchères?

Le langage des enchères

Lorsque l'un des deux partenaires ouvre les enchères, les deux membres de la paire, à l'aide du *langage des enchères*, se transmettent suffisamment de renseignements pour pouvoir résoudre deux questions:

- À QUEL NIVEAU déclarer le contrat (manche partielle, manche ou chelem)?
- À QUELLE COULEUR doit être le contrat (trèfle, carreau, cœur, pique ou SA)?

  Note: Pour simplifier le langage, on considère, au sens le plus large, le SA comme une couleur.

Chaque annonce comporte deux messages:

- *Le niveau*: le nombre de levées que le déclarant s'engage à réussir pour avoir le privilège d'annoncer la dénomination.

- *La dénomination*: la couleur d'atout (ou SA) que le déclarant propose.

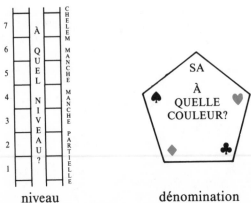

niveau   dénomination

Une annonce au niveau de un signifie qu'on s'engage à compléter 6 (le livre) + 1 = 7 levées. Le donneur a l'occasion d'ouvrir les enchères. Dans son annonce d'ouverture, il propose une dénomination et le niveau, ou il peut dire «passe». S'il passe, alors le privilège d'ouvrir les enchères échoit au joueur de son flanc gauche. On procède ainsi dans le sens des aiguilles d'une montre jusqu'à ce qu'un joueur ouvre les enchères.

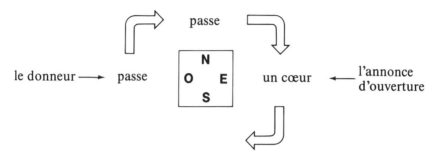

Si tous les joueurs passent, la main *s'écroule* et le même joueur en donne une autre.

Lorsqu'un joueur ouvre les enchères, les annonces se poursuivent dans le sens des aiguilles d'une montre, chaque camp annonçant un niveau supérieur sur l'échelle des enchères dans l'intention de pouvoir annoncer le contrat définitif. Les enchères sont closes quand on entend: passe, passe, passe.

Supposons que votre camp ouvre les enchères et que vos adversaires disent toujours passe. Dans le courant des chapitres sur les enchères de compétition, nous verrons comment se livre la bataille des enchères.

À titre d'exemple, imaginons que votre partenaire ouvre les enchères et que votre adversaire de flanc droit passe. L'annonce d'ouverture de votre partenaire vous signale la force et la composition de sa main. Que répondre à cela?

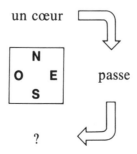

Le répondant

Le partenaire de l'ouvreur se nomme le *répondant*. Il répond à l'annonce d'ouverture de son partenaire. Le répondant réagit en se basant sur l'annonce d'ouverture pour essayer de conclure un contrat.

l'adversaire

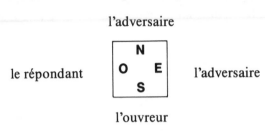

le répondant   l'adversaire

l'ouvreur

Le capitaine

Comme le bridge est un jeu d'équipe, au cours des enchères, vous et votre partenaire travaillez de concert en échangeant des renseignements par le biais de vos annonces dans le but de conclure un contrat sensé. Afin de collaborer d'une manière efficace, l'équipage d'un navire a besoin d'un capitaine. Il en est de même au bridge. Le *capitaine* a la responsabilité de diriger le camp jusqu'à la conclusion du contrat définitif. C'est lui qui choisit le niveau et la dénomination.

Qui doit être capitaine? Au bridge, il change à chaque donne. Le joueur mis en position de connaître la composition des deux mains de son camp, la sienne et celle de son partenaire, devient le capitaine. En effet, il est le mieux placé pour additionner les ressources des *deux mains combinées* conduisant au meilleur contrat.

Quel joueur du camp en sait le plus: l'ouvreur ou le répondant? Lorsque l'annonce d'ouverture est faite, le répondant est celui qui connaît le mieux la composition des deux mains. Par exemple, examinons la situation quand l'ouvreur annonce un SA.

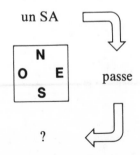

un SA

passe

?

Un SA est une ouverture transparente: une main équilibrée comptant 16, 17 ou 18 points.

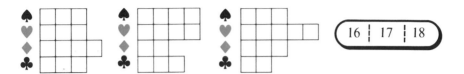

Quel joueur connaît le mieux les ressources communes à son camp?

UN SA DE L'OUVREUR

- Il connaît sa propre main.
- Il ignore tout de la main de son partenaire.

LE PARTENAIRE DE UN SA DE L'OUVREUR

- Il connaît sa propre main
- Il sait que la main de son partenaire est équilibrée et compte 16, 17 ou 18 points.

Le répondant en sait davantage sur les ressources communes à son camp et cela lui confère le titre de capitaine. Donc:

LE RÉPONDANT EST LE CAPITAINE

Le répondant a la responsabilité de diriger son camp jusqu'au contrat définitif.

Le descripteur

L'ouvreur a, lui aussi, une responsabilité: il *décrit* sa main au répondant, le capitaine. De ce fait:

L'OUVREUR EST LE DESCRIPTEUR

L'annonce d'ouverture est le premier pas de cette séquence. Aux enchères suivantes, l'ouvreur complétera sa «description».

Les deux décisions du capitaine

Le capitaine décide du contrat définitif. Un contrat comporte deux volets:

1. Le **niveau**, c'est-à-dire le nombre de levées que le camp s'engage
   à remporter. Cette décision est formulée ainsi:

À QUEL NIVEAU DEVONS-
NOUS ANNONCER?

Le niveau

2. La **dénomination**, c'est-à-dire à SA ou à la couleur choisie par le
   camp. Cette décision est formulée ainsi:

À QUELLE COULEUR
DEVONS-NOUS
JOUER LA MAIN?

Comment le capitaine prend-il ces décisions?

La première décision: À QUEL NIVEAU?

Il existe sept niveaux: de un à sept. Certains ont plus d'importance que
d'autres. Les contrats de manche, de petit chelem et de grand chelem
sont dotés de points de prime intéressants.

On divise les sept niveaux en quatre groupes: le grand chelem, le petit
chelem, la manche et la manche partielle. Ces niveaux de points de
prime sont illustrés sur l'échelle des enchères à la fin de ce chapitre.

Les enchères de chelem sont les plus captivantes et les plus exaltantes
du jeu de bridge, mais nous ne les étudierons qu'ultérieurement. Nous
nous bornerons ici aux options les plus communes: la manche et la
manche partielle.

Devons-nous annoncer la manche ou la manche partielle?

Voici venu le moment de convertir la valeur d'une main en un nombre possible de levées. Vous devez connaître le nombre de points requis, provenant des mains combinées de votre camp, pour effectuer les neuf plis à SA, les dix plis à coeur ou à pique, ou les onze plis à trèfle ou à carreau. Ce sont les contrats qui permettent d'obtenir les points de prime de manche.

Si vous et votre partenaire êtes en possession de toutes les hautes cartes (40), vous pouvez réaliser les treize plis. Combien de points devez-vous posséder pour remporter les neuf plis à SA, ou les dix ou onze plis à une couleur?

L'expérience a démontré que

---

26 POINTS COMBINÉS OFFRENT DE BONNES GARANTIES DE RÉALISER UNE MANCHE À CŒUR OU À PIQUE (couleurs majeures) OU À SA.

29 POINTS COMBINÉS OFFRENT DE BONNES GARANTIES DE RÉALISER UNE MANCHE À CARREAU OU À TRÈFLE (couleurs mineures).

Par conséquent, chaque fois que le capitaine constate que les deux mains, la sienne et celle de son partenaire, permettent de gagner au moins 26 points, il amène son camp à un contrat de manche dans une couleur majeure ou à SA. S'il constate que son camp dispose de 29 points ou plus, il peut le diriger vers un contrat de manche dans une couleur mineure.

Si vous faites abstraction de cas rares au cours desquels le capitaine peut être enclin à diriger son camp vers un contrat de manche dans une couleur mineure, vous pouvez opter pour la manche ou la manche partielle, en vous posant les questions suivantes:

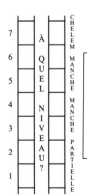

QUESTION CLÉ SERVANT À DÉTERMINER LE NIVEAU

Nos mains combinées comptent-elles 26 points?

Si OUI, annoncez un contrat de manche.

Si NON, annoncez un contrat de manche partielle.

Le capitaine répond à la question À QUEL NIVEAU? en additionnant les points de sa main à ceux que l'ouvreur a annoncés. Voici un exemple:

Votre partenaire annonce un SA (de 16 à 18 points et une main équilibrée). À titre de répondant, À QUEL NIVEAU annoncerez-vous la main suivante?

♠ A 8 7
♥ R 6 5
♦ D 7 6 5
♣ V 5 4

Vous possédez 10 points. Combien de points combinés votre camp détient-il? Ajoutez vos points à ceux que l'ouvreur a annoncés.

Vos points	10	10
+ Les points de votre partenaire	16 (au moins)	18 (au plus)
= Les points combinés	26 (au moins)	28 (au plus)

Votre raisonnement doit être: «Nous avons à deux un minimum de 26 points, suffisant pour la manche. Réponse à la question À QUEL NIVEAU?: un contrat de manche. Quand je ferai le choix de la COULEUR, je saurai ce que devra être le contrat définitif.» Voici un autre exemple:

Votre partenaire ouvre de un SA. À QUEL NIVEAU devez-vous annoncer la main suivante?

♠ A 8
♥ V 7 6 4
♦ 8 6 5
♣ V 9 8 7

Votre main compte 6 points. Combien de points avez-vous ensemble? Est-ce suffisant pour la manche?

6 + 16 = 22 (**minimum** possible de points combinés)
6 + 18 = 24 (**maximum** possible de points combinés. C'est insuffisant pour la manche).

Votre raisonnement doit être: «Nous disposons tout au plus de 24 points. C'est insuffisant pour la manche. Réponse à la question À QUEL NIVEAU?: un contrat de manche partielle. Si je décide de la COULEUR, je suis perdu.»

Nous voici prêts à répondre à la question À QUELLE COULEUR?

La seconde décision: À QUELLE COULEUR?

Il existe cinq dénominations possibles: trèfle, carreau, cœur, pique et SA. Parmi celles-ci, quel sera le choix du capitaine en réponse à la question À QUELLE COULEUR?

Chaque couleur compte treize cartes. Si vous choisissez une couleur d'atout, il va de soi que vous souhaitez posséder plus de cartes dans cette couleur que vos adversaires.

VOTRE CAMP	LE CAMP ADVERSE
☐☐☐☐☐☐	☐☐☐☐☐☐☐
Si, à deux, vous avez 6 cartes d'une couleur d'atout (ou moins),	vos adversaires en ont 7, dont plus que votre camp!
☐☐☐☐☐☐☐	☐☐☐☐☐☐
Si, à deux, vous avez 7 cartes d'une couleur d'atout,	vos adversaires en ont 6: vous avez un léger avantage.
☐☐☐☐☐☐☐☐	☐☐☐☐☐
Si, à deux, vous avez 8 cartes d'atout (ou plus),	vos adversaires en ont 5 (ou moins); votre camp jouit d'un avantage décisif!

On résume ces données dans le tableau suivant:

NOMBRE COMBINÉ DE CARTES D'ATOUT	«QUALITÉ» DU FIT D'ATOUT
6 ou moins	À rejeter
7	Acceptable
8 ou plus	FAMEUX!

Une couleur d'atout de huit cartes ou plus, provenant de mains combinées, se nomme un *fit magique*. Comment le capitaine conclut-il que les deux mains de son camp comptent huit cartes d'atout ou plus? L'ouvreur, à titre de descripteur, informe le répondant, au moyen du langage des enchères, de la composition et de la force de sa main. Par exemple, supposons que l'ouvreur déclare: un cœur. Comme il annonce toujours en premier lieu sa couleur la plus longue, le répondant sait que l'ouvreur possède au moins quatre cœurs. Si le répondant a, lui aussi, quatre cœurs, il sait que le camp jouit d'au moins 8 cœurs dans leurs mains combinées.

CŒURS DE L'OUVREUR + CŒURS DU RÉPONDANT = FIT MAGIQUE

☐☐☐☐   +   ☐☐☐☐   =   **8**

Jouer un contrat avec huit cartes combinées ou plus dans une couleur d'atout, c'est de la magie. L'expérience a démontré qu'avec les mêmes cartes, une telle couleur permet habituellement de réussir une levée de plus qu'un contrat à SA. Quelquefois, avec un fit magique, il est possible d'enlever deux, trois ou même davantage de levées supplémentaires qu'à SA. Un contrat à SA permet aux partenaires du camp adverse d'attaquer les premiers et de choisir la meilleure couleur favorisant leur camp. Dans certains cas, ils annonceront une couleur longue et vous ne pourrez les empêcher de réussir plusieurs levées. Par contre, s'il y a une couleur d'atout, vous pouvez couper les couleurs longues de vos adversaires et enlever des levées qui autrement seraient perdues.

Poursuivons ce raisonnement. Ordinairement, un fit magique permet de réussir au moins une levée de plus qu'à SA. Sachant cela, voyez s'il est préférable de jouer une manche à SA ou une manche avec un fit magique. Revoyons les contrats possibles de manche.

CONTRATS DE MANCHE

Une manche à SA = trois SA (neuf levées)
Une manche dans une majeure = quatre cœurs ou quatre piques (dix levées)
Une manche dans une mineure = cinq trèfles ou cinq carreaux (onze levées)

Le contrat de manche

La manche dans une majeure contre trois SA

Supposons qu'un camp dispose d'un fit magique à cœur et 26 points; c'est suffisant pour annoncer la manche. Bien que quatre cœurs soit un contrat permettant de réaliser dix levées d'atout, et que trois SA soit un contrat de neuf levées, vous vous sentirez plus à l'aise avec un contrat à quatre cœurs. Vous savez déjà qu'un fit magique vous permet habituellement d'enlever une levée de plus qu'à SA. En pareil cas, peu importe le contrat. Cependant, plusieurs mains jouissant d'un fit magique permettent de ramasser deux levées supplémentaires. Cette différence produit souvent de très bons résultats. Par conséquent:

> CHAQUE FOIS QUE VOUS DISPOSEZ D'AU MOINS
> HUIT CARTES DANS UNE MAJEURE, DONC UN
> FIT MAGIQUE, JOUEZ VOTRE MAIN AVEC CETTE
> COULEUR COMME ATOUT.

Supposons que vous ayez un fit magique à carreau et 26 points. Les manches dans une mineure requièrent 29 points combinés. Ce qui signifie que vous devez choisir trois SA pour un contrat de manche quand vous ne disposez que de 26 à 28 points. De plus, la manche à la couleur exige onze levées, deux levées de plus qu'à SA. Comme un fit magique ne permet habituellement d'effectuer qu'une levée de plus qu'à SA, un contrat à cinq carreaux chutera souvent, alors qu'à trois SA il réussira.

Certains contrats de manche sont donc plus intéressants que d'autres.

> QUESTION CLÉ SERVANT À DÉTERMINER
> LA COULEUR D'UN CONTRAT DE MANCHE
> **Avons-nous un fit magique dans une majeure?**
> • Si OUI, jouez quatre cœurs ou quatre piques.
> • Si NON, jouez trois SA.

Le contrat de manche partielle

Que faire si l'on a moins de 26 points combinés? Dans ce cas, le capitaine vise la manche partielle et décide de la meilleure voie à suivre: la manche partielle à SA ou la manche partielle avec un fit magique.

La manche partielle dans une majeure ou dans une mineure contre un contrat à SA

Supposons que vous disposiez d'un fit magique et de 20 points combinés; c'est insuffisant pour un contrat de manche. Dans ce cas, choisissez une couleur d'atout quelconque à un niveau moins cher, mais plus rassurant. Tout contrat à la couleur au niveau de deux doit pouvoir se réaliser aussi bien qu'à un SA, et même mieux, aussi longtemps qu'existe un fit magique. Par conséquent, si le capitaine décide de jouer la manche partielle:

LA QUESTION CLÉ SERVANT À DÉCIDER QUAND IL FAUT ANNONCER UN CONTRAT DE MANCHE PARTIELLE

Avons-nous un fit magique?

- Si OUI, jouez la manche partielle dans cette couleur.
- Si NON, jouez la manche partielle à SA.

Résumé

Durant les annonces, les deux membres d'un camp collaborent en utilisant le *langage des enchères* afin de décider du meilleur contrat définitif. L'ouvreur agit comme *descripteur* et dépeint la force et la composition de sa main. La responsabilité du contrat définitif incombe au *capitaine*, le *répondant*, qui prend deux décisions:

- À QUEL NIVEAU jouer le contrat (manche partielle, manche ou chelem).
- À QUELLE COULEUR jouer le contrat (trèfle, carreau, cœur, pique ou SA).

À QUEL NIVEAU?

À la manche, s'il y a au moins 26 points combinés.
À la manche partielle, s'il y a moins de 26 points combinés.

À QUELLE COULEUR?

Pour la manche:	quatre cœurs ou quatre piques, s'il y a un fit magique dans la majeure; trois SA, s'il n'y a pas de fit magique dans la majeure.
Pour la manche partielle:	à la couleur, s'il y a un fit magique; à SA, s'il n'y a pas de fit magique.

Tout ceci semble complexe à retenir, mais deviendra plus facile avec l'expérience. Le chapitre suivant propose de nombreux exercices d'initiation au rôle de capitaine, en vous permettant, par décision du NIVEAU et de la COULEUR, d'aboutir au contrat définitif.

ÉCHELLE DES ENCHÈRES

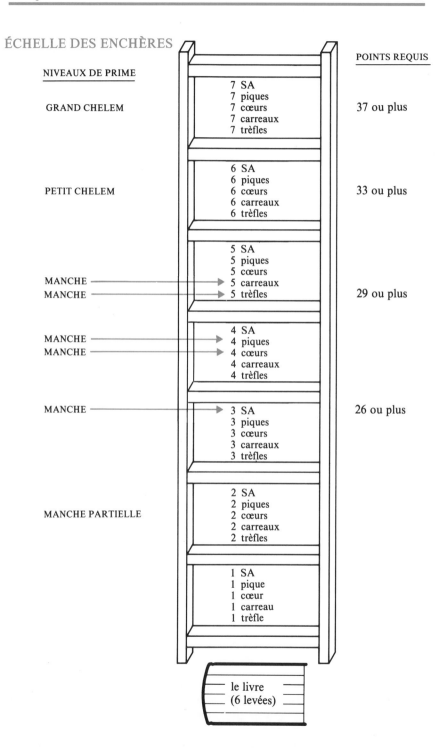

POINTS REQUIS

NIVEAUX DE PRIME

GRAND CHELEM

7 SA
7 piques
7 cœurs
7 carreaux
7 trèfles

37 ou plus

PETIT CHELEM

6 SA
6 piques
6 cœurs
6 carreaux
6 trèfles

33 ou plus

MANCHE
MANCHE

5 SA
5 piques
5 cœurs
5 carreaux
5 trèfles

29 ou plus

MANCHE
MANCHE

4 SA
4 piques
4 cœurs
4 carreaux
4 trèfles

MANCHE

3 SA
3 piques
3 cœurs
3 carreaux
3 trèfles

26 ou plus

MANCHE PARTIELLE

2 SA
2 piques
2 cœurs
2 carreaux
2 trèfles

1 SA
1 pique
1 cœur
1 carreau
1 trèfle

le livre
(6 levées)

LES CHOIX DU CAPITAINE EN VUE DU CONTRAT DÉFINITIF

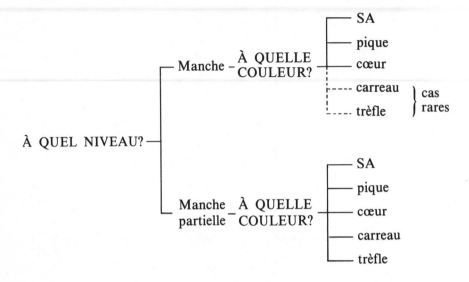

Exercices

1. Votre partenaire ouvre de un SA et votre adversaire de flanc droit passe. Qui de vous deux est le répondant? le capitaine?

2. Votre partenaire annonce un SA. Combien de points combinés votre camp compte-t-il approximativement quand vous avez chacune des mains suivantes? À QUEL NIVEAU le contrat définitif peut-il prétendre: à la manche partielle ou à la manche?

a) ♠ V 7 3
♥ 9 6 4
♦ R 8 3
♣ V 9 8 5

b) ♠ R 9 6
♥ A V 4
♦ R V 7 6
♣ 6 3 2

c) ♠ V 9 6 5 4 2
♥ V 4
♦ 7 6
♣ R 3 2

d) ♠ R 6 3
♥ A V 10 7 6 4
♦ V 8 4
♣ 2

3. Votre partenaire annonce un pique et vous possédez la main suivante:

♠ 10 9 6
♥ D V 4
♦ V 7 6 5
♣ 7 4 3

Quel minimum de points combinés votre camp possède-t-il? Quel maximum? À QUEL NIVEAU le contrat définitif peut-il être joué: à la manche partielle ou à la manche?

4. Votre partenaire ouvre de un cœur et vous détenez la main suivante:

♠ V 9 6
♥ A V 9 4
♦ R V 7 6
♣ R 6

Quel minimum de cœurs combinés votre camp doit-il posséder? À QUELLE COULEUR le contrat définitif doit-il être joué; à cœur ou à SA? À QUEL NIVEAU le contrat définitif doit-il être joué: à la manche partielle ou à la manche?

5. Si votre partenaire ouvre de un pique, quel minimum de piques devez-vous posséder pour bénéficier d'un fit magique?

6. Si votre partenaire ouvre de un SA, quel minimum de cœurs devez-vous posséder pour bénéficier d'un fit magique?

7. Vous constatez que votre camp possède 26 points ou plus et un fit de huit carreaux, mais aucun autre fit de huit cartes. Quel serait le contrat définitif?

V

La réponse sur une ouverture de un sans atout (SA)

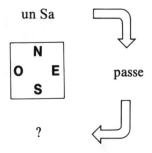

un Sa

passe

?

L'ouverture de un SA est une annonce extrêmement limitée, puisqu'elle indique un éventail étroit de points et une distribution équilibrée. Le répondant ne devrait avoir aucune difficulté à additionner les points des mains combinées, à fixer le NIVEAU du jeu et à déterminer la COULEUR dans le but de conclure le contrat définitif.

Révision de l'ouverture de un SA

Récapitulons les conditions requises:

RÈGLE À SUIVRE POUR UNE OUVERTURE DE UN SA

Pour ouvrir de un SA, il vous faut:

- une main équilibrée;
- 16, 17 ou 18 points.

Les décisions du répondant

Revoyons aussi les décisions du répondant:

À QUEL NIVEAU?

À la manche, s'il y a au moins 26 points combinés.
À la manche partielle, s'il y a moins de 26 points combinés.

À QUELLE COULEUR?

Pour la manche:	quatre cœurs ou quatre piques s'il y a un fit magique dans la majeure;
Pour la manche partielle:	à la couleur s'il y a un fit magique; à SA s'il n'y a pas de fit magique.

La décision du NIVEAU

À l'aide de ces notions, voyons comment vous, répondant, déterminez le NIVEAU lorsque votre partenaire ouvre de un SA. Supposons que vous possédiez la main suivante:

♠ A 4 3
♥ V 5 3
♦ 8 6 4 2
♣ 9 6 4

Y a-t-il suffisamment de points combinés pour la manche? Si vous ajoutez les points déclarés par l'ouvreur à vos 5 points, vous obtenez:

Vos points	5	5
+ Les points du partenaire	+ 16	+ 18
= Les points combinés	21 (au moins)	23 (au plus)

Même si l'ouvreur a un maximum de 18 points, le camp ne totalise pas les 26 points requis pour la manche. Quel NIVEAU choisir? La manche partielle.

Autre exemple. Votre partenaire ouvre de un SA et votre main est la suivante:

♠ A 4 3
♥ V 6 4
♦ R 7 5 4
♣ D 10 7

Y a-t-il suffisamment de points pour la manche? Si vous ajoutez les points annoncés par l'ouvreur à vos 10 points, vous obtenez:

Vos points	10	10
+ Les points du partenaire	+ 16	+ 18
= Les points combinés	26 (au moins)	28 (au plus)

Même si l'ouvreur n'a qu'un minimum de 16 points, ce nombre suffit pour la manche. Quel NIVEAU choisir? La manche.

La décision de la COULEUR

Choisir la couleur est également une question d'addition. La question clé est: «Avons-nous un fit magique?» Habituellement, le répondant la résout en ajoutant le nombre de cartes de la couleur la plus longue à celui que l'ouvreur a annoncé. Souvenez-vous que la main de l'ouvreur est équilibrée: 4-3-3-3, 4-4-3-2 ou 5-3-3-2. Par conséquent, dans une couleur quelconque, l'ouvreur dispose:

- d'au moins deux cartes;
- probablement de trois ou de quatre cartes;
- peut-être de cinq cartes.

Le tableau suivant indique au répondant s'il peut espérer ou non un fit magique quand son partenaire ouvre de un SA,

NOMBRE DE CARTES D'UNE COULEUR DU RÉPONDANT	Y A-T-IL UN FIT MAGIQUE?
6 ou plus	Oui
5	Probablement
4	Quelquefois
3 ou moins	Peu probable

Pour vous aider à trouver un fit magique, les données ci-dessus vous permettront de décider de la COULEUR si votre partenaire ouvre de un SA et si votre main est la suivante:

♠ V 3
♥ R V 8 4 3 2
♦ A 8 7
♣ 4 2

Avez-vous un fit magique à cœur? Comme l'ouvreur a promis au moins deux cœurs, la réponse est: oui.

L'annonce du contrat

Quand le répondant est en mesure de décider du NIVEAU et de la COULEUR à jouer, il annonce le contrat définitif. Supposons que votre partenaire ouvre de un SA et que vous soyez le répondant. Votre main est la suivante.

♠ A 6 2
♥ R 9 8
♦ D 9 7 4 2
♣ V 5

Votre main compte 11 points (10 PH plus un point pour la couleur cinquième à carreau). Vous savez que vos points combinés oscillent entre 27 et 29. Par conséquent, à la question À QUEL NIVEAU?, vous décidez: la manche.

Vous avez moins de quatre cartes dans chacune des couleurs majeures; il est donc peu probable que vous ayez un fit magique dans une majeure. Votre réponse à la question À QUELLE COULEUR? peut être SA. Souvenez-vous que vous pouvez jouer la manche avec un fit magique dans une majeure ou à SA. Ne songez pas à jouer un contrat dans une mineure: vous auriez à réaliser trop de levées.

Lorsque vous connaissez la nature du contrat définitif, vous l'annoncez. Déduction faite de l'exemple ci-dessus, vous savez que le contrat définitif doit être trois SA; déclarez-le. Il apparaît comme suit:

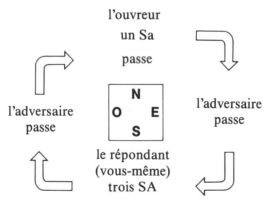

Puisque le répondant est le capitaine, il lui appartient de déclarer le contrat. Dans l'exemple ci-dessus, vous déclarez le contrat définitif en annonçant trois SA. L'ouvreur doit respecter le choix de son capitaine et passer à l'annonce de trois SA. Cela scelle le contrat définitif à trois SA. Sur votre annonce de trois SA, les enchères prennent fin avec passe, passe, passe.

Voici un autre exemple. Votre partenaire ouvre de un SA. Que déclarerez-vous si vous possédez la main suivante:

♠ R 3
♥ D V 9 7 4 3
♦ A 8 7
♣ 8 5

Vous détenez 12 points (10 PH plus deux points pour la longueur à cœur). Vous savez que vous disposez de 28 à 30 points combinés. Alors le NIVEAU sera: la manche.

Vous possédez six cœurs et votre partenaire en a au moins deux. Par conséquent, vous êtes certain d'un fit magique. Chaque fois que vous disposez d'un fit magique vous devez jouer dans une majeure. Cela décide de la COULEUR: c'est à cœur.

Votre position est presque identique à celle que vous aviez au premier exemple. Vous connaissez le NIVEAU et la COULEUR et vous désirez jouer un contrat spécifique à la manche. Cette fois-ci, cependant, vous voulez jouer quatre cœurs. Vous faites connaître votre décision en annonçant quatre cœurs. La situation apparaît comme suit.

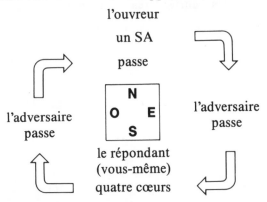

l'ouvreur

un SA

passe

l'adversaire
passe

l'adversaire
passe

le répondant
(vous-même)
quatre cœurs

Comment répondre aux annonces?

En pratique, le répondant doit d'abord se concentrer sur le NIVEAU quand il répond à une annonce de un SA. La démarche la plus facile consiste à utiliser le nombre de points dans sa main et à se situer dans l'une des trois zones ci-après. On annonce:

1. La manche partielle, si le répondant possède de 0 à 7 points.
2. Peut-être la manche, si le répondant possède 8 ou 9 points.
3. La manche, si le répondant possède de 10 à 14 points.

Pour l'instant, nous passons sous silence le cas, peu fréquent d'ailleurs, où le répondant dispose de plus de 14 points; nous en reparlerons au moment d'aborder les enchères de chelem. Bornons-nous à étudier chacun des cas énumérés ci-dessus.

La manche partielle, si le répondant possède de 0 à 7 points

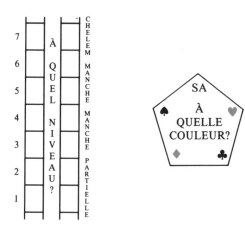

Dès que le répondant s'aperçoit que son camp ne dispose pas de suffisamment de points combinés pour la manche, il achemine son partenaire vers le meilleur contrat de manche partielle. Comme l'annonce est déjà à un SA, un coup d'oeil sur l'échelle des enchères lui indique que les manches partielles les plus économiques sont

> deux piques
> deux cœurs
> deux carreaux
> deux trèfles
> un SA

Comment le répondant choisit-il la meilleure manche partielle? Si le camp dispose d'un fit magique, il voudra jouer la manche partielle dans cette couleur comme atout. Sinon, il jouera la manche partielle à SA. Afin de savoir s'il jouit ou non d'un fit magique, il a recours au tableau suivant:

- Avec une couleur sixième ou plus, il existe **certainement** un fit magique (6 + 2 = 8)
- Avec une couleur cinquième, il existe **probablement** un fit magique (si l'ouvreur détient trois ou quatre cartes dans la couleur).

La longueur du répondant		*La longueur de l'ouvreur*	Fit
☐ ☐ ☐ ☐ ☐	+	☐ ☐	Acceptable
☐ ☐ ☐ ☐ ☐	+	☐ ☐ ☐	MAGIQUE
☐ ☐ ☐ ☐ ☐	+	☐ ☐ ☐ ☐	MAGIQUE

- Avec une couleur quatrième, il n'existe **probablement pas** de fit magique (si l'ouvreur a deux ou trois cartes dans la couleur).

Par conséquent, si le répondant dispose d'une couleur cinquième ou plus, il peut jouer de chance et présumer qu'il existe un fit magique. Sachez que si le répondant dispose d'une couleur cinquième et l'ouvreur, de deux cartes seulement, le fit d'atout est encore acceptable (sept cartes). Un fit septième permet souvent une meilleure manche partielle dans la couleur qu'un SA. La longue d'atout offre plus de sûreté contre les couleurs longues de l'adversaire.

Si le répondant ne dispose pas d'une couleur cinquième ou plus, il peut présumer qu'il n'existe pas de fit magique et il joue alors la manche partielle à SA en disant passe, un SA étant le contrat définitif.

Cependant il y a une exception. Une réponse «deux trèfles» à une ouverture de un SA a une signification particulière. Nous discuterons de cette réponse dans le chapitre traitant de la convention Stayman. Pour l'instant, évitez de répondre «deux trèfles» sur une ouverture de un SA de votre partenaire. Si vous avez cinq trèfles ou plus, décidez de un SA pour une manche partielle en disant passe. En résumé:

RÉPONSE SUR UN SA AYANT DE 0 À 7 POINTS

- Passez si vous ne disposez pas d'une couleur cinquième ou plus (autre que trèfle).
- Déclarez deux carreaux, deux cœurs ou deux piques, si vous disposez d'une couleur cinquième ou plus.

N'oubliez pas que le répondant *est* le capitaine. S'il choisit de passer ou d'annoncer deux carreaux, deux cœurs ou deux piques, c'est qu'il veut signaler une main faible et l'ouvreur ne doit pas annoncer une autre fois. Le répondant décide uniquement de la meilleure manche partielle. Une telle réponse signifie: «Partenaire, je vous suggère de passer.» Cette réponse se nomme une *enchère d'arrêt*. En voici quelques exemples:

Votre partenaire ouvre de un SA. Quelle doit être votre réponse avec chacune des mains suivantes?

1. ♠ A 7	2. ♠ 4 2	3. ♠ V 8 7 5 3	4. ♠ 3
♥ D 8 4 2	♥ R 8 7 5 3 2	♥ A 9 7	♥ 6 4 2
♦ 8 7 3	♦ 5 4 2	♦ 5 4 3 2	♦ 7 6 5 4 3 2
♣ 10 7 4 3	♣ D 4	♣ 7	♣ 8 4 2

1. PASSEZ. Avec 6 points seulement, aucun espoir de manche! Vous ne disposez d'aucune couleur cinquième, alors vous passez. Le contrat définitif sera un SA.

2. DEUX CŒURS. Avec 7 points (5 PH plus deux points pour la couleur sixième), ce n'est pas assez pour espérer la manche. Vous savez qu'il existe un fit magique à cœur, alors annoncez deux cœurs. Votre partenaire acceptera votre rôle de capitaine et passera.

3. DEUX PIQUES. Avec 6 points seulement, aucun espoir de manche! Annoncez la meilleure manche partielle possible d'après votre main: deux piques. Vous êtes le capitaine, alors l'ouvreur passera.

4. DEUX CARREAUX. Ne vous avisez pas de passer parce que vous avez une main faible. Plus votre main est faible et plus votre partenaire sera tenté d'annoncer un contrat de un SA. Si carreau est l'atout, votre main peut réussir au moins une couple de levées. Alors annoncez une enchère d'arrêt à deux carreaux.

La manche probable, si le répondant possède 8 ou 9 points

Même si le répondant dispose de 8 ou 9 points, il ne peut répondre à la question À QUEL NIVEAU? Il doit s'assurer auparavant que l'ouvreur possède suffisamment de points pour la manche.

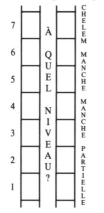

Le répondant désire faire une annonce qui:

- souligne son intérêt pour la manche;
- suggère à l'ouvreur:
  - d'annoncer la manche si la valeur de sa main est maximale (18 points);
  - de se limiter à la manche partielle si la valeur de sa main est minimale (16 ou 17 points).

Le répondant transmet son message en une seule annonce: deux SA. Ce deux SA est une *enchère d'invitation*. L'ouvreur est invité à poursuivre jusqu'à trois SA, mais il lui est aussi permis de passer.

L'annonce de deux SA signifie:

- «je dispose de 8 ou 9 points et je veux jouer à SA.
- je désire:
  - que vous annonciez trois SA si vous avez 18 points;
  - que vous passiez si vous n'avez que 16 ou 17 points.»

RÉPONSE SUR UN SA AYANT 8 OU 9 POINTS

- Annoncez deux SA

Si le répondant n'est pas assuré de jouer sa main à un SA, la seule annonce possible est la réponse spéciale «deux trèfles». Plus loin, vous verrez comment cette réponse peut régler ce problème. Voici quelques exemples:

À chacune des mains suivantes, répondez deux SA lorsque l'annonce d'ouverture est de un SA:

1. ♠ R 3 2	2. ♠ D V 7	3. ♠ R 7	4. ♠ 6 4 3
♥ V 7 6	♥ 7 6	♥ V 5	♥ R
♦ R V 8 4	♦ D 4 3	♦ 9 6 2	♦ A V 8 5 3 2
♣ 10 9 7	♣ R 8 5 4 3	♣ R 10 7 5 3 2	♣ 10 7 4

La manche, si le répondant possède de 10 à 14 points

Lorsque le répondant sait que le nombre de points combinés est suffisant pour la manche, il lui reste une seule décision à prendre: À QUELLE COULEUR? S'il existe un fit magique dans une majeure, il faut jouer la manche dans cette majeure, sinon le contrat définitif doit être à trois SA.

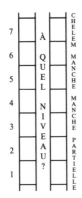

- Annoncez quatre cœurs ou quatre piques lorsque vous avez un fit magique dans une majeure (c'est-à-dire lorsque vous disposez d'une couleur sixième ou plus dans une majeure).

- Annoncez trois SA si vous n'avez pas de fit magique dans une majeure (c'est-à-dire lorsque vous ne disposez pas d'une couleur quatrième ou plus dans l'une ou l'autre majeure).

Si le répondant dispose d'une couleur cinquième dans une majeure, il ignore s'il y a un fit magique dans une majeure. Il lui faut l'aide de son partenaire. Il sait qu'il y a un fit magique à moins que l'ouvreur n'ait que deux cartes dans la couleur. Il désire faire une annonce qui:

- indique une majeure cinquième et suffisamment de points pour la manche;
- réclame de l'ouvreur le meilleur contrat possible de manche:
  — quatre dans une majeure s'il dispose d'une couleur troisième ou plus d'atout, **ou**
  — trois SA s'il ne dispose que de deux atouts.

Le répondant transmet son message en une seule annonce: trois dans une majeure. Par exemple:

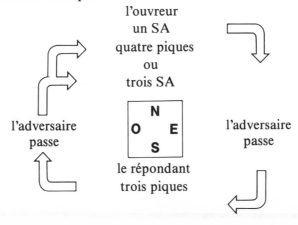

L'annonce trois piques du répondant signifie:

- «j'ai exactement cinq piques et au moins 10 points;
- je voudrais que vous annonciez:
  — quatre piques si vous disposez de trois piques ou plus;
  — trois SA si vous n'avez que deux piques.»

L'annonce trois piques est appelée *enchère impérative*, parce qu'elle contraint le partenaire à répondre. L'ouverture de un SA demande d'annoncer quatre piques ou trois SA. L'ouvreur n'est pas invité à passer.

En résumé:

RÉPONSE SUR UN SA AYANT DE 10 À 14 POINTS

- Annoncez quatre cœurs ou quatre piques si vous disposez d'une majeure sixième ou plus.
- Annoncez trois cœurs ou trois piques si vous disposez d'une majeure cinquième.
- Annoncez trois SA s'il n'existe aucune possibilité d'un fit magique dans une majeure.

Si le répondant possède une majeure quatrième, il signale à l'ouvreur d'annoncer l'une ou l'autre majeure quatrième en sa possession. Le répondant peut effectivement faire une telle demande en annonçant le deux trèfles spécial décrit au chapitre 20.

Essayez les exemples suivants. Votre partenaire ouvre de un SA. Quelle est votre réponse avec chacune des mains ci-dessous?

1. ♠ R V 3	2. ♠ A 4 3	3. ♠ R D 9 7 5	4. ♠ 3
♥ A V 8 5 3 2	♥ 5 3	♥ A 9	♥ A R 10 7 4
♦ ——	♦ D 5 2	♦ A 6 2	♦ D 8 7 5
♣ 8 6 5 3	♣ R 9 7 5 3	♣ 10 9 7	♣ 8 5 4

1. QUATRE CŒURS. Vous disposez de 11 points, cela suffit pour la manche. Puisqu'il y a un fit magique à cœur, vous devez répondre quatre cœurs.

2. TROIS SA. Vous disposez de 10 points, cela suffit pour la manche. Comme il n'y a pas de fit magique dans une majeure, annoncez trois SA.

3. TROIS PIQUES. Vous possédez 14 points, cela suffit pour la manche. Il existe probablement un fit magique à pique. Annoncez trois piques, cela signifie que vous avez exactement cinq

piques et que vous demandez à l'ouvreur de choisir la meilleure manche possible.

4. TROIS CŒURS Vous possédez 10 points, cela suffit pour la manche. En annonçant trois cœurs, vous indiquez que vous possédez exactement cinq cœurs et que vous demandez à l'ouvreur de choisir la meilleure manche possible.

Résumé

Quand votre partenaire ouvre les enchères de un SA, vous êtes le capitaine et vous devez préciser À QUEL NIVEAU? et À QUELLE COULEUR? doit être le contrat définitif.

RÉPONSES SUR UNE OUVERTURE D'ENCHÈRE DE UN SA

- De 0 à 7 points: annoncez deux carreaux, deux cœurs ou deux piques possédant une couleur cinquième ou plus. Sinon, passez.

- 8 ou 9 points: annoncez deux SA s'il n'y a pas de fit magique dans une majeure. (Sinon, annoncez deux trèfles.*)

- 10 à 14 points: annoncez quatre cœurs ou quatre piques possédant une majeure sixième ou plus. Annoncez trois cœurs ou trois piques possédant un majeure cinquième. (Annoncez deux trèfles possédant une majeure quatrième.*) Sinon, répondez trois SA.

---

* La réponse «deux trèfles» est traitée au chapitre 20.

Jusqu'à ce que vous sachiez utiliser la réponse spéciale «deux trèfles», annoncez au niveau requis à SA:

- deux SA si vous avez 8 ou 9 points;
- trois SA si vous avez de 10 à 14 points.

Exercices

1. Votre partenaire ouvre de un SA. Demandez-vous À QUEL NIVEAU? et voyez si votre main autorise la manche, la manche partielle ou la manche probable. Demandez-vous ensuite À QUELLE COULEUR: et choisissez la meilleure réponse.

a) ♠ R 3
   ♥ A 7 3
   ♦ V 8 7 4 3
   ♣ 10 4 3

b) ♠ 6 4
   ♥ R 10 9 8 5
   ♦ 10 5 4 3
   ♣ 8 2

c) ♠ A V 10 7 5
   ♥ R 5 2
   ♦ V
   ♣ R 9 8 6

d) ♠ D V 9
   ♥ A R V 6 3 2
   ♦ 4
   ♣ 9 6 5

e) ♠ A 4
   ♥ R V 10
   ♦ D 7 6 5 3
   ♣ 6 5 2

f) ♠ 10 9 7 5 3
   ♥ A 10
   ♦ R 6 4 3
   ♣ R 8

g) ♠ R V 9 7 6 3
   ♥ 5 2
   ♦ R 3
   ♣ D 8 6

h) ♠ D 9 7 5 3
   ♥ 3 2
   ♦ D 6 4 3 2
   ♣ 10

i) ♠ D V 3
   ♥ 3
   ♦ A D 8 6
   ♣ D 9 7 4 2

VI

L'enchère et ses messages

Au chapitre V, nous avons souligné trois types d'enchères;

- l'enchère d'arrêt
- l'enchère invitative
- l'enchère impérative

Par le langage des enchères, chaque annonce transmet un message à votre partenaire; il est important que celui-ci le comprenne clairement. Ce chapitre-ci traite des *messages* que les partenaires se communiquent au cours des enchères.

L'enchère d'arrêt

L'enchère d'arrêt est semblable à celle du panneau de signalisation ci-dessus. Lorsqu'un joueur lance une enchère d'arrêt, son partenaire est censé passer. Le NIVEAU et la COULEUR ont été fixés: inutile de chercher plus loin. Par exemple, quand la réponse sur une annonce d'ouverture est de un SA, chacun des cas suivants est une enchère d'arrêt.

Le capitaine arrête à la manche.	quatre piques	À QUEL NIVEAU? À QUELLE COULEUR?	la manche à pique
	quatre coeurs	À QUEL NIVEAU À QUELLE COULEUR?	la manche à coeur
	trois SA	À QUEL NIVEAU? À QUELLE COULEUR?	la manche à SA

	deux piques	À QUEL NIVEAU?	la manche partielle
Le capitaine arrête à la manche partielle.		À QUELLE COULEUR?	à pique
	deux coeurs	À QUEL NIVEAU?	la manche partielle
		À QUELLE COULEUR?	à coeur
	deux carreaux	À QUEL NIVEAU?	la manche partielle
		À QUELLE COULEUR?	à carreau

Dans le texte, les enchères d'arrêt sont flanquées du symbole .

Quand vous-même ou votre partenaire signifiez une enchère d'arrêt, le message est explicite: ARRÊTEZ! (Passez).

L'enchère invitative

L'enchère invitative est symbolisée par un triangle où l'on lit AVAN-CEZ AVEC PRUDENCE. Lorsqu'un joueur fait une enchère invitative, son partenaire passe s'il est satisfait du contrat ou il fait une autre annonce s'il possède suffisamment de points pour continuer les enchères. Par exemple, à une ouverture de un SA de l'ouvreur, la réponse du répondant en est une d'invitation.

Deux SA   À QUEL NIVEAU?   Je ne suis pas certain: la manche ou la manche partielle

À QUELLE COULEUR?   SA

L'ouvreur est ainsi invité à prendre une décision finale. Il peut passer avec une main minimale (16 ou 17 points), ou annoncer trois SA si sa main est maximale (18 points).

L'ouverture de un SA est, en elle-même, une enchère invitative: le partenaire peut passer ou annoncer un contrat définitif différent. Les ouvertures de un trèfle, un carreau, un cœur et un pique sont également des enchères invitatives. Dans le texte, les enchères d'invitation sont flanquées du triangle ![triangle] .

L'enchère impérative

L'enchère impérative est semblable au feu vert de circulation: AVAN-
CEZ. Lorsque le capitaine demande d'autres renseignements, il fait une
annonce impérative. Le partenaire doit annoncer de nouveau. Sur une
ouverture de un SA, ces enchères sont impératives:

Trois cœurs	À QUEL NIVEAU?	la manche
	À QUELLE COULEUR?	Je ne suis pas certain: à cœur ou à SA
Trois piques	À QUEL NIVEAU?	la manche
	À QUELLE COULEUR?	Je ne suis pas certain: à pique ou à SA

L'ouvreur doit prendre la décision finale. Il annonce la manche dans la
majeure s'il dispose de trois atouts ou plus (le répondant ayant indiqué
qu'il en détient exactement cinq) ou il déclare trois SA. Il ne peut passer. Dans le texte, les enchères impératives sont flanquées du symbole
 .

L'enchère impérative pour la manche

L'enchère impérative signifie au partenaire qu'il doit continuer ses
annonces au prochain tour; cela ne l'engage à rien de plus. Lorsque le
partenaire a fait son annonce, il n'est pas tenu d'annoncer de nouveau,
à moins qu'il n'entende une nouvelle enchère impérative. Quelquefois
cette situation peut devenir embarrassante, alors qu'à chaque tour vous
vous demandez si l'enchère est impérative ou non.

Pour simplifier le système des enchères, certaines annonces sont dites
impératives pour la manche. Si l'un des partenaires annonce une
enchère impérative pour la manche, les deux joueurs doivent poursuivre les enchères jusqu'à ce que la manche soit atteinte. Ces enchères
sont nommées *enchères impératives pour la manche*, parce que les deux
joueurs du même camp doivent poursuivre les enchères jusqu'à ce qu'ils
atteignent «la ligne d'arrivée» (c'est-à-dire la manche).

Après une enchère impérative pour la manche, la question À QUEL NIVEAU? est résolue: c'est la manche; les deux partenaires peuvent maintenant se concentrer sur la COULEUR. L'enchère impérative pour la manche permet au capitaine de supputer le type de manche à jouer sans craindre que l'enchère ne s'arrête subitement.

Par exemple, les réponses trois cœurs et trois piques sur une ouverture de un SA ne sont pas seulement des enchères impératives, mais également des enchères impératives pour la manche. Ce cas est simple puisque la prochaine annonce de l'ouvreur prépare le camp pour la manche. Vous en rencontrerez d'autres exemples plus loin.

Dorénavant, les enchères impératives pour la manche seront symbolisées par un soleil entourant l'expression ☼AVANCEZ☼.

L'enchère et ses messages

Comment reconnaître une enchère d'arrêt, d'invitation, impérative ou impérative pour la manche? Cela ressemble à une corde de piano qui vibre en harmonie ou paraît dissonante. Avec quelque expérience, on réussit à reconnaître les sons. Dans la plupart des cas, votre intuition suffira à vous guider.

Désormais, lorsque nous parlerons d'enchères, nous utiliserons les symboles décrits plus haut. L'expérience aidant, vous connaîtrez leurs modalités d'emploi.

Résumé

Chaque enchère transmet l'un de ces quatre messages:

- L'enchère d'arrêt: **ARRÊT** (le partenaire doit passer).
- L'enchère invitative: **AVANCEZ AVEC PRUDENCE** (le partenaire peut annoncer ou passer).
- L'enchère impérative: **AVANCEZ** (le partenaire doit annoncer de nouveau).
- L'enchère impérative pour la manche: ☼AVANCEZ☼ (le partenaire continue à annoncer jusqu'à ce que la manche au moins soit atteinte).

Exercices

1. Une annonce d'ouverture est-elle une enchère d'arrêt? invitative? ou impérative? Pourquoi?

2. Votre partenaire ouvre de un SA. Quel type d'enchère décelez-vous dans les réponses suivantes: deux carreaux; deux cœurs; deux piques; trois SA; quatre cœurs; quatre piques?

3. Quelle enchère invitative lancerez-vous sur une ouverture de un SA?

4. Pourquoi disons-nous que trois cœurs et trois piques sont des enchères impératives sur une ouverture de un SA?

5. Vous ouvrez de un SA. Votre partenaire répond deux cœurs. Qu'annoncez-vous au prochain tour. Pourquoi?

6. Avec la main suivante, vous ouvrez de un SA:

> ♠ A D 7
> ♥ R V 9 6
> ♦ R 7
> ♣ D V 8 5

Votre partenaire répond deux SA. Que faites-vous au prochain tour? Pourquoi?

7. Avec la main suivante, vous ouvrez de un SA:

> ♠ R D 8 4
> ♥ A D 6
> ♦ R D 3
> ♣ D 9 4

Votre partenaire répond deux SA. Quelle est votre prochaine annonce? Pourquoi?

8. Votre partenaire ouvre de un SA et vous avez la main suivante:

> ♠ D 7
> ♥ R V 9 8 7 6
> ♦ A 3
> ♣ V 7 4

Quelle est votre réponse? Que fait votre partenaire au prochain tour? Pourquoi?

9. Vous ouvrez de un SA et vous avez la main suivante:

> ♠ R V
> ♥ A D 6
> ♦ R V 9 7 3
> ♣ D 10 3

Votre partenaire répond trois SA. Que faites-vous au prochain tour? Pourquoi?

10. Vous ouvrez de un SA et vous avez la main suivante:

♠ A V 7
♥ A 5
♦ R V 7 3
♣ R 9 8 5

Votre partenaire répond trois piques. Que faites-vous au prochain tour? Pourquoi? Que faites-vous si votre partenaire répond trois cœurs?

VII

La réponse sur des ouvertures de un à la couleur

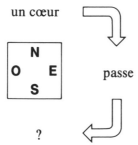

un cœur

passe

?

Les ouvertures d'enchère de un à la couleur, un trèfle, un carreau, un cœur et un pique sont très fréquentes. Comparons-les à l'enchère de un SA.

ENCHÈRE D'OUVERTURE	ÉVENTAIL DE POINTS	DISTRIBUTION
un SA	de 16 à 18	équilibrée
un pique un cœur un carreau un trèfle	de 13 à 21	équilibrée ou non équilibrée

En ce qui a trait aux points et à la distribution de la main, une enchère d'ouverture à la couleur est beaucoup moins précise que un SA. Le répondant ne peut résoudre immédiatement les questions À QUEL NIVEAU? et À QUELLE COULEUR? Il lui faut des renseignements supplémentaires sur la main de l'ouvreur. Comment les obtient-il? Par le langage des enchères. Il débute en annonçant une enchère qui suggère à l'ouvreur de décrire sa main. L'ouvreur obtempère dans le but de permettre au répondant, dans la plupart des cas, de fixer le contrat définitif. Le langage des enchères a pour objectif de savoir si les deux partenaires disposent d'au moins 26 points (nombre suffisant pour la manche) et de découvrir si un fit magique existe dans une majeure. Si la manche est inaccessible, le camp cherche à savoir s'il possède un fit magique qui l'autoriserait à choisir la meilleure manche partielle.

Comment le répondant formule-t-il la première enchère? Les *quatre questions du répondant*, posées dans l'ordre, aideront le répondant à exprimer la meilleure enchère.

LES QUATRE QUESTIONS DU RÉPONDANT

1re PUIS-JE SOUTENIR LA MAJEURE DE MON PARTENAIRE?

2e AI-JE UNE MAIN FAIBLE (DE 0 À 5 POINTS)?

3e PUIS-JE ANNONCER UNE NOUVELLE COULEUR AU NIVEAU DE UN?

4e AI-JE UNE MAIN MINIMALE (DE 6 À 10 POINTS)?

Voyons comment utiliser chacune de ces quatre questions:

Première question

Le répondant a pour première tâche de découvrir s'il existe un fit magique dans une majeure. Donc la première question sera:

PUIS-JE SOUTENIR LA MAJEURE
DE MON PARTENAIRE:

En annonçant un cœur ou un pique, votre partenaire doit disposer au moins d'une couleur quatrième. Vous pouvez *soutenir* la majeure de votre partenaire si vous possédez au moins un **soutien quatrième** (4 + 4 = 8). Vous venez de découvrir un fit magique dans la majeure. La question À QUELLE COULEUR? vient donc d'être résolue. Vous avez à convaincre votre partenaire de jouer la majeure comme atout en *soutenant* l'enchère de votre partenaire au niveau approprié.

Pour soutenir l'enchère de votre partenaire, vous pouvez agir ainsi:

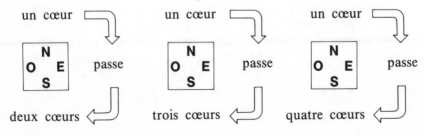

Puisque vous avez décidé de soutenir la couleur de votre partenaire, il vous reste à fixer le NIVEAU.

Lorsque vous avez découvert un fit magique, votre main acquiert plus de force. Deux mains valent plus qu'une seule. Lorsque vous-même et votre partenaire convenez d'une couleur d'atout, vous pouvez évaluer votre main d'une façon différente de celle avec laquelle vous avez ouvert les enchères. Comme vous vous préparez à soutenir la couleur de votre partenaire et que, par conséquent, vous étalerez votre main à la conclusion des enchères en devenant ainsi le mort (votre partenaire ayant annoncé la couleur le premier), vos points se nomment *points du mort.*

L'exemple suivant illustre ce qu'on entend par points du mort:

♠ —
♥ 7 4 3 2
♦ 9 7 3 2
♣ A 9 8 6 4

Cette main revêt une plus grande valeur si le partenaire ouvre de un cœur que s'il ouvre de un pique. Les points du mort font la différence. Si l'annonce d'ouverture est de un pique, vous évaluez votre main de la façon normale: 4 points pour l'as de trèfle et un point pour votre couleur cinquième, soit 5 points. Si, par contre, l'annonce d'ouverture est de un cœur, vous avez découvert un fit magique: votre partenaire possède au moins quatre cœurs et vous-même, quatre.

Maintenant, la chicane à pique (aucune carte dans la couleur) a plus de valeur que l'as de pique. Pourquoi? Si les adversaires jouent l'as de pique, vous coupez avec un cœur faible et emportez le pli. Si vous êtes le mort, cœur étant l'atout, votre main doit pouvoir prendre plusieurs levées parce que vous disposez d'un certain nombre de cartes d'atout chaque fois que pique est attaqué.

Quand vous avez trouvé un fit, une chicane a plus de pouvoir qu'un as et vaut 5 points. De manière analogue, d'autres couleurs courtes (singletons, doubletons) sont avantageuses dès que vous possédez un fit. Donc,

> QUAND VOUS SOUTENEZ LA MAJEURE DE VOTRE
> PARTENAIRE, RÉÉVALUEZ VOTRE MAIN EN UTILISANT
> LES POINTS DU MORT.

LES POINTS DU MORT

POINTS D'HONNEURS (PH)			POINTS D'UNE COULEUR COURTE	
As	4 points		Chicane	5 points
Roi	3 points	+	Singleton	3 points
Dame	2 points		Doubleton	1 point
Valet	1 point			

Les points d'honneurs (PH) sont additionnés à ceux de la couleur courte afin d'obtenir la valeur totale de votre main. **Les points d'une couleur courte remplacent les points d'une couleur longue dès que vous découvrez un fit magique dans une majeure.**

Si l'on revient à l'exemple précédent, votre partenaire ouvre de un cœur et vous avez la main suivante:

$$\spadesuit\ \text{---}$$
$$\heartsuit\ 7\ 4\ 3\ 2$$
$$\diamondsuit\ 9\ 7\ 3\ 2$$
$$\clubsuit\ A\ 9\ 8\ 6\ 4$$

Puisque vous possédez un soutien quatrième dans la majeure de votre partenaire, vous soutenez sa couleur au niveau approprié. Avec les points du mort, la valeur de votre main est la suivante:

4 PH + 5 points d'une couleur courte = 9 points du mort

Si votre partenaire ouvre de un trèfle, de un carreau, de un pique ou de un SA, vous n'avez pas à calculer la force de votre main en utilisant les points du mort, car vous n'avez pas trouvé de fit magique dans la majeure. Au lieu de cela, vous évaluez votre main de la façon normale: 4 PH plus un point de longueur = 5 points

Une fois que vous avez identifié un fit magique dans une majeure et évalué votre main avec les points du mort, vous pouvez alors répondre à la question À QUEL NIVEAU? en vous fiant au tableau suivant:

QUAND SOUTENIR LA MAJEURE DE L'OUVREUR?

POINTS DU MORT	ENCHÈRE		
0 à 5:	passez		La manche est peu probable; en ce cas, arrêtez à la manche partielle la moins chère.
6 à 10:	soutenez au niveau de deux		La manche est possible si l'ouvreur possède de 16 à 21 points.
11 ou 12:	soutenez au niveau de trois		La manche est fort probable et cette enchère incite l'ouvreur à annoncer la manche.
13 à 16*:	soutenez au niveau de quatre		La manche est assurée puisque vous détenez au moins 26 points combinés.

*Nous étudierons les mains de plus de 16 points quand nous aborderons les chapitres traitant des mains fortes et des enchères de chelem.

Après avoir répondu affirmativement à la question «Puis-je soutenir la majeure de mon partenaire?», le répondant évalue sa main en utilisant les points du mort et il soutient au niveau approprié. Voyons quelques exemples:

Votre partenaire ouvre les enchères de un pique. Que répondez-vous avec chacune des mains suivantes?

1. ♠ V 8 6 4
   ♥ 10 3
   ♦ D 7 5 4
   ♣ 10 4 3

2. ♠ R 10 7 5
   ♥ 8 7 4
   ♦ 5 3
   ♣ R D 7 4

3. ♠ D 7 6 3
   ♥ A 7 3
   ♦ ___
   ♣ V 9 6 4 3 2

4. ♠ D V 8 6 4
   ♥ 5
   ♦ A R 10 6
   ♣ 8 4 2

5. ♠ V 7
   ♥ A 7 6 4 2
   ♦ R D 10 5
   ♣ V 3

1. PASSEZ. Vous pouvez soutenir la majeure de votre partenaire, mais vous n'avez que 4 points du mort (3 PH plus un point pour le doubleton à cœur). Répondez passe (de 0 à 5 points du mort), car la manche est peu probable.

2. DEUX PIQUES. Pouvez-vous soutenir la majeure de votre partenaire? Oui, car vous détenez un soutien quatrième. En comptant les

points du mort, vous possédez 9 points (8 PH plus un point pour le doubleton à carreau). Soutenez au niveau approprié à deux piques (de 6 à 10 points du mort).

3. TROIS PIQUES. Avec quatre piques, soutenez la majeure de votre partenaire, car vous avez 12 points du mort (7 PH plus cinq points pour la chicane à carreau). Soutenez au niveau de trois: trois piques.

4. QUATRE PIQUES. Vous disposez de cinq piques; cela suffit amplement pour soutenir la majeure de votre partenaire, car vous possédez 13 points du mort (10 PH plus trois points pour le singleton à cœur). Soutenez au nveau approprié: quatre piques (de 13 à 16 points du mort).

5. Vous ne disposez que de deux piques; c'est insuffisant pour soutenir la majeure de votre partenaire. C'est le moment de vous poser la question suivante.

Deuxième question

Elle a pour but d'empêcher le camp de dépasser un niveau acceptable lorsqu'il cherche à trouver la meilleure dénomination.

AI-JE UNE MAIN FAIBLE?
(DE 0 À 5 POINTS)

Si la réponse est affirmative, passez ⬡ARRÊT . En n'ayant que de 0 à 5 points, la manche est peu probable.

Pourquoi cette question n'est-elle pas formulée en premier lieu ? Une main faible peut devenir forte quand, sur une réponse, vous lui ajoutez les points du mort. Vous ne pouvez le savoir d'avance à moins de vous demander: «Puis-je soutenir la majeure de mon partenaire?»

Examinons quelques cas en tenant compte des deux premières questions.

Votre partenaire ouvre de un cœur. Que répondez-vous avec l'une ou l'autre de ces mains?

1. ♠ R 8 7   2. ♠ A 6 5 4
   ♥ 6 5   ♥ R 10 7 5
   ♦ V 10 5 4   ♦ V 8 6 3
   ♣ 9 6 4 3   ♣ 7

1. PASSEZ. Ici, il ne vous est pas possible de soutenir la majeure de votre partenaire. Alors vous vous posez la deuxième question, «Ai-je une main faible (de 0 à 5 points)?» Comme la réponse est positive (vous n'avez que 4 points), vous passez.

2. TROIS CŒURS. Pouvez-vous soutenir la majeure de votre partenaire? Oui. Avec les points du mort, vous disposez de 11 points (8 PH plus trois points pour le singleton à trèfle). Vous soutenez à trois cœurs.

Votre partenaire ouvre de un trèfle. Que répondez-vous avec l'une ou l'autre de ces mains?

3. ♠ 8 7   4. ♠ A V 8 7
   ♥ 10 6 5 4   ♥ R 9 7 6
   ♦ V 8 6 5 4   ♦ 9 8
   ♣ 9 7   ♣ V 8 6

3. PASSEZ. Vous ne pouvez soutenir la majeure de votre partenaire parce qu'il n'a pas ouvert de cette couleur. Avez-vous une main faible? Oui, vous ne disposez que de 2 points (1 PH plus un point pour la couleur cinquième à carreau). À cause de votre faible main (de 0 à 5 points), passez et gardez les enchères au niveau le plus économique.

4. Vous devez répondre négativement aux deux questions. Vous ne pouvez soutenir la majeure de votre partenaire (il ne l'a pas annoncée) et vous n'avez pas une main faible, puisque vous avez 9 PH. Vous devez cependant annoncer quelque chose, mais quoi? C'est le moment de vous poser la troisième question.

Troisième question

Elle est censée vous aider à trouver la meilleure dénomination. Elle vous incite à annoncer en vous basant sur l'échelle des enchères sans omettre une couleur au niveau de un.

> ### PUIS-JE ANNONCER UNE NOUVELLE COULEUR AU NIVEAU DE UN?

Si vous le pouvez, **annoncez cette couleur** (AVANCEZ).

Lorsque vous vous posez cette troisième question, vous ne pouvez soutenir la majeure de votre partenaire, soit qu'il ne l'ait pas annoncée, soit que vous ayez moins de quatre cartes de soutien (bien que vous possé-

diez 6 points ou plus). Vous êtes toujours à la recherche d'un fit magique et il est préférable de le chercher au niveau le plus bas. La meilleure
façon de poursuivre votre recherche d'un fit magique est d'annoncer
une couleur quatrième ou plus que vous détenez. Il se pourrait que
votre partenaire puisse soutenir votre couleur.

Une nouvelle couleur au niveau de un est une enchère impérative .
Ceci fait partie du langage des enchères et ce n'est pas le contrat définitif. **Il se peut que le répondant ait aussi peu que 6 points ou autant que
20 points ou plus.** L'ouvreur doit annoncer de nouveau parce qu'il peut
y avoir, dans ce cas, suffisamment de points combinés pour la manche.
Par contre, si la main du répondant est faible, au tour suivant il est
encore temps de décider d'une manche partielle à un niveau bas.

L'échelle des enchères vous sera utile lorsque vous aurez à décider de la
couleur à annoncer au niveau de un sur une ouverture de votre
partenaire.

ANNONCE D'OUVERTURE	COULEUR ANNONCÉE PAR LE RÉPONDANT AU NIVEAU DE UN
un pique	AUCUNE. Pique est la plus haute couleur.
un cœur	PIQUE. Les couleurs mineures sont les moins chères.
un carreau	CŒUR ou PIQUE. Trèfle étant moins cher que carreau, il n'est pas possible de l'annoncer au niveau de un.
un trèfle	CARREAU, CŒUR ou PIQUE. Toutes ces couleurs sont supérieures à trèfle.

Si vous n'avez qu'une couleur qui puisse être annoncée au niveau de
un, déclarez-la. Vous pouvez parfois choisir entre deux ou trois couleurs au niveau de un; servez-vous alors des mêmes règles que pour
l'enchère d'ouverture.

- Annoncez d'abord votre couleur la plus longue.
- Annoncez la plus chère de deux couleurs cinquièmes ou sixièmes.
- Annoncez la moins chère de deux couleurs quatrièmes.
- Annoncez la couleur médiane de trois couleurs quatrièmes.

Vous n'avez recours à ces règles que pour rompre une égalité de couleurs qui peuvent être annoncées au niveau de un. Par exemple, votre
partenaire ouvre de un carreau et vous disposez de la main suivante:

♠ V 8 7
♥ D 7 4 2
♦ 6
♣ R V 7 5 3

Répondez: un cœur. Même si votre couleur la plus longue est à trèfle, vous n'envisagez que celles que vous pouvez annoncer au niveau de un quand vous répondez à la troisième question.

Examinons quelques cas en relation avec les trois premières questions.

Votre partenaire ouvre les enchères de un carreau. Que répondez-vous avec chacune des mains suivantes?

1. ♠ 7 5 4 3
   ♥ A 4 2
   ♦ V 8
   ♣ R D 6 5

2. ♠ D 6 4 3 2
   ♥ R V 8 6 4
   ♦ R 8
   ♣ 8

3. ♠ R 9 4 3
   ♥ V 8 6 3
   ♦ —
   ♣ A V 10 7 4

4. ♠ R D V 3
   ♥ 10 7 6 5 2
   ♦ 9 2
   ♣ A 10

5. ♠ R 8 7
   ♥ D V 7
   ♦ V 3 2
   ♣ D 10 9 3

1. UN PIQUE. Pouvez-vous soutenir la majeure de votre partenaire? Non, parce qu'il ne l'a pas annoncée. Avez-vous une main faible? Non, car vous possédez 10 PH. Pouvez-vous annoncer une nouvelle couleur au niveau de un? Oui, car vous détenez quatre piques. Vous disposez également de quatre trèfles, mais vous ne pouvez l'annoncer au niveau de un. Par conséquent, répondez un pique. La qualité de la couleur n'a pas d'importance, car vous êtes à la recherche d'un fit magique dans une majeure.

2. UN PIQUE. Vous ne pouvez soutenir la majeure de votre partenaire et votre main n'est pas faible. Vous disposez de 11 points (9 PH et un point pour chaque couleur cinquième). Vous êtes en possession de deux couleurs et chacune d'elles peut être annoncée au niveau de un. Comme les deux couleurs sont des couleurs cinquièmes, annoncez d'abord la plus chère: répondez un pique.

3. UN CŒUR. Votre partenaire n'a pas annoncé une majeure et vous n'avez pas une main faible, car vous détenez 10 points. Pouvez-vous annoncer une nouvelle couleur au niveau de un? Oui: vous pouvez annoncer un cœur, la moins chère de vos deux couleurs quatrièmes. En dépit du fait que vous possédez un trèfle plus long, vous annoncez un cœur parce que vous ne tenez compte que des couleurs susceptibles d'être annoncées au niveau de un quand vous répondez à la troisième question.

4. UN CŒUR. Après avoir répondu négativement aux deux premières questions, vous avez deux couleurs qui vous permettent d'annoncer au niveau de un. Avec cinq cœurs et quatre piques seulement, annoncez la couleur la plus longue: un cœur.

5. Vous ne pouvez soutenir la majeure de votre partenaire et vous n'avez pas une main faible. Vous disposez de 9 points, tous provenant de hautes cartes. Comme les trèfles sont moins chers que les carreaux, vous n'avez aucune couleur qui vous permette d'annoncer au niveau de un. C'est le moment de vous poser la quatrième question.

Quatrième question

Après avoir répondu par la négative aux trois premières questions, posez-vous la quatrième.

- Vous ne pouvez pas soutenir la majeure de votre partenaire (*première question*).
- Vous n'avez pas une main faible de 0 à 5 points (*deuxième question*).
- Vous ne pouvez pas annoncer une nouvelle couleur au niveau de un (*troisième question*).

La quatrième question a pour but de vous empêcher d'annoncer à un niveau trop élevé, alors que vous cherchez la meilleure dénomination.

> ### AI-JE UNE MAIN MINIMALE
> ### (DE 6 À 10 POINTS)?

Voyons ce qui arrive si vous répondez par l'affirmative. Si vous n'avez que de 6 à 10 points, la force de votre main est très limitée et vous devez répondre de façon à garder les enchères ouvertes au cas où l'ouvreur dispose de plusieurs points. Mais, en même temps, vous devez empêcher votre partenaire d'annoncer trop haut sur l'échelle des enchères si celui-ci ne possède que quelques points. Comme vous ne pouvez soutenir la majeure de votre partenaire et que vous n'avez pas de couleur à annoncer au niveau de un, il ne vous reste que cette alternative:

- soutenir la mineure de l'ouvreur au niveau de deux;
- répondre un SA.

Le soutien de la mineure de l'ouvreur au niveau de deux

Si vous soutenez la mineure de l'ouvreur au niveau de deux, vous lui signalez une main minimale (de 6 à 10 points) et au moins un soutien quatrième. Soutenir la mineure ou la majeure de l'ouvreur sont des actions analogues, mais la priorité est moindre. Vous désirez éviter la manche dans une mineure (un contrat en SA est préférable): **ne comp-**

tez pas les points du mort lorsque vous soutenez la mineure de votre partenaire. Les couleurs courtes ne sont pas favorables à un contrat à SA.

La réponse par un SA

Si vous ne disposez pas d'un appui suffisant pour soutenir la mineure de l'ouvreur, vous pouvez répondre un SA. Vous indiquez ainsi à votre partenaire que vous détenez de 6 à 10 points et que vous ne pouvez annoncer autre chose. La réponse un SA du répondant est de type «fourre-tout» et n'a aucune affinité avec le type de main requis pour ouvrir de un SA.

Voici quelques cas:

Votre partenaire annonce un carreau. Que répondez-vous avec chacune de ces mains?

1.	♠ A 9	2.	♠ D	3.	♠ 9 7 5	4.	♠ D 8
	♥ V 6 4		♥ 10 4		♥ R 10 4		♥ A 9 3
	♦ R 9 8 6 4		♦ 10 3 2		♦ D 7 5		♦ 5 3 2
	♣ 9 6 4		♣ R V 9 7 6 3 2		♣ R 9 6 3		♣ A D V 10 7

1. DEUX CARREAUX. Pouvez-vous soutenir la majeure de votre partenaire? Non, il ne l'a pas annoncée. Avez-vous une main faible (de 0 à 5 points)? Non, vous possédez 9 points (8 PH plus un point provenant de la couleur cinquième à carreau). Pouvez-vous annoncer une nouvelle couleur au niveau de un? Non. Disposez-vous d'une main minimale (de 6 à 10 points)? Oui. comme vous devez soutenir la mineure de votre partenaire, vous répondez deux carreaux. Veuillez noter que vous n'évaluez pas votre main avec les points du mort lorsque vous soutenez la mineure de votre partenaire.

2. UN SA. Vous ne pouvez soutenir la majeure de votre partenaire et vous n'avez pas une main faible. Vous ne pouvez annoncer une nouvelle couleur au niveau de un parce que votre seule couleur disponible est à trèfle. Vous détenez une main minimale comptant 9 points (6 PH et trois points pour votre couleur septième à trèfle). Comme vous n'avez pas suffisamment de carreau pour soutenir la mineure de votre partenaire, il ne vous reste que la réponse «fourre-tout»: un SA. Notez que cette réponse ne signale pas à votre partenaire que vous possédez une main équilibrée, mais uniquement que vous détenez une main minimale (de 6 à 10 points).

3. UN SA. Vous ne pouvez soutenir la majeure de votre partenaire, vous n'avez pas une main faible et ne pouvez annoncer une nouvelle couleur au niveau de un. Par contre, vous disposez d'une main

minimale de 8 points. Puisque vous ne pouvez soutenir la mineure de votre partenaire, annoncez un SA.

4. Votre partenaire n'a pas annoncé une majeure, vous n'avez pas une main faible et ne pouvez déclarer une nouvelle couleur au niveau de un. Détenez-vous une main minimale de 6 à 10 points? Non, vous comptez 14 points (13 PH plus un point pour la couleur cinquième à trèfle). Que faire alors, puisque vous avez répondu par la négative aux quatre questions?

Le choix définitif

Si vous répondez «non» aux quatre questions, vous disposez d'au moins 11 points. Si votre main a une valeur de 11 points ou plus, il est probable que votre camp pourra emporter la manche parce que l'annonce d'ouverture indique au moins 13 points. Cette valeur vous permet d'annoncer au niveau de deux et même davantage. Comme vous ne pouvez soutenir la majeure de votre partenaire et que vous n'avez pas de couleur à annoncer au niveau de un, il ne vous reste que les choix suivants:

- Annoncer la mineure de l'ouvreur — au niveau de trois;
  — à la manche (trois SA).
- Annoncer une nouvelle couleur au niveau de deux.

Le soutien de la mineure de l'ouvreur au niveau de trois .

Soutenir la mineure de l'ouvreur au niveau de trois signifie que:

- vous avez 4 cartes et plus de soutien dans la mineure d'ouverture de votre partenaire;
- vous disposez de 11 ou 12 points.

Cette réponse indique à l'ouvreur que votre force est limitée à 11 ou 12 points. Cette situation s'apparente au soutien de la majeure de l'ouvreur, sauf que vous ne comptez pas les points du mort car, s'il y a manche, il est probable qu'elle sera à SA. L'option est très limitée, aussi s'agit-il ici d'une enchère invitative▼. Si l'ouvreur dispose d'une main minimale de 13 ou 14 points, il se doutera qu'il n'y a pas suffisamment de points pour la manche et il passera.

Le soutien de la mineure de l'ouvreur à la manche (trois SA) ▼ .

Pour annoncer cette réponse, vous devez disposer:

- d'un soutien quatrième ou plus dans la mineure de l'ouvreur;
- de 13 à 16 points.

Cette réponse est une enchère invitative . Trois SA sera la manche la plus probable si vous n'avez pas de fit magique dans une majeure. Dans ce cas, l'ouvreur passe, à moins qu'il n'ait une main particulièrement mal équilibrée ou qu'il envisage le chelem.

L'annonce d'une nouvelle couleur au niveau de deux (AVANCEZ).

Annoncer une nouvelle couleur au niveau de deux révèle:

- une couleur quatrième ou plus;
- 11 points ou plus.

Une réponse sur une nouvelle couleur au niveau de deux constitue une enchère impérative (AVANCEZ). L'ouvreur sait que vous possédez au moins 11 points, mais ignore combien de points vous avez en plus. Quand vient son tour, il ne peut passer, car il est possible que le total des points soit suffisant pour la manche.

Analysons quelques cas:

Votre partenaire ouvre les enchères de un carreau. Que répondez-vous lorsque vous détenez chacune des mains suivantes?

1. ♠ R 4 2   2. ♠ A 4 3   3. ♠ R 10
   ♥ 3 2   ♥ R   ♥ 9 7
   ♦ A V 8 4 3   ♦ R V 9 8 3 2   ♦ R 10 4
   ♣ D 10 3   ♣ D 10 3   ♣ R D 7 5 4 3

1. TROIS CARREAUX. Vous ne pouvez soutenir la majeure de votre partenaire, vous n'avez pas une main faible, vous ne pouvez annoncer une nouvelle couleur au niveau de un et vous n'avez pas une main minimale, car vous possédez 11 points (10 PH plus un point pour la cinquième à carreau). Comme vous avez cinq carreaux, c'est plus que suffisant pour soutenir la mineure de votre partenaire. Lorsque vous annoncez trois carreaux, votre partenaire sait que vous comptez 11 ou 12 points et que vous disposez d'une couleur quatrième ou plus à carreau.

2. TROIS SA. Ici encore, vous ne pouvez soutenir la majeure de votre partenaire, votre main n'est pas faible, vous ne pouvez annoncer une nouvelle couleur au niveau de un et vous n'avez pas une main minimale. Vous disposez de 15 points (13 PH plus deux points pour votre couleur sixième à carreau). C'est trop pour soutenir la mineure de votre partenaire au niveau de trois. Au lieu de cela, annoncez trois SA; vous signifiez ainsi à votre partenaire que vous

jouissez de 13 à 16 points et d'une couleur quatrième ou plus à carreau.

3. DEUX TRÈFLES. Votre réponse est négative pour les quatre questions. Comme vous comptez 13 points (11 PH plus deux points pour votre couleur sixième à trèfle), mais ne pouvez soutenir la mineure de votre partenaire, annoncez dans ce cas une nouvelle couleur au niveau de deux: deux trèfles.

Si vous avez la possibilité d'annoncer plus d'une couleur au niveau de deux, choisissez la couleur selon les critères suivants:

- Annoncez d'abord la couleur la plus longue.
- Annoncez la plus chère de deux couleurs cinquièmes ou sixièmes.
- Annoncez la moins chère de deux couleurs quatrièmes.
- Annoncez la couleur médiane de trois couleurs quatrièmes.

Voici quelques exemples: votre partenaire ouvre de un pique et, pour chacune des mains suivantes, vous répondez négativement aux quatre questions. Quelle annonce pourriez-vous faire?

1. ♠ R 2	2. ♠ 3	3. ♠ R 10	4. ♠ 9
♥ V 10 7 3 2	♥ A 3	♥ A 9 2	♥ A 10 8 3
♦ A R 4 3	♦ R V 9 6 2	♦ R 10 6 4	♦ V 7 5 3
♣ D 10	♣ D 10 7 6 3	♣ D 7 5 2	♣ A D 9 8

1. DEUX CŒURS. Avec une couleur cinquième et une couleur quatrième, annoncez au niveau de deux en déclarant la plus longue. À une ouverture de un pique, répondez deux cœurs.

2. DEUX CARREAUX. Avec deux couleurs cinquièmes, annoncez la plus chère: deux carreaux.

3. DEUX TRÈFLES. Ici, votre choix oscille entre deux couleurs quatrièmes. Annoncez la moins chère: deux trèfles.

4. DEUX CARREAUX. Vous avez le choix de trois couleurs quatrièmes; optez pour la couleur médiane. Donc, répondez deux carreaux sur l'ouverture de votre partenaire.

Résumé

Quand votre partenaire ouvre au niveau de un, vous pouvez formuler votre réponse en vous posant les quatre questions du répondant.

Première question: *PUIS-JE SOUTENIR LA MAJEURE DE MON PARTENAIRE?*

Si votre réponse est POSITIVE, réévaluez votre main à l'aide des points du mort (au lieu des points de longueur) et soutenez au palier approprié.

LES POINTS DU MORT

As	4 points		Chicane	5 points
Roi	3 points	+	Singleton	3 points
Dame	2 points		Doubleton	1 point
Valet	1 point			

LE NIVEAU APPROPRIÉ

Si vous disposez de
- 0 à 5 points,   passez
- 6 à 10 points,   soutenez au niveau de deux.
- 11 ou 12 points,   soutenez au niveau de trois.
- 13 à 16 points,   soutenez au niveau de quatre.

Si votre réponse est NÉGATIVE, passez à la question suivante.

Deuxième question: AI-JE UNE MAIN FAIBLE (de 0 à 5 POINTS)?

Si votre réponse est POSITIVE, passez.
Si votre réponse est NÉGATIVE, passez à la question suivante.

Troisième question: PUIS-JE ANNONCER UNE NOUVELLE COULEUR AU NIVEAU DE UN?

Si votre réponse est POSITIVE, annoncez une couleur appropriée.
Si votre réponse est NÉGATIVE, passez à la question suivante.

Quatrième question: AI-JE UNE MAIN MINIMALE (de 6 à 10 points)?

Si votre réponse est POSITIVE,
- soutenez la mineure de l'ouvreur au niveau de deux avec un soutien quatrième;
- annoncez un SA.

Si votre réponse est NÉGATIVE,
- Soutenez la mineure de l'ouvreur au niveau de trois avec 11 ou 12 points;

- annoncez 3 SA avec un soutien quatrième et 13 à 16 points;
- annoncez une nouvelle couleur au niveau de deux.

Autre façon de répondre aux annonces d'ouverture

Comme répondant, vous disposez de plusieurs options selon la force de votre main. Les réponses possibles sont énumérées ci-dessous, par ordre de priorité, à l'intérieur d'une zone de points.

ZONE DE POINTS	RÉPONSES POSSIBLES
0 à 5 points,	• passez.
6 à 10 points,	• soutenez la majeure au niveau de deux; • annoncez une nouvelle couleur au niveau de un; • soutenez la mineure au niveau de deux; • un SA.
11 ou 12 points,	• soutenez la majeure au niveau de trois; • annoncez une nouvelle couleur au niveau de un; • soutenez la mineure au niveau de trois; • annoncez une nouvelle couleur au niveau de deux.
13 à 16 points,	• soutenez la majeure au niveau de quatre; • annoncez une nouvelle couleur au niveau de un; • trois SA (sur l'ouverture d'une mineure); • annoncez une nouvelle couleur au niveau de deux.

Exercices

Votre partenaire ouvre de un coeur. À l'aide des quatre questions du répondant, choisissez la réponse appropriée.

1.	♠ 8 7 3	2.	♠ V 8 3	3.	♠ R 9 7 3	4.	♠ R V 5
	♥ R 4 3 2		♥ 9 7 5		♥ D 3		♥ V 5
	♦ D 4 3 2		♦ R 7 4		♦ 10 8 6 4 2		♦ D 9 7 5 3
	♣ D		♣ 10 9 7 5		♣ D 7		♣ V 8 3

5. ♠ R D 5
   ♥ V 5
   ♦ R V 8 7 3 2
   ♣ A V

Votre partenaire ouvre de un carreau. À l'aide des quatre questions du répondant, choisissez la réponse appropriée.

6. ♠ A V 7 3   7. ♠ 8 3   8. ♠ R 8   9. ♠ 3 2
   ♥ R 9 8 2   ♥ R 7 5   ♥ D V 3   ♥ A 9 7
   ♦ D 7 3   ♦ R 3   ♦ 10 8 6 4 3 2   ♦ R D 9 7 5
   ♣ A 4   ♣ A R 9 6 3 2 ♣ 8 7   ♣ V 8 3

10. ♠ R 5
    ♥ 7 5
    ♦ A R V 8 7 3
    ♣ D 6 3

Pour les «fureteurs»

Comment réagit le répondant s'il a 17 points ou plus?

Au cours du chapitre 7, il n'est fait aucune mention de la réaction du répondant lorsqu'il détient une main de 17 points ou plus. Quand le répondant possède autant de points, il doit toujours annoncer la manche et il arrive qu'il puisse déclarer encore plus haut, c'est-à-dire le chelem. L'enchère de chelem sera étudiée à fond au chapitre 22.

Disposant d'une main chiffrée à 17 points ou plus, le répondant peut recourir aux quatre questions analysées précédemment; toutefois, il doit prévoir quelques modifications à ces questions.

Comme vous le verrez au chapitre 22, environ 33 points combinés sont requis pour le petit chelem et 37, pour le grand chelem. Si le répondant dispose de 17 points ou plus et qu'il répond positivement à la question «Puis-je soutenir la majeure de mon partenaire?», il peut alors soutenir au niveau approprié en se conformant aux données suivantes:

- 17 à 19 points,   soutenir au niveau de cinq;
- 20 à 23 points,   soutenir au niveau de six (petit chelem);
- 24 points ou plus,   soutenir au niveau de sept (grand chelem).

Par exemple, supposons que l'ouvreur annonce un coeur et que vous détenez la main suivante:

♠ R 9 3
♥ A D 7 6 5
♦ A R 10 4 3
♣ ——

Disposant de 21 points (16 PH plus 5 points pour la chicane à trèfle), annoncez six coeurs.

La réponse à saut

Dans certains systèmes, il existe une autre façon d'indiquer à l'ouvreur que le répondant a une main forte. Si le répondant possède 17 points ou plus et s'il répond affirmativement à la question «Puis-je annoncer une nouvelle couleur au niveau de un?», au lieu d'annoncer cette couleur au niveau de un, il saute au niveau de deux, un palier plus haut que nécessaire. Cette réponse est dite *réponse à saut* et alerte l'ouvreur sur la possibilité d'un chelem. Une réponse à saut est une enchère impérative pour la manche 🔶, puisqu'elle oblige les partenaires à conclure les enchères au moins au niveau de la manche.

Par exemple, votre partenaire ouvre de un trèfle et vous disposez de la main suivante:

$$♠ \text{ A R V 10 8 7 6}$$
$$♥ \text{ A 5}$$
$$♦ \text{ 8}$$
$$♣ \text{ R V 7}$$

Vous pouvez répondre un pique, mais, détenant 19 points, signalez votre force par une réponse à saut, deux piques.

De façon analogue, si vous êtes sur le point d'annoncer une nouvelle couleur au niveau de deux et que vous disposiez de 17 points ou plus, sautez au niveau de trois, ce qui indiquera ainsi un surplus de force. Cependant, une réponse à saut restreint votre latitude de déclaration sur l'échelle des enchères. C'est la raison pour laquelle on ne l'utilise presque plus aujourd'hui puisqu'une nouvelle couleur du répondant est une enchère impérative (AVANCEZ).

Pourquoi le répondant annonce-t-il sa couleur quatrième la moins chère?

Supposons que l'ouvreur annonce un trèfle et que le répondant détienne la main suivante:

$$♠ \text{ A V 8 7}$$
$$♥ \text{ R 10 7}$$
$$♦ \text{ D 8 5 4}$$
$$♣ \text{ 8 6}$$

Le répondant annonce l'une de ses deux couleurs quatrièmes au niveau de un. Pourquoi doit-il déclarer un carreau, la couleur quatrième la moins chère au lieu de sa majeure, un pique? À cela, il y a deux raisons:

- Vous pouvez décider d'un contrat à carreau au niveau de la manche partielle. Par exemple, l'ouvreur peut disposer d'une main chiffrée à 13 points incluant quatre trèfles et quatre carreaux ou cinq trèfles et quatre carreaux.

- Si l'ouvreur détient également une couleur quatrième à pique, il l'annonce sur votre réponse à un carreau. En conséquence, il n'y a aucun risque qu'un fit magique à pique soit perdu.

Pouvez-vous jouer un contrat de manche à cinq trèfles ou à cinq carreaux?

Jusqu'à présent, les directives indiquent que vous devez toujours jouer à trois SA plutôt qu'à cinq trèfles ou à cinq carreaux. Il se présentera à coup sûr des mains qui feront la manche dans une mineure et ne pourront la réaliser à trois SA. Ces cas sont rares, cependant. Il est beaucoup plus fréquent que des mains fassent trois SA et ne réalisent pas la manche dans une mineure.

Dans d'autres chapitres, nous rencontrerons des situations qui conduisent à la manche dans une couleur mineure. Par exemple:

- dans des enchères de compétition, le contrat peut être conclu au-delà de trois SA, faisant la manche dans une mineure, la meilleure option;

- lorsqu'on décide d'un chelem, il est possible qu'il n'y ait pas assez de forces combinées et l'enchère se conclut au niveau de cinq dans une mineure.

Outre ces cas d'exception, il est préférable, à la longue, de jouer à trois SA au lieu de la manche dans une mineure lorsqu'il n'y a pas de fit magique dans une majeure.

VIII

La deuxième enchère de l'ouvreur sur une réponse au niveau de un

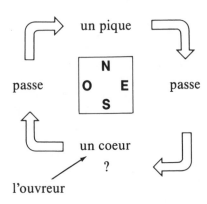

Après avoir étudié les réponses sur les annonces d'ouverture, retournons à l'ouvreur et voyons sa réaction à l'annonce du répondant.

La deuxième enchère de l'ouvreur

Le rôle de l'ouvreur en est un de **démonstrateur**. Il décrit sa main au répondant qui, à titre de capitaine, utilise ces notions pour décider du NIVEAU et de la COULEUR du contrat. La déclaration de l'ouvreur amorce la description. Après avoir écouté la réplique du répondant, l'ouvreur fait une deuxième annonce, renseignant ainsi davantage le répondant sur la force et la composition de sa main. La deuxième annonce de l'ouvreur est dite la *deuxième enchère de l'ouvreur*.

Lorsqu'il fait sa deuxième enchère, l'ouvreur ne se limite pas à décrire la force et la composition de sa main, mais prend aussi en considération le message transmis par l'annonce du répondant. Cette dernière correspond au classement suivant:

- Une réponse au niveau de un
- Une réponse au niveau de deux
- Un soutien de la couleur de l'ouvreur

Au cours de ce chapitre, nous examinerons le premier type d'annonce du classement, autrement dit la réponse au niveau de un. Les autres types de réponse seront étudiés plus loin.

Commençons par revoir le signal émis par le répondant alors qu'il annonce au niveau de un.

Le message du répondant

Il existe deux types de messages d'une réponse au niveau de un:

UNE NOUVELLE COULEUR

- l'enchère impérative
- 6 points ou plus
- l'ouvreur doit annoncer de nouveau

UN SA

- l'enchère invitative
- de 6 à 10 points
- l'ouvreur passe ou annonce de nouveau

Le classement de la force de l'ouvreur

Afin de pouvoir choisir sa meilleure deuxième enchère, l'ouvreur classifie sa main comme suit:

MAIN MINIMALE: de 13 à 16 points | 13 | 14 | 15 | 16 | 17 | 18 | 19 | 20 | 21 |

MAIN INTERMÉDIAIRE: 17 ou 18 points | 13 | 14 | 15 | 16 | 17 | 18 | 19 | 20 | 21 |

MAIN MAXIMALE: de 19 à 21 points | 13 | 14 | 15 | 16 | 17 | 18 | 19 | 20 | 21 |

Comment l'ouvreur décide-t-il de sa meilleure deuxième enchère? Quatre questions posées dans l'ordre l'aideront en ce sens.

LES QUATRE QUESTIONS DE L'OUVREUR

1. PUIS-JE SOUTENIR LA MAJEURE DE MON PARTENAIRE?
2. PUIS-JE ANNONCER UNE NOUVELLE COULEUR AU NIVEAU DE UN
3. AI-JE UNE MAIN ÉQUILIBRÉE?
4. DOIS-JE ANNONCER UNE NOUVELLE COULEUR AU NIVEAU DE DEUX

Ces questions sont analogues à celles que le répondant s'est lui-même posées.

Première question

La recherche d'un fit magique dans une majeure se poursuit toujours. D'où la première question:

PUIS-JE SOUTENIR LA MAJEURE DE MON PARTENAIRE?

L'ouvreur envisage les soutiens possibles d'une façon analogue à la séquence suivie par le répondant.

- Soutenir avec une quatrième (4 + 4 = 8)
- Réévaluer la main en utilisant les points du mort. (L'ouvreur est le mort.)
- Soutenir au niveau approprié.

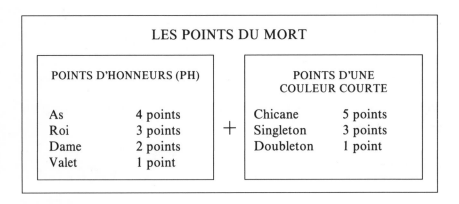

LES POINTS DU MORT

POINTS D'HONNEURS (PH)			POINTS D'UNE COULEUR COURTE	
As	4 points		Chicane	5 points
Roi	3 points	+	Singleton	3 points
Dame	2 points		Doubleton	1 point
Valet	1 point			

Par exemple:

♠ A V 9 3
♥ 3
♦ A R 8 6 2
♣ V 3

Au début, vous chiffrez votre main à 15 points (13 PH plus deux points pour la couleur sixième à carreau). Votre main est minimale et vous ouvrez de un carreau. Si votre partenaire répond un pique, vous serez le mort parce que vous avez l'intention de relancer à pique. Combien la main du mort compte-t-elle de points? Votre main vaut 17 points (13 PH plus trois points pour le singleton et un point pour le doubleton). Il s'agit d'une main intermédiaire.

Comme vous avez détecté un fit magique dans la majeure et comme vous avez réévalué votre main avec les points du mort, vous fixez le NIVEAU de soutien de la majeure du répondant.

SOUTENIR LA MAJEURE DU RÉPONDANT

LES POINTS DU MORT DE L'OUVREUR	LA DEUXIÈME ENCHÈRE DE L'OUVREUR
13 à 16 points (main minimale): 	soutenez au niveau de deux ♥. Il se peut que le répondant ne dispose que de 6 points et cette marque est suffisante. Si le répondant détient une main forte, il peut continuer jusqu'à la manche.
17 ou 18 points (main intermédiaire): 	soutenez au niveau de trois ♥. Cela constitue une pressante invitation de la part du répondant à continuer jusqu'à la manche, mais enjoint au partenaire de choisir la manche partielle si le répondant ne dispose que de 6 à 8 points.
19 à 21 points (main maximale): 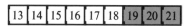	soutenez au niveau de quatre ♥. Même si le répondant ne dispose que de 6 à 8 points, il devrait y avoir suffisamment de points combinés pour la manche.

Voyons ces exemples:
Vous ouvrez les enchères de un trèfle et votre partenaire répond un cœur. Quelle est votre deuxième enchère avec chacune de ces mains?

1. ♠ R 5	2. ♠ A V 6 4	3. ♠ 4	4. ♠ R V 7 5
♥ A 8 7 4	♥ V 9 6 3	♥ A V 7 3	♥ 9 2
♦ 5 3	♦ —	♦ A 5 4	♦ R D 4
♣ R D 7 4 2	♣ A R 8 4 3	♣ A R V 10 9	♣ R V 8 3

1. DEUX CŒURS Pouvez-vous soutenir la majeure de votre partenaire? Oui, car vous détenez un soutien quatrième. Réévalué avec les points du mort, votre main compte 14 points (12 PH plus un point pour chaque doubleton). Soutenez au niveau de deux, indiquant ainsi une main minimale de 13 à 16 points. Le répondant décidera ensuite de ce qu'il doit faire.

2. TROIS CŒURS   Vous disposez de quatre cœurs; cela suffit pour soutenir la majeure du répondant et vous possédez 18 points du mort (13 PH plus cinq points pour la chicane à carreau). Soutenez au niveau convenable, soit trois cœurs, dénotant ainsi une main intermédiaire de 17 ou 18 points. Il s'agit d'une forte invitation mais non d'une obligation du répondant de poursuivre jusqu'à la manche.

3. QUATRE CŒURS   Vous pouvez soutenir la majeure du répondant et vous détenez 20 points du mort (17 PH trois points pour le singleton à pique). Annoncez la manche. Même si le répondant ne dispose que de 6 points, il existe suffisamment de points combinés pour un contrat de manche.

4. Vous n'avez que deux cœurs; ce n'est pas suffisant pour soutenir la majeure de votre partenaire. C'est le moment de vous poser la question qui suit:

Deuxième question

Si vous ne pouvez soutenir la majeure du répondant, posez-vous la deuxième question dans le but de continuer à rechercher un fit magique.

> ### PUIS-JE ANNONCER UNE NOUVELLE COULEUR AU NIVEAU DE UN?

Si vous disposez d'une couleur quatrième ou plus, il est encore temps d'annoncer au niveau de un et vous la déclarez, car vous disposez de 13 à 18 points, dénotant une main minimale ou intermédiaire ▼ .

Si votre main est maximale, comptant de 19 à 21 points, vous avez l'intention de faire connaître cette force au répondant, le capitaine. Vous n'ignorez pas que le répondant lui-même dispose d'au moins 6 points, ce qui vous permet de détenir suffisamment de forces combinées pour la manche. Faites valoir votre main maximale en annonçant votre couleur avec saut au niveau de deux, un palier plus haut que requis. Comme vous «sautez» un niveau sur l'échelle des enchères et que vous proposez une nouvelle couleur, cette action est dite une *enchère à saut* . Par exemple:

L'OUVREUR	LE DÉCLARANT
un trèfle	un cœur
deux piques	

L'enchère à saut de l'ouvreur constitue une enchère impérative pour la manche   . La question À QUEL NIVEAU? a maintenant une réponse en faveur de la manche. Les partenaires peuvent alors concentrer leurs efforts sur la COULEUR, sachant que les enchères doivent se poursuivre jusqu'à la manche.

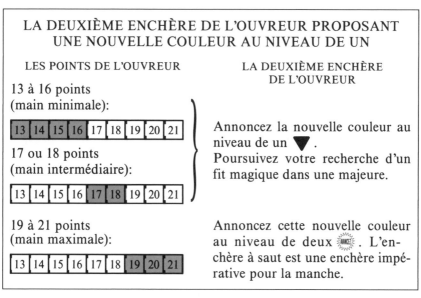

LA DEUXIÈME ENCHÈRE DE L'OUVREUR PROPOSANT
UNE NOUVELLE COULEUR AU NIVEAU DE UN

LES POINTS DE L'OUVREUR	LA DEUXIÈME ENCHÈRE DE L'OUVREUR
13 à 16 points (main minimale): [13][14][15][16][17][18][19][20][21]	Annoncez la nouvelle couleur au niveau de un ♥. Poursuivez votre recherche d'un fit magique dans une majeure.
17 ou 18 points (main intermédiaire): [13][14][15][16][17][18][19][20][21]	
19 à 21 points (main maximale): [13][14][15][16][17][18][19][20][21]	Annoncez cette nouvelle couleur au niveau de deux. L'enchère à saut est une enchère impérative pour la manche.

Analysons quelques exemples se rapportant aux deux premières questions.

Vous ouvrez de un carreau et votre partenaire répond un cœur. Quelle est votre deuxième enchère avec chacune des mains suivantes?

1. ♠ A R 2
   ♥ A 8 7 4
   ♦ D 7 5 3
   ♣ 4 2

2. ♠ R V 6 4
   ♥ D 3
   ♦ A V 8 5
   ♣ R 8 3

3. ♠ A D 6 4
   ♥ A 7 3
   ♦ A R D 5 4
   ♣ 8

4. ♠ R V 5
   ♥ 9 2
   ♦ R D 7 6 4
   ♣ A 7 5

1. DEUX CŒURS   Pouvez-vous soutenir la majeure de votre partenaire? Si oui, vous disposez d'un soutien quatrième. En réévaluant votre main avec les points du mort, vous disposez de 14 points (13 PH plus un point pour le doubleton). Soutenez à deux cœurs indiquant, par le fait même, une main minimale de 13 à 16 points.

2. UN PIQUE   En ce cas-ci, vous ne pouvez soutenir la majeure de votre partenaire car vous ne détenez pas un soutien quatrième. Alors posez-vous la deuxième question: «Puis-je annoncer une nouvelle couleur au niveau de un?» Comme la réponse est positive et que votre main est minimale (14 points), dites un pique.

3. DEUX PIQUES   Ici encore, vous ne pouvez soutenir la majeure de votre partenaire, mais il vous est possible d'annoncer une nouvelle couleur au niveau de un. Cependant, afin d'indiquer une main maximale (20 points), faites une enchère à saut, et annoncez deux piques. Cette stratégie a pour effet d'inciter le répondant à poursuivre les enchères au moins jusqu'à la manche.

4. Vous ne pouvez soutenir la majeure du répondant avec deux cartes seulement et vous ne disposez pas d'une nouvelle couleur qui puisse être annoncée au niveau de un. C'est le moment de vous poser la question qui suit:

Troisième question

Si vous avez répondu par la négative aux deux premières questions, la troisième a pour but de vous aider à décrire votre force et la distribution de votre main au répondant.

AI-JE UNE MAIN ÉQUILIBRÉE?

Si vous avez une main équilibrée, vous décrivez ainsi votre force au répondant:

LA DEUXIÈME ENCHÈRE DE L'OUVREUR POSSÉDANT UNE MAIN ÉQUILIBRÉE

LES POINTS DE L'OUVREUR	DEUXIÈME ENCHÈRE DE L'OUVREUR
13 à 15* points (main minimale): 13 14 15 16 17 18 19 20 21	dites SA au niveau le plus économique (un SA) ▼ ; ce message indique au répondant que vous avez une main équilibré **trop faible** pour ouvrir un SA; si le répondant a déjà annoncé un SA, passez ⬡ARRÊT ; comme le répondant ne dispose que de 6 à

16* à 18 points
(main intermédiaire):

| 13 | 14 | 15 | 16 | 17 | 18 | 19 | 20 | 21 |

19 à 21 points
(main maximale):

| 13 | 14 | 15 | 16 | 17 | 18 | 19 | 20 | 21 |

10 points, il n'y a pas assez de points combinés pour la manche.

il n'y a pas de deuxième enchère indiquant une main équilibrée possédant cette force; une telle main devrait avoir été annoncée à un SA.

sautez à SA 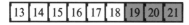 ; cette annonce indique au répondant que vous avez une main équilibrée **trop forte** pour ouvrir de un SA. Comme c'est une enchère à saut, cette deuxième enchère est une enchère impérative pour la manche.

* Dans ce cas-ci, on a dû procéder à un rajustement par suite de l'éventail de l'annonce d'ouverture à un SA (de 16 à 18 points).

Examinons quelques exemples basés sur les trois premières questions:

Vous ouvrez de un trèfle et votre partenaire répond un cœur. Quelle est votre deuxième enchère avec chacune de ces mains?

1. ♠ R 8 3	2. ♠ A V 6 4	3. ♠ A D 8	4. ♠ R V 8
♥ 7 4	♥ 6 3	♥ V 7 3	♥ 2
♦ A 5 3	♦ A 8 6	♦ A V 4	♦ R D 4
♣ R D 7 4 2	♣ A V 9 2	♣ A R V 9	♣ A V 8 7 6 3

1. UN SA   Pouvez-vous soutenir la majeure de votre partenaire? Si votre réponse est négative, vous ne disposez pas d'un soutien quatrième. Pouvez-vous annoncer une nouvelle couleur au niveau de un? Si vous répondez non, vous ne détenez pas une couleur quatrième à pique. Votre main est-elle équilibrée? Si oui, votre distribution est de 3-2-3-5. Avec 13 points, dites un SA, signalant ainsi au répondant une main trop faible pour ouvrir de un SA. Si ce dernier a déjà annoncé un SA au lieu de un cœur, passez.

2. UN PIQUE   Vous ne pouvez pas soutenir la majeure de votre partenaire, mais vous disposez d'une couleur pouvant être annoncée au niveau de un. Dites un pique.

3. DEUX SA   Vous ne pouvez pas soutenir la majeure de votre partenaire et vous ne disposez pas d'une couleur qui puisse être annoncée au niveau de un. Votre main est équilibrée et elle se chiffre à 20 points, alors dites deux SA, signalant une main trop forte pour ouvrir de un SA. Cette enchère est une enchère impérative pour la manche. Si le répondant annonce un SA au lieu de un cœur, sautez à trois SA.

4. Vous ne pouvez soutenir la majeure de votre partenaire et ne pouvez annoncer une nouvelle couleur au niveau de un. De plus, vous ne disposez pas d'une main équilibrée. Le moment est venu de considérer la question suivante:

Quatrième question

Cette question vous aide à décider si vous devez annoncer une nouvelle couleur.

DOIS-JE ANNONCER UNE NOUVELLE COULEUR AU NIVEAU DE DEUX?

Si vous êtes en possession d'une deuxième couleur quatrième ou plus, vous l'annoncez habituellement, mais pas toujours, au niveau de deux.

Pourquoi **ne pas** annoncer une nouvelle couleur au niveau de deux? Vous devez être prudent et ne pas trop hausser les enchères quand votre main est minimale (de 13 à 16 points). Afin de vous rendre compte comment cette situation se produit, vous trouverez profit à consulter l'échelle des enchères alors que vous étudiez les exemples suivants:

1. L'OUVREUR	LE RÉPONDANT	2. L'OUVREUR	LE RÉPONDANT
un cœur	un pique	un trèfle	un pique
deux trèfles		deux cœurs	

Ces deux exemples révèlent que l'ouvreur détient une couleur à cœur et une à trèfle. Supposons que le répondant, à titre de capitaine, désire au tour suivant un contrat de manche partielle dans l'une ou l'autre de ces deux couleurs. Au premier exemple, il peut choisir le niveau de deux. S'il désire jouer la manche partielle à trèfle, il passe ou il annonce deux cœurs s'il donne préférence à la manche partielle à cœur. Au second exemple, le répondant passe s'il préfère la manche partielle à cœur, mais doit aller au niveau de trois, trois trèfles, s'il opte pour la manche partielle dans la première couleur de l'ouvreur. Si l'ouvreur et le répondant détiennent des mains minimales, le niveau de trois peut se révéler trop haut.

Quand l'ouvreur possède une main minimale (de 13 à 16 points), il n'a aucunement l'intention d'obliger le répondant à aller au niveau de trois, s'il peut l'éviter. Au premier exemple, la deuxième couleur de l'ouvreur, trèfle, est moins chère que sa première, cœur. Au second exemple, la deuxième couleur de l'ouvreur, cœur, est plus chère que sa première, trèfle. **Si l'ouvreur dispose d'une main minimale, il ne doit pas annoncer une nouvelle couleur au niveau de deux si cette dernière est plus chère que sa première couleur.**

Lorsque l'ouvreur détient une main intermédiaire (17 ou 18 points), il peut annoncer une nouvelle couleur au niveau de deux, même si cette dernière est plus chère que sa première couleur. S'il décide d'une enchère au niveau de trois, le camp doit détenir suffisamment de forces combinées pour honorer son contrat. À l'instar de la réponse à la deuxième question, si l'ouvreur possède une main maximale (de 19 à 21 points), il doit sauter un niveau lorsqu'il annonce une nouvelle couleur (enchère à saut) dans le but de décrire sa main au répondant.

LA DEUXIÈME ENCHÈRE DE L'OUVREUR POSSÉDANT UNE NOUVELLE COULEUR QU'IL PEUT ANNONCER AU NIVEAU DE DEUX

LES POINTS DE L'OUVREUR	LA DEUXIÈME ENCHÈRE DE L'OUVREUR
13 à 16 points (main minimale): 13 14 15 16 17 18 19 20 21	si votre deuxième couleur est moins **chère** que la première, annoncez votre deuxième couleur au niveau de deux ▼.
17 ou 18 points (main intermédiaire): 13 14 15 16 17 18 19 20 21	annoncez votre deuxième couleur au niveau de deux, même si les enchères atteignent le niveau de trois ▼.
19 à 21 points (main maximale): 13 14 15 16 17 18 19 20 21	avec votre deuxième couleur, sautez ; il s'agit d'une enchère à saut qui est impérative pour la manche.

Voyons ces quelques exemples:

Vous ouvrez de un carreau et votre partenaire réagit à un pique. Vous ne pouvez soutenir la majeure de votre partenaire et vous ne pouvez annoncer une nouvelle couleur au niveau de un. De plus, votre main n'est pas équilibrée. Cela vous amène à la quatrième question. Quelle est votre deuxième enchère avec chacune de ces mains?

1.	♠ 3	2.	♠ R V 8	3.	♠ A D 8	4.	♠ 4
	♥ R 4		♥ A D 7 4		♥ 3		♥ A 8 6 3
	♦ A V 9 5 3		♦ A R 7 5 4		♦ A R D V 4		♦ A R V 10 6
	♣ R D 7 4 2		♣ 3		♣ A 9 7 4		♣ D 8 4

1. DEUX TRÈFLES   Votre main chiffre à 15 points (13 PH plus un point pour chacune des deux couleurs cinquièmes). Détenant une main minimale de 13 à 16 points et une deuxième couleur moins chère que la première, annoncez votre deuxième couleur. Dites deux trèfles.

2. DEUX CŒURS   Vous disposez de 18 points, donc d'une main intermédiaire (17 ou 18 points). Avec une telle force, annoncez votre deuxième couleur au niveau de deux, soit deux cœurs.

3. TROIS TRÈFLES   Votre main est chiffrée à 21 points. Même si le répondant ne dispose que de 6 points, vous devez avoir suffisamment de points combinés pour la manche. Utilisez l'enchère à saut et dites trois trèfles. Il s'agit à tout le moins d'une enchère impérative pour la manche.

4. Vous disposez d'une main minimale (15 points) et votre deuxième couleur est plus chère que la première. Si vous annoncez deux cœurs, vous pouvez atteindre un niveau trop haut au cas où le répondant, lui aussi, détient une main minimalee. Si cela se produit, le moment est venu de voir ce qui advient du fait que vous avez répondu par la négative à chacune des quatre questions.

Le choix définitif

Si votre partenaire répond au niveau de un et que vous-même avez répondu «non» aux quatre questions, alors:

- vous ne pouvez soutenir la majeure de votre partenaire;
- vous ne pouvez annoncer une nouvelle couleur au niveau de un;
- votre main n'est pas équilibrée;
- vous ne pouvez annoncer une nouvelle couleur au niveau de deux.

Il vous reste donc deux options:

- répéter votre première couleur;
- soutenir la mineure de votre partenaire si vous possédez un soutien quatrième.

Le niveau de votre deuxième enchère est subordonné à votre force.

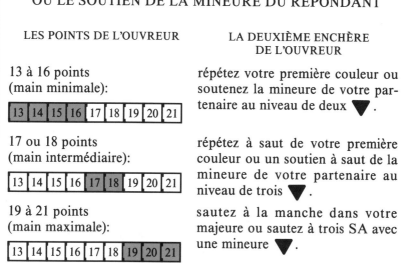

**LA DEUXIÈME ENCHÈRE DE L'OUVREUR
DANS SA PREMIÈRE COULEUR
OU LE SOUTIEN DE LA MINEURE DU RÉPONDANT**

LES POINTS DE L'OUVREUR	LA DEUXIÈME ENCHÈRE DE L'OUVREUR
13 à 16 points (main minimale): [13 14 15 16] 17 18 19 20 21	répétez votre première couleur ou soutenez la mineure de votre partenaire au niveau de deux ▼.
17 ou 18 points (main intermédiaire): 13 14 15 16 [17 18] 19 20 21	répétez à saut de votre première couleur ou un soutien à saut de la mineure de votre partenaire au niveau de trois ▼.
19 à 21 points (main maximale): 13 14 15 16 17 18 [19 20 21]	sautez à la manche dans votre majeure ou sautez à trois SA avec une mineure ▼.

Examinons ces exemples:

Vous ouvrez de un carreau et votre partenaire répond un pique. Quelle est votre deuxième enchère avec chacune de ces mains?

1. ♠ 3	2. ♠ D 9 8	3. ♠ V 8	4. ♠ 4
♥ A V 9	♥ A R	♥ R V 10	♥ A D 9 3
♦ R D 8 7 5 3	♦ A D V 8 7 4	♦ A D V 9 6 3	♦ R V 10 7 5
♣ D 8 7	♣ 3 2	♣ A D	♣ D 7 2

1. DEUX CARREAUX   Pouvez-vous soutenir la majeure de votre partenaire ? Non. Pouvez-vous annoncer une nouvelle couleur au niveau de un? Non. Votre main est-elle équilibrée? Non. Devez-vous annoncer une nouvelle couleur au niveau de deux? Vous n'en avez pas. Votre main compte 14 points (12 PH plus deux points pour votre couleur sixième). Détenant une main minimale (de 13 à 16 points), annoncez votre couleur au niveau de deux, soit deux carreaux.

2. TROIS CARREAUX   Vous ne pouvez soutenir la majeure de votre partenaire. Vous ne pouvez annoncer une nouvelle couleur au niveau de un et votre main n'est pas équilibrée. Vous disposez de 18 points, ce qui révèle une main intermédiaire (17 ou 18 points). Ne détenant pas de deuxième couleur, vous êtes cependant assez fort ou assez forte pour répéter votre couleur au niveau de trois, soit trois carreaux.

3. TROIS SA   Vous ne pouvez soutenir la majeure de votre partenaire ou ne pouvez annoncer une nouvelle couleur au niveau de un et votre main n'est pas équilibrée. De plus, vous ne disposez pas d'une deuxième couleur pouvant être annoncée au niveau de deux. Mais, cette fois-ci, vous comptez 20 points. Décrivez la composition de votre main à l'aide d'une enchère à trois SA. Votre partenaire s'apercevra que votre main est maximale (de 19 à 21 points) et comporte une longue à carreau.

4. DEUX CARREAUX   Vous ne pouvez soutenir votre partenaire ni annoncer une nouvelle couleur au niveau de un et votre main n'est pas équilibrée. Devez-vous annoncer une deuxième couleur? Non. Votre seconde couleur est plus chère que votre première et votre main est minimale avec 13 points. Répétez votre première couleur au niveau de deux, soit deux carreaux.

Résumé

Lorsque vous ouvrez et que votre partenaire répond au niveau de un, le moment est venu d'annoncer votre deuxième enchère. À titre d'ouvreur, vous êtes un descripteur et cette enchère est appelée *deuxième enchère de l'ouvreur.* Vous choisissez la deuxième enchère appropriée en vous posant les quatre questions de l'ouvreur.

Première question: **PUIS-JE SOUTENIR LA MAJEURE DE MON PARTENAIRE?**

Si votre réponse est POSITIVE, réévaluez votre main à l'aide des points du mort et soutenez au niveau approprié.

Lorsque vous possédez:

de 13 à 16 points, soutenez au niveau de deux;

17 ou 18 points, soutenez au niveau de trois;

de 19 à 21 points, soutenez au niveau de quatre (la manche).

Si votre réponse est NÉGATIVE, posez-vous la question suivante:

Deuxième question: **PUIS-JE ANNONCER UNE NOUVELLE COULEUR AU NIVEAU DE UN?**

Si votre réponse est POSITIVE, annoncez une nouvelle couleur au niveau approprié.

Lorsque vous possédez:

de 13 à 18 points, annoncez au niveau de un;

de 19 à 21 points, annoncez au niveau de deux (une enchère à saut).

Si votre réponse est NÉGATIVE, posez-vous la question suivante:

Troisième question: **AI-JE UNE MAIN ÉQUILIBRÉE?**

Si votre réponse est POSITIVE, dites SA au niveau approprié.

Lorsque vous possédez:

de 13 à 15 points, gardez le même niveau;

de 19 à 21 points, sautez un niveau.

Si votre réponse est NÉGATIVE, posez-vous la question suivante:

Quatrième question: *DOIS-JE ANNONCER UNE NOUVELLE COULEUR AU NIVEAU DE DEUX?*

Si votre réponse est POSITIVE, annoncez une nouvelle couleur au niveau approprié.

Lorsque vous possédez:

de 13 à 16 points, annoncez au niveau de deux*;

17 ou 18 points, annoncez au niveau de deux;

de 19 à 21 points, annoncez au niveau de trois (une enchère à saut).

Si votre réponse est NÉGATIVE, répétez votre première couleur ou soutenez la mineure de votre partenaire au niveau approprié.

Lorsque vous possédez:

de 13 à 16 points, annoncez au niveau de deux;

17 ou 18 points, annoncez au niveau de trois;

de 19 à 21 points, annoncez au niveau de quatre (majeure) ou annoncez trois SA.

* N'annoncez une nouvelle couleur que si votre deuxième couleur est moins chère que votre première.

Une autre façon d'interpréter la deuxième enchère de l'ouvreur

Si votre main est minimale (de 13 à 16 points), formulez une annonce qui dénote une telle main:

- Soutenez votre partenaire au niveau le moins cher.
- Répétez votre couleur au niveau le moins cher.
- Annoncez SA au niveau le moins cher.
- Annoncez une nouvelle couleur,

— si elle est au niveau de un;

— si elle est au niveau de deux et n'incite pas votre partenaire à annoncer au niveau de trois au cas où il décide de jouer votre première couleur comme atout.

Si votre main est intermédiaire (17 ou 18 points), formulez une annonce qui dénote une telle main:

- Soutenez votre partenaire avec saut.
- Répétez votre couleur avec saut.
- Annoncez une nouvelle couleur, même si celle-ci entraîne votre partenaire au niveau de trois.

Si votre main est maximale (de 19 à 21 points), formulez une annonce qui dénote une telle main:

- Soutenez votre partenaire avec saut à la manche.
- Répétez votre couleur avec saut à la manche.
- Annoncez SA avec saut.
- Sautez à une nouvelle couleur (une enchère à saut).

Exercices

1. Vous ouvrez de un trèfle. Votre partenaire répond un carreau. Quelle est votre deuxième enchère avec chacune de ces mains?

a)	b)	c)	d)
♠ A V 9 4	♠ D V 6	♠ A 7 2	♠ 4
♥ R V 3	♥ R 8 2	♥ 9 7	♥ R 9 3
♦ 9 4	♦ 7 3	♦ D 3	♦ A 8 6 3
♣ A 9 6 2	♣ A D V 8 3	♣ R D 10 8 7 3	♣ R D 8 3 2

2. Vous ouvrez de un trèfle et votre partenaire répond un cœur. Que faites-vous au tour suivant avec chacune de ces mains?

a)	b)	c)	d)
♠ A 3	♠ A 9 8 5	♠ 10 3 2	♠ 9 3
♥ R D 4 2	♥ 6 5	♥ 2	♥ A 7
♦ R 8	♦ 3	♦ A D 5 4	♦ R 8
♣ R 10 7 6 2	♣ A R 8 6 5 3	♣ R D V 6 3	♣ A D V 8 5 3 2

3. Vous ouvrez de un cœur et votre partenaire annonce un pique. Que faites-vous au tour suivant avec chacune des mains suivantes?

a)	b)	c)	d)
♠ 9 7 4 2	♠ V 4	♠ A 2	♠ R 3 2
♥ R D 7 3	♥ A D 7 5 3	♥ A R D 7 5 3 2	♥ A R D 6 3
♦ 8	♦ 8 3	♦ R 8 3	♦ A R 6 3
♣ A R D 2	♣ A R 5 3	♣ 3	♣ 8

4. Vous ouvrez de un carreau et votre partenaire répond un SA. Qu'allez-vous faire avec chacune des mains suivantes?

a) ♠ D 4   b) ♠ A R 8 2 c) ♠ 5   d) ♠ A D
   ♥ A 10 6 3   ♥ 5   ♥ 10 9   ♥ R 10 3
   ♦ R V 9 4   ♦ A R V 8 7 3 ♦ A V 10 7 4 3 ♦ A D 7 6 3 2
   ♣ A 9 7   ♣ V 3   ♣ R D V 3   ♣ R 2

5. Vous ouvrez de un carreau et votre partenaire annonce un pique. Quelle est votre deuxième enchère avec chacune des mains suivantes?

a) ♠ A 7 4 2 b) ♠ V 10   c) ♠ A 2   d) ♠ A R
   ♥ A 8   ♥ 4   ♥ R D 9 3   ♥ V
   ♦ R D 8 4   ♦ R D V 8 3 ♦ A D 6 3   ♦ A D 10 4 3
   ♣ A D 2   ♣ A V 10 3 2 ♣ R D 10   ♣ R V 9 7 6

Pour les «fureteurs»

Pourquoi l'ouvreur saute-t-il à deux SA avec une main maximale?

Si l'ouvreur détient une main équilibrée de 19 à 21 points et que le répondant annonce une nouvelle couleur au niveau de un, la troisième question (Ai-je une main équilibrée?) indique que l'ouvreur doit sauter à deux SA. Puisque l'ouvreur sait que le répondant dispose d'au moins 6 points, pourquoi l'ouvreur ne saute-t-il pas directement à la manche, soit trois SA?

Souvenez-vous que l'ouvreur se borne à **décrire** sa main et ne décide pas du contrat définitif, rôle qui échoit au capitaine. En disant deux SA, une enchère impérative pour la manche, le répondant a une certaine latitude qui lui permet d'explorer d'autres contrats de manche (ou de proposer le chelem).

Voyons, par exemple, les deux mains combinées suivantes:

L'OUVREUR	LE RÉPONDANT
♠ R 7 6	♠ D V 9 8 3
♥ A 9	♥ 10 3
♦ R V 5	♦ D 10 3
♣ A R V 8 5	♣ D 9 3

L'ouvreur déclare un trèfle. Le répondant annonce un pique. À présent, si l'ouvreur saute à trois SA, le répondant doit deviner s'il faut laisser le contrat à trois SA ou annoncer quatre piques, en espérant qu'il existe un fit magique dans une majeure. Et si l'ouvreur n'a que deux piques? L'ouvreur annoncera plutôt deux SA et le répondant aura le loisir d'explorer d'autres possibilités:

L'OUVREUR	LE RÉPONDANT
un trèfle	un pique
deux SA	trois piques
quatre piques	passe

Quand l'ouvreur saute à deux SA, le répondant sait qu'il s'agit d'une enchère impérative pour la manche. Il peut alors se concentrer sur la COULEUR. Il se doute que l'ouvreur ne possède pas quatre piques puisque ce dernier n'a pas soutenu sa réponse. En annonçant trois piques, le répondant donne à l'ouvreur une deuxième occasion d'indiquer son soutien. L'ouvreur, ayant déjà signalé qu'il ne possède pas quatre piques, peut maintenant soutenir la couleur du répondant, car il a découvert un fit magique.

Une autre raison pour laquelle l'ouvreur saute à deux SA avec une main maximale et équilibrée, au lieu d'un trois SA, provient du fait qu'un saut à trois SA indique une main maximale avec un soutien de la mineure du répondant.

La poursuite des enchères sur la deuxième enchère de l'ouvreur sera étudiée de manière exhaustive dans la suite de l'ouvrage.

IX

La deuxième enchère de l'ouvreur sur une réponse au niveau de deux

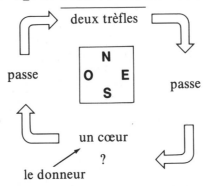

deux trèfles

passe

N
O   E
S

passe

un cœur

?

le donneur

La deuxième enchère de l'ouvreur sur une réponse au niveau de deux à une nouvelle couleur est analogue à celle au niveau de un à une nouvelle couleur.

L'ouvreur est un démonstrateur. L'annonce du répondant au niveau de deux à une nouvelle couleur est impérative.

NOUVELLE COULEUR
- impérative
- 11 points ou plus

L'ouvreur doit annoncer à nouveau et transmettre au répondant assez de renseignements sur sa force et la distribution de sa main pour que ce dernier puisse décider du NIVEAU et de la COULEUR du contrat définitif.

L'ouvreur a recours à la même manœuvre que celle qui a été utilisée sur une réponse au niveau de un. Il classifie la force de sa main de la façon suivante.

MAIN MINIMALE:
de 13 à 16 points

| 13 | 14 | 15 | 16 | 17 | 18 | 19 | 20 | 21 |

MAIN INTERMÉDIAIRE:
17 ou 18 points

| 13 | 14 | 15 | 16 | 17 | 18 | 19 | 20 | 21 |

MAIN MAXIMALE:
de 19 à 21 points

| 13 | 14 | 15 | 16 | 17 | 18 | 19 | 20 | 21 |

Après quoi, l'ouvreur se sert des quatre questions de l'ouvreur pour choisir la meilleure enchère.

LES QUATRE QUESTIONS DE L'OUVREUR

1. PUIS-JE SOUTENIR LA MAJEURE DE MON PARTENAIRE?
2. PUIS-JE ANNONCER UNE NOUVELLE COULEUR AU NIVEAU DE UN?
3. AI-JE UNE MAIN ÉQUILIBRÉE?
4. DOIS-JE ANNONCER UNE NOUVELLE COULEUR AU NIVEAU DE DEUX?

Quel est le changement?

Une réponse dans une nouvelle couleur au niveau de deux révèle au moins 11 points. La manche est presque assurée, puisqu'il doit y avoir un minimum de 24 points combinés (13 + 11 = 24). La résultante de la deuxième enchère de l'ouvreur est illustrée dans ce tableau:

LES POINTS DE L'OUVREUR		LES POINTS MINIMUM DU RÉPON-DANT		LES POINTS MINIMUM COMBINÉS		
13	+	11	=	24	la manche	Les deuxièmes
14	+	11	=	25	partielle	enchères minimales
15	+	11	=	26		de l'ouvreur sont
16	+	11	=	27	la manche	impératives.
17	+	11	=	28		Les deuxièmes enchères intermé-
18	+	11	=	29	la manche	diaires de l'ouvreur sont impératives pour la manche.
19	+	11	=	30		Les deuxièmes enchères maximales
20	+	11	=	31	la manche	de l'ouvreur sont impératives pour la
21	+	11	=	32		manche.

Sur une réponse au niveau de un, les deuxièmes enchères de l'ouvreur avec une main minimale (de 13 à 16 points), ou une main intermédiaire (17 ou 18 points), sont des enchères invitatives ▼ . Cependant, sur une réponse au niveau de deux, les deuxièmes enchères de l'ouvreur indiquant une main minimale sont impératives (AVANCEZ) parce que la manche est encore possible, même si le répondant ne dispose que de 11 points. De manière analogue, les deuxièmes enchères de l'ouvreur indiquant une main intermédiaire sont impératives pour la manche parce qu'il y a toujours suffisamment de points combinés pour la manche.

Voyons comment l'ouvreur se sert de l'éventail des points et des quatre questions de l'ouvreur sur une réponse au niveau de deux dans une nouvelle couleur.

Première question

PUIS-JE SOUTENIR LA MAJEURE DE MON PARTENAIRE?

Si vous détenez un soutien quatrième, réévaluez votre main avec les points du mort et soutenez les enchères au niveau approprié selon votre force.

LA RELANCE SUR LA RÉPONSE
DE LA MAJEURE DU RÉPONDANT

LES POINTS DU MORT DE L'OUVREUR	LA DEUXIÈME ENCHÈRE DE L'OUVREUR
13 à 16 points (main minimale):	soutenez au niveau de trois (AVANCEZ) .
13 14 15 16 17 18 19 20 21	
17 ou 18 points (main intermédiaire):	soutenez au niveau de quatre ▼ .
13 14 15 16 17 18 19 20 21	
19 à 21 points (main maximale):	soutenez au niveau de cinq ▼ ; vous invitez ainsi le répondant à annoncer le chelem.
13 14 15 16 17 18 19 20 21	

Voyons à présent quelques exemples. Vous ouvrez de un pique et votre partenaire annonce deux cœurs. Quelle est votre deuxième enchère avec chacune de ces mains?

1. ♠ A V 8 7 3   2. ♠ A R 9 7 2   3. ♠ A D V 9 8 2   4. ♠ R V 9 7 3
   ♥ 9 7 5 4   ♥ A D 7 5   ♥ A D 7 6   ♥ 8 3
   ♦ A 9   ♦ 8   ♦ A 9   ♦ A D 9
   ♣ R 8   ♣ D 8 3   ♣ 7   ♣ R 6 4

1. TROIS CŒURS   Pouvez-vous soutenir la majeure de votre partenaire? Oui. Avec les points du mort, votre main chiffre à 14 points (12 PH plus un point pour chacun des deux doubletons). Votre main étant minimale (de 13 à 16 points), soutenez à trois cœurs. Les enchères sont maintenant en «pilotage automatique». Puisque trois cœurs est impératif, le répondant doit annoncer quatre cœurs (à moins qu'il ne vise le chelem).

2. QUATRE CŒURS   Vous pouvez soutenir la majeure de votre partenaire et votre main réévaluée compte 18 points (15 PH plus trois points pour le singleton). Quatre cœurs indique une main intermédiaire (17 ou 18 points).

3. CINQ CŒURS   Ici également, vous pouvez soutenir la majeure de votre partenaire. En l'occurence, vous disposez de 21 points (17 PH plus trois points pour le singleton et un point pour le doubleton). Cinq cœurs signale au répondant que votre main est maximale (de 19 à 21 points) et invite votre partenaire à poursuivre jusqu'au chelem. Nous discuterons en détail du chelem au chapitre 22.

4. Vous ne possédez que deux cœurs; c'est insuffisant pour soutenir la majeure de votre partenaire. Posez-vous la question suivante:

Deuxième question

> ### PUIS-JE ANNONCER UNE NOUVELLE COULEUR AU NIVEAU DE UN?

Comme les enchères sont actuellement au niveau de deux, l'ouvreur omet toujours la deuxième question et passe à la troisième.

Troisième question

> ### AI-JE UNE MAIN ÉQUILIBRÉE?

Votre main étant équilibrée, décrivez ainsi votre force au répondant:

LA DEUXIÈME ENCHÈRE DE L'OUVREUR
AVEC UNE MAIN ÉQUILIBRÉE

LES POINTS DE L'OUVREUR	LA DEUXIÈME ENCHÈRE DE L'OUVREUR
13 à 15 points (main minimale):	dites SA au niveau le plus économique (deux SA) (AVANCEZ) ; cette enchère indique au répondant que vous avez une main équilibrée **trop faible** pour ouvrir de un SA.
13 14 15 16 17 18 19 20 21	
16 à 18 points (main intermédiaire):	il n'y a pas de deuxième enchère indiquant une main équilibrée quand vous possédez une telle force; possédant cette main, ouvrez de un SA.
13 14 15 16 17 18 19 20 21	
19 à 21 points (main maximale):	dites SA avec saut ▼ ; cela signale au répondant que vous avez une main équilibrée **trop forte** pour ouvrir de un SA.
13 14 15 16 17 18 19 20 21	

Examinons quelques exemples:

Vous ouvrez de un cœur et votre partenaire répond deux trèfles. Que faites-vous alors avec chacune de ces mains?

1. ♠ R 7 4	2. ♠ A R V 7	3. ♠ D 8 2
♥ A 9 7 5 4	♥ A D 7 5	♥ A D V 7 6
♦ D V 5	♦ R 8 3	♦ R 9 4 2
♣ R 8	♣ D 2	♣ 3

1. DEUX SA   Pouvez-vous soutenir la majeure de votre partenaire? Non, il ne l'a pas annoncée. Votre main est-elle équilibrée? Oui, car votre distribution est 5-3-3-2. Jouissant de 14 points, dites deux SA, indiquant ainsi au répondant une main équilibrée mais trop faible pour ouvrir de un SA.

2. TROIS SA   Votre partenaire n'ayant pas annoncé une majeure, vous ne pouvez la soutenir. Annoncez trois SA, indiquant ainsi à votre partenaire une main trop forte pour ouvrir de un SA au tout début.

3. Vous ne pouvez soutenir la majeure de votre partenaire et votre main n'est pas équilibrée. C'est le moment de vous poser la question suivante:

Quatrième question

> DOIS-JE ANNONCER UNE NOUVELLE COULEUR AU NIVEAU DE DEUX?

Tout comme lors de la deuxième enchère sur la réplique au niveau de un, la réponse à cette question consiste à savoir si oui ou non vous disposez au moins d'une deuxième couleur quatrième et à connaître votre force actuelle.

Si vous possédez une deuxième couleur, faites l'annonce suivante:

LA DEUXIÈME ENCHÈRE DE L'OUVREUR POSSÉDANT UNE DEUXIÈME COULEUR POUVANT ÊTRE ANNONCÉE AU NIVEAU DE DEUX

LES POINTS DE L'OUVREUR	LA DEUXIÈME ENCHÈRE DE L'OUVREUR
13 à 16 points (main minimale): [13] [14] [15] [16] [17] [18] [19] [20] [21]	Quand votre deuxième couleur est moins chère que votre première et qu'**elle peut être annoncée au niveau de deux**, déclarez-la (AVANCEZ) .
17 ou 18 points (main intermédiaire): [13] [14] [15] [16] [17] [18] [19] [20] [21]	Annoncez votre deuxième couleur (AVANCEZ) .
19 à 21 points (main maximale): [13] [14] [15] [16] [17] [18] [19] [20] [21]	Sautez à votre deuxième couleur (AVANCEZ) . Cela constitue une **enchère à saut** impérative pour la manche.

D'après ce tableau, vous constatez qu'il existe seulement deux cas où l'ouvreur ne doit pas annoncer une nouvelle couleur sur une déclaration au niveau de deux de son partenaire:

- si l'ouvreur détient une main minimale (de 13 à 16 points), et que sa deuxième couleur est **plus chère** que sa première. L'annonce d'une couleur chère indique une main intermédiaire (17 ou 18 points);

- si l'ouvreur possède une main minimale (de 13 à 16 points) et que sa deuxième couleur est **moins chère** que sa première, mais ne peut être annoncée au niveau de deux.

L'OUVREUR	LE RÉPONDANT
un pique	deux cœurs
trois trèfles	

Cette séquence d'annonces indique une main intermédiaire.

Analysons quelques exemples.

Vous ouvrez de un pique et votre partenaire répond deux carreaux. Quelle est votre deuxième enchère avec chacune de ces mains?

1. ♠ A D 9 7 4	2. ♠ A R 9 7 5	3. ♠ A D V 9 8	4. ♠ R D 9 8 2
♥ R 10 5 4	♥ A 5	♥ A R V 3	♥ 9 3
♦ A V	♦ 10	♦ 10 9	♦ D 5
♣ 9 3	♣ R D 8 3 2	♣ A 10	♣ A V 7 4

1. DEUX CŒURS   Vous disposez de 15 points (14 PH plus un point pour la couleur cinquième à pique). Détenant une main minimale (de 13 à 16 points), vous annoncez une nouvelle couleur si elle est moins chère que la première et s'il existe encore une possibilité d'annoncer au niveau de deux. Dites deux cœurs.

2. TROIS TRÈFLES   Votre main chiffre à 18 points (16 PH plus un point pour chacune des deux couleurs cinquièmes). Jouissant d'une main intermédiaire (17 ou 18 points), annoncez une deuxième couleur, même si vous devez annoncer au niveau de trois.

3. TROIS CŒURS   Cette fois-ci, vous disposez de 20 points (19 PH plus un point pour votre couleur cinquième). Détenant une main maximale (de 19 à 21 points), sautez à trois cœurs avec votre deuxième couleur. Il s'agit d'une enchère à saut et elle révèle une main maximale.

4. Vous possédez 13 points, donc une main minimale. Même si vous disposez d'une couleur moins chère, vous devez annoncer au niveau de trois. Qu'advient-il à présent si vous répondez par la négative à toutes les questions.

Le choix définitif

Si votre partenaire répond au niveau de deux et que votre réponse est négative pour toutes les questions, alors:

- vous ne pouvez soutenir la majeure de votre partenaire (s'il en déclare une);
- vous ne pouvez annoncer une nouvelle couleur au niveau de un;
- votre main n'est pas équilibrée;
- vous ne pouvez annoncer une nouvelle couleur au niveau de deux ou plus.

Ce cas vous laisse deux options:

- Répétez votre première couleur.
- Soutenez la mineure de votre partenaire si vous disposez d'un soutien quatrième.

Suivant votre force, le tableau ci-dessous vous aidera à spécifier le niveau de votre deuxième enchère:

L'OUVREUR DOIT-IL RÉPÉTER SA COULEUR OU SOUTENIR LA MINEURE DU RÉPONDANT?

LES POINTS DE L'OUVREUR	LA DEUXIÈME ENCHÈRE DE L'OUVREUR
13 à 16 points (main minimale) `13 14 15 16` 17 18 19 20 21	Répétez votre première couleur au niveau de deux, ou soutenez la mineure de votre partenaire au niveau de trois (AVANCEZ).
17 ou 18 points (main intermédiaire) 13 14 15 16 `17 18` 19 20 21	Répétez votre première couleur en sautant au niveau de trois, ou soutenez la mineure de votre partenaire en sautant au niveau de quatre ⁂AVANCEZ⁂.
19 à 21 points (main maximale) 13 14 15 16 17 18 `19 20 21`	Sautez à la manche dans votre première couleur ou soutenez à la manche la mineure de votre partenaire ▼.

Sachez que vous allez au-delà de trois SA quand vous détenez une main intermédiaire ou maximale dans une mineure, parce que vous visez le chelem dès que votre partenaire annonce au niveau de deux et que vous disposez d'une main forte. Puisque tous les contrats de chelem sont joués au même niveau, il importe peu de savoir s'il faut jouer à SA plutôt que dans une mineure. Si vous ne possédez pas suffisamment de force pour le chelem, vous vous sentirez plus en sécurité dans une mineure pour la manche parce que, très probablement, vous disposez de 29 points combinés.

Examinons quelques exemples.

Vous ouvrez de un cœur et votre partenaire répond deux carreaux. Quelle est votre deuxième enchère avec chacune de ces mains?

1. ♠ 3	2. ♠ V 8	3. ♠ A 5	4. ♠ 4
♥ A V 9 7 2	♥ A R V 9 6 3	♥ R D V 9 7 4 3	♥ A D 9 5 3
♦ D 8	♦ A 4	♦ 3	♦ R V 10 5
♣ A 10 9 8 7	♣ R 4 2	♣ A R 5	♣ D 7 2

1. DEUX CŒURS   Votre main étant minimale (de 13 à 16 points), vous ne pouvez qu'annoncer une nouvelle couleur si elle est moins chère que votre première et si vous pouvez la déclarer au niveau de deux. Répétez votre première couleur au niveau de deux, deux cœurs. Vous révélez ainsi au répondant une main minimale.

2. TROIS CŒURS   Vous disposez de 18 points; cela indique une main intermédiaire (17 ou 18 points). Étant dépourvu d'une deuxième couleur, faites un saut et dites trois cœurs.

3. QUATRE CŒURS   Cette fois, vous jouissez de 20 points. Il vous est possible d'indiquer à votre partenaire une main maximale (de 19 à 21 points) en sautant à la manche, quatre cœurs.

4. TROIS CARREAUX   Votre main étant minimale avec 13 points et disposant d'un soutien quatrième dans la mineure de votre partenaire, soutenez à trois carreaux. Sachez que vous ne réévaluez pas votre main avec les points du mort lorsque vous soutenez la **mineure** de votre partenaire.

Résumé

Lorsque vous ouvrez et que votre partenaire déclare une nouvelle couleur au niveau de deux, vous définissez votre deuxième enchère en vous posant les questions suivantes:

Première question: *PUIS-JE SOUTENIR LA MAJEURE DE MON PARTENAIRE?*

Si votre réponse est POSITIVE, réévaluez votre main en incluant les points du mort et soutenez au niveau approprié.

Lorsque vous possédez:

de 13 à 16 points, soutenez au niveau de trois;
17 ou 18 points, soutenez au niveau de quatre;
de 19 à 21 points, soutenez au niveau de cinq.

Si votre réponse est NÉGATIVE, posez-vous cette question:

Deuxième question: *PUIS-JE ANNONCER UNE NOUVELLE COULEUR AU NIVEAU DE UN?*

La réponse à cette question est toujours NÉGATIVE. Passez à la suivante:

Troisième question: *AI-JE UNE MAIN ÉQUILIBRÉE?*

Si votre réponse est POSITIVE, annoncez SA au niveau approprié. Lorsque vous possédez:

de 13 à 15 points, gardez le même niveau (deux SA);
de 19 à 21 points, sautez un niveau (trois SA).

Si votre réponse est NÉGATIVE, posez-vous cette question:

Quatrième question: *DOIS-JE ANNONCER UNE NOUVELLE COULEUR AU NIVEAU DE DEUX?*

Si votre réponse est POSITIVE, annoncez la nouvelle couleur au niveau approprié. Lorsque vous possédez:

de 13 à 16 points, annoncez votre deuxième couleur*;
17 ou 18 points, annoncez votre deuxième couleur;

de 19 à 21 points, annoncez à saut votre nouvelle couleur (une enchère à saut).

Si votre réponse est NÉGATIVE, répétez votre première couleur (ou soutenez la mineure de votre partenaire) au niveau approprié.

Lorsque vous possédez:

de 13 à 16 points, annoncez au niveau de deux ou soutenez au niveau de trois;

17 ou 18 points, annoncez au niveau de trois ou soutenez au niveau de quatre;

de 19 à 21 points, annoncez la manche dans votre couleur ou soutenez au niveau de cinq.

---

* N'annoncez une nouvelle couleur que si cette dernière est moins chère que votre première et que si vous pouvez la déclarer au niveau de deux.

Exercices

1. Vous ouvrez de un pique. Votre partenaire répond deux cœurs. Quelle est votre deuxième enchère avec chacune des mains suivantes?

a) ♠ A V 9 4 3
   ♥ R V 3 2
   ♦ 9 4
   ♣ A 2

b) ♠ A D V 6 3
   ♥ 8 2
   ♦ R 7 3
   ♣ D V 3

c) ♠ A V 9 8 7 2
   ♥ 9
   ♦ D 3
   ♣ R D 7 3

d) ♠ R D 7 5 4
   ♥ A D 9 3
   ♦ A 6 3
   ♣ 6

2. Vous ouvrez de un pique et votre partenaire répond deux carreaux. Que faites-vous ensuite avec chacune des mains suivantes?

a) ♠ R V 9 5 3   b) ♠ A D 9 8 5   c) ♠ R D 10 8 3 2   d) ♠ A R V 9 3
   ♥ R D 4 2   ♥ A 5   ♥ V 2   ♥ A 7
   ♦ D 8   ♦ R D 3   ♦ A 4   ♦ 9 8
   ♣ D 10   ♣ R V 3   ♣ D V 6 3   ♣ A V 9 8

3. Vous ouvrez de un cœur et votre partenaire annonce deux trèfles. Comment réagissez-vous avec chacune des mains suivantes?

a) ♠ A 7 4 2   b) ♠ V 4   c) ♠ A D V 2   d) ♠ R 2
   ♥ R D 7 3   ♥ A D 7 5 3   ♥ A R 5 3 2   ♥ A R D 9 7 6 3
   ♦ R 9 8   ♦ 8 3   ♦ R 8 3   ♦ R D
   ♣ D 2   ♣ A R 5 3   ♣ 3   ♣ 8 3

4. Vous ouvrez de un carreau et votre partenaire répond deux trèfles. Que faites-vous maintenant avec chacune de ces mains?

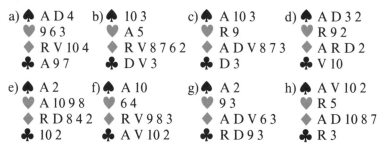

a) ♠ A D 4   b) ♠ 10 3   c) ♠ A 10 3   d) ♠ A D 3 2
   ♥ 9 6 3   ♥ A 5   ♥ R 9   ♥ R 9 2
   ♦ R V 10 4   ♦ R V 8 7 6 2   ♦ A D V 8 7 3   ♦ A R D 2
   ♣ A 9 7   ♣ D V 3   ♣ D 3   ♣ V 10

e) ♠ A 2   f) ♠ A 10   g) ♠ A 2   h) ♠ A V 10 2
   ♥ A 10 9 8   ♥ 6 4   ♥ 9 3   ♥ R 5
   ♦ R D 8 4 2   ♦ R V 9 8 3   ♦ A D V 6 3   ♦ A D 10 8 7
   ♣ 10 2   ♣ A V 10 2   ♣ R D 9 3   ♣ R 3

X

La deuxième enchère de l'ouvreur après un soutien

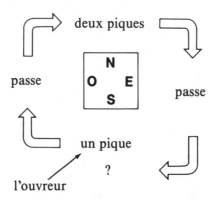

Les soutiens sont les réponses les plus faciles à donner durant les enchères, car le répondant annonce qu'un fit magique a été découvert. Il est inutile de poursuivre les recherches pour connaître la dénomination du contrat définitif. Le répondant vient de prévenir l'ouvreur de la COULEUR à jouer. Il reste à trouver le NIVEAU.

Après un soutien: À QUELLE COULEUR?

Si le répondant relance la majeure de l'ouvreur:

À QUELLE COULEUR? — C'est la majeure acceptée pour un contrat de manche partielle ou de manche.

Si le répondant soutient la mineure de l'ouvreur:

À QUELLE COULEUR? — C'est la mineure acceptée pour un contrat de manche partielle.

— Trois SA pour un contrat de manche.

Après un soutien: À QUEL NIVEAU?

Le soutien du répondant a fourni à l'ouvreur un renseignement supplémentaire: sa force.

- Un soutien au niveau de deux (*soutien simple*) indique une main de 6 à 10 points.
- Un soutien au niveau de trois (*soutien à saut*) indique une main de 11 ou 12 points.
- Un soutien au niveau de la manche (*soutien à la manche*) indique une main de 13 à 16 points.

L'ouvreur assume le rôle de capitaine et ajoute ses points à ceux qui ont été promis par le répondant, afin de fixer le NIVEAU du contrat définitif.

La deuxième enchère de l'ouvreur après un soutien simple

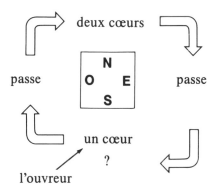

Le soutien simple du répondant indique une main de 6 à 10 points. L'ouvreur détermine si sa main est minimale, intermédiaire ou maximale afin de pouvoir choisir le NIVEAU de son enchère.

Détenant une main minimale, l'ouvreur pressent le NIVEAU; ce sera la manche partielle. Si sa main est maximale, l'ouvreur sait également que ce sera un NIVEAU de manche. Détenant une main intermédiaire (17 ou 18 points), l'ouvreur est moins assuré d'un nombre suffisant de points pour la manche. Il désire la manche si le répondant se situe au sommet de sa zone (9 ou 10 points), mais non pas si le répondant est au bas de sa zone (6, 7 ou 8 points). Par exemple, si l'ouvreur détient 17 points, alors:

POINTS DE L'OUVREUR		POINTS DU RÉPONDANT		POINTS COMBINÉS	
17	+	6	=	23	la manche partielle
17	+	7	=	24	la manche partielle
17	+	8	=	25	la manche partielle
17	+	9	=	26	la manche
17	+	10	=	27	la manche

**LA DEUXIÈME ENCHÈRE
DE L'OUVREUR
APRÈS UN SOUTIEN SIMPLE**

13 à 16 points: (main minimale)	passez ARRÊT	La manche est peu probable, donc décidez de la manche partielle.
17 ou 18 points: (main intermédiaire)	soutenez au niveau de trois ▼	Il est possible que vous ayez suffisamment de points combinés pour la manche.
19 à 21 points: (main maximale)	soutenez au niveau de la manche ARRÊT	Vous devriez posséder suffisamment de points combinés pour la manche.

Quand l'ouvreur n'a pas assez de renseignements pour avoir une idée claire du NIVEAU, il annonce une enchère invitative ▼ en soutenant au niveau de trois. Le répondant se charge alors de la décision finale concernant le NIVEAU. Sachez qu'il est impossible d'avoir une certitude absolue. Si l'ouvreur détient 16 points, le répondant peut en posséder 10 (c'est peu probable). Si l'ouvreur en possède 19, il lui reste à souhaiter que le répondant n'ait pas exactement 6 points.

Voici quelques exemples.

Vous ouvrez de un cœur et votre partenaire répond deux cœurs. Vous avez maintenant à décider de votre prochaine enchère. Vous êtes assuré de la COULEUR, car votre partenaire vient de soutenir votre majeure. Il ne vous reste qu'à préciser le NIVEAU. Quelle doit être votre deuxième enchère avec chacune de ces mains?

1.	♠ 10 8 5	2.	♠ A 7	3.	♠ A 10 7
	♥ A 8 7 6 3		♥ R V 8 6 5 2		♥ A D V 8 7 6
	♦ R 7 3		♦ A D 5		♦ A R
	♣ A D		♣ V 5		♣ 6 4

1. PASSEZ   Vous n'avez que 14 points et le répondant en a tout au plus 10. Ces points combinés sont insuffisants pour la manche; passez.

2. TROIS CŒURS   Vous avez 17 points. Si le répondant n'a que 6, 7 ou 8 points, le total des points est insuffisant pour la manche. Mais si le répondant dispose de 9 ou 10 points, cela suffit. Annoncez trois cœurs afin d'inciter le répondant à continuer jusqu'à la manche s'il détient les cartes supérieures des points promis.

3. QUATRE CŒURS   Disposant de 20 points, cela doit suffire pour la manche, même si le répondant n'a que 6 points.

Vous ouvrez de un trèfle et votre partenaire répond deux trèfles. Quelle est votre deuxième enchère avec chacune de ces mains?

4.	♠ 10 9	5.	♠ A 8	6.	♠ A 10
	♥ A 8 3		♥ 7 2		♥ R 9 8 5
	♦ A R 10 3		♦ R D 5		♦ A D
	♣ D 9 6 3		♣ A D 7 6 5 3		♣ A R 10 6 4

4. PASSEZ   Vous n'avez que 13 points et le répondant en a tout au plus 10. Ces points combinés sont insuffisants pour la manche; passez.

5. TROIS TRÈFLES   Ici, vous comptez 17 points. Si le répondant se situe à la partie inférieure de sa zone, vous n'avez pas assez de points combinés pour la manche. Si le répondant occupe la partie supérieure de sa zone, il a suffisamment de points pour la manche. Annoncez trois trèfles; vous incitez alors le répondant à poursuivre les enchères jusqu'à la manche (trois SA) quand ce dernier dispose de 9 ou 10 points.

6. TROIS SA   Avec 21 points, il devrait y avoir suffisamment de points combinés pour la manche, même si le répondant n'a que 6 points. Annoncez au niveau de la manche. Comme vous n'avez pas un fit magique dans une majeure, annoncez la manche à SA.

La deuxième enchère de l'ouvreur après un soutien à saut

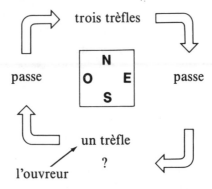

trois trèfles

passe

N
O   E
S

passe

un trèfle

?

l'ouvreur

Cette réponse de votre partenaire est très encourageante, car elle révèle 11 ou 12 points. L'ouvreur devrait poursuivre jusqu'à la manche avec toute main d'ouverture, excepté si la main est particulièrement faible.

LA DEUXIÈME ENCHÈRE DE L'OUVREUR APRÈS UN SOUTIEN À SAUT		
13 ou 14 points:	passez	La manche étant peu probable, optez pour la manche partielle.
15 à 21 points:	annoncez au niveau de la manche	La combinaison des points est suffisante pour la manche.

Par exemple, vous ouvrez de un trèfle et votre partenaire soutient à trois trèfles. Quelle est votre prochaine enchère avec chacune de ces mains?

1. ♠ A R D 3
   ♥ 10 9 2
   ♦ 10 3
   ♣ R V 7 5

2. ♠ D 7
   ♥ R 8
   ♦ A D 8 5
   ♣ R V 10 7 4

1. PASSEZ Vous n'avez que 13 points et le répondant en dispose d'au plus 12. La combinaison de ces points est insuffisante pour la manche; passez.

2. TROIS SA   Vous avez 16 points. Même si le répondant n'en a que 11, vos points combinés sont suffisants pour la manche. Annoncez trois SA.

Vous ouvrez de un pique et votre partenaire répond trois piques. Quelle est votre deuxième enchère avec chacune de ces mains?

3. ♠ 9 8 5 4 3   4. ♠ A V 9 8 7
     ♥ A V 6   ♥ A 8 6 5 2
     ♦ R 7 3   ♦ A 5
     ♣ R V   ♣ 6

3. PASSEZ   Vous n'avez que 13 points et le répondant en possède au plus 12, peut-être même 11. La combinaison de ces points est insuffisante pour la manche.

4. QUATRE PIQUES   Vous avez 15 points. Même si le répondant n'en a que 11, la combinaison des deux est suffisante pour la manche.

La deuxième enchère de l'ouvreur après un soutien à la manche

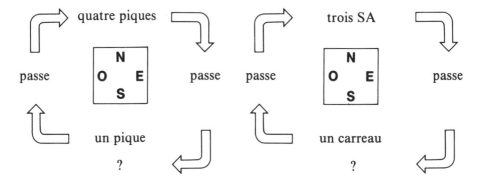

La réponse de votre partenaire est plutôt forte et indique de 13 à 16 points. Puisque vous avez déjà atteint un contrat de manche, vous passez avec la plupart des mains. Toutefois, si vous disposez d'une main très forte, vous pouvez viser un contrat de chelem et gagner ainsi de nombreux points de prime. Les enchères de chelem seront étudiées dans un chapitre ultérieur. Dès à présent, vous pouvez vous servir du guide suivant:

LA DEUXIÈME ENCHÈRE
DE L'OUVREUR
APRÈS UN SOUTIEN
À LA MANCHE

13 à 16 points: (main minimale)	passez	Le chelem est peu probable. Choisissez la manche.
17 ou 18 points: (main intermédiaire)	annoncez au niveau suivant	Vous avez peut-être assez de points combinés pour le chelem.
19 à 21 points: (main maximale)	annoncez au niveau de six	Vous avez très probablement assez de points combinés pour le chelem.

Par exemple, vous ouvrez de un pique et votre partenaire répond quatre piques. Que faites-vous ensuite avec chacune de ces mains?

1. ♠ A D 8 5   2. ♠ R V 9 7 4 2   3. ♠ R D V 8 7 6
   ♥ R V 6   ♥ A 10   ♥ A 10 9
   ♦ 7 3 2   ♦ A 9 6   ♦ A 7
   ♣ R V 6   ♣ A 7   ♣ A 4

1. PASSEZ Vous avez 14 points et le répondant en a de 13 à 16. Vous avez décidé de la COULEUR du contrat: pique. Vous avez également déterminé le NIVEAU du contrat à jouer: la manche. Comme votre camp a déjà opté pour le meilleur contrat, passez.

2. CINQ PIQUES Ici, vous disposez de 18 points. Vous possédez suffisamment de points combinés pour décider du chelem. Annoncez cinq piques, invitant ainsi le répondant à poursuivre les enchères jusqu'au chelem, s'il est en possession du maximum des points promis par sa déclaration.

3. SIX PIQUES Vous avez 20 points; cela suffit pour le chelem, même si le répondant n'en a que 13. Dites six piques. Les enchères de chelem seront étudiées en détail plus loin.

Vous ouvrez de un carreau et votre partenaire répond trois SA. Que faites-vous ensuite avec chacune de ces mains?

4. ♠ A D   5. ♠ A D 7 3   6. ♠ A 10 9
   ♥ R V 6 3   ♥ R 2   ♥ R V 6
   ♦ R V 7 3   ♦ A D V 9 6   ♦ A D 10 8 7 3
   ♣ 10 8 6   ♣ V 7   ♣ A

4. PASSEZ   Vous avez 14 points et le répondant, entre 13 et 16. Bien que vous ayez un fit magique à carreau, il est peut-être plus facile d'enlever neuf levées à SA que onze levées à carreau comme atout. Comme votre camp possède déjà le meilleur contrat, passez.

5. QUATRE SA   Dans ce cas-ci, vous disposez de 18 points. Le nombre de points combinés est probablement suffisant pour un contrat de chelem. Annoncez quatre SA, vous inciterez ainsi le répondant à continuer jusqu'au chelem (six carreaux) s'il possède le maximum des points promis par son enchère (15 ou 16 points).

6. SIX CARREAUX   Les 20 points devraient suffire pour le chelem, même si le répondant n'en a que 13. Annoncez six carreaux. Au niveau du chelem, il est habituellement plus prudent de jouer le fit à carreau qu'à SA. Les enchères de chelem seront étudiées plus loin.

Résumé

Si le répondant a soutenu votre couleur, vous ne devez pas chercher à jouer une autre COULEUR. De plus, le répondant vous a transmis des renseignements sur sa force par le truchement du niveau auquel il a soutenu votre couleur. Si vous alliez ces renseignements à la propre force de votre main, vous pouvez déterminer le NIVEAU de votre deuxième enchère.

**LA DEUXIÈME ENCHÈRE DE L'OUVREUR
APRÈS UN SOUTIEN**

- Après un soutien simple:

13 à 16 points,	passez;
17 ou 18 points,	soutenez au niveau de trois;
19 à 21 points,	soutenez au niveau de la manche.

- Après un soutien à saut:

13 ou 14 points,	passez;
15 à 21 points,	soutenez au niveau de la manche.

- Après un soutien à la manche:

13 à 16 points,	passez;
17 ou 18 points,	soutenez au niveau suivant;
19 à 21 points,	soutenez au niveau de six dans votre couleur d'atout acceptée.

Exercices

1. Vous ouvrez de un pique. Votre partenaire répond deux piques. Quelle est votre prochaine enchère avec chacune de ces mains?

a) ♠ A V 9 4
♥ A R 3
♦ R D 2
♣ A 6 2

b. ♠ V 9 6 4 2
♥ 3
♦ A 7 5 3
♣ A D V

c. ♠ R 8 5 3 2
♥ A 7
♦ A 3
♣ R D 7 3

2. Vous ouvrez de un cœur et votre partenaire répond trois cœurs. Que faites-vous ensuite avec chacune de ces mains?

a) ♠ A 3
♥ R D 7 4 2
♦ R D 8
♣ 7 6 2

b. ♠ A 8 5
♥ A 9 8 6 5
♦ V 8 3
♣ R 3

c. ♠ R 9
♥ A D 9 5 2
♦ D
♣ R D 8 6 3

3. Vous ouvrez de un pique et votre partenaire soutient à quatre piques. Que faites-vous ensuite avec chacune de ces mains?

a) ♠ D 9 7 4 2
♥ R 3
♦ R D 8
♣ R 6 2

b. ♠ A R V 5 2
♥ A
♦ A 10 9 8 3
♣ R 3

c. ♠ A V 9 5 2
♥ R 9
♦ A 8
♣ A V 10 3

Placard 6

4. Vous ouvrez de un trèfle et votre partenaire répond deux trèfles. Que faites-vous ensuite avec chacune de ces mains?

a) ♠ R D
♥ A 3
♦ R V 9 8
♣ A 9 7 6 2

b. ♠ A 9 8 2
♥ A V 5
♦ V 8
♣ R V 4 3

c. ♠ A D 7 5
♥ R 9
♦ A D
♣ R V 8 6 3

5. Vous ouvrez de un carreau et votre partenaire annonce trois carreaux. Quelle est votre deuxième enchère avec chacune de ces mains?

a) ♠ A 7 4 2
♥ 5
♦ V 9 8 4
♣ A R V 2

b. ♠ R V 10
♥ A V 5
♦ R D V 8 3
♣ R 6

c. ♠ A 9 5 2
♥ D 9
♦ A D 6 3 2
♣ R 3

XI

La redemande du répondant
sur la deuxième enchère minimale
de l'ouvreur

Certaines enchères sont rapidement conclues. Par exemple, l'ouvreur annonce un cœur, le répondant soutient à deux cœurs et l'ouvreur, avec une main minimale, passe. Cependant, le contrat définitif de plusieurs enchères n'est pas conclu par la deuxième enchère de l'ouvreur.

L'OUVREUR	LE RÉPONDANT
un coeur	un pique
deux piques	?

À ce stade-ci, l'annonce du répondant est dite la *redemande du répondant*.

La redemande du répondant — À QUEL NIVEAU? et À QUELLE COULEUR?

Au moment de sa deuxième annonce, le répondant a reçu deux messages de l'ouvreur. Par le truchement de ses deux messages, l'ouvreur a normalement décrit sa main de telle sorte que le répondant se trouve dans une situation similaire à celle où il était quand l'annonce d'ouverture était de un SA, alors que l'ouvreur avait décrit la force et la composition de sa main à l'intérieur d'un éventail de points assez restreint. Sur une annonce d'ouverture de un cœur, le répondant sait que la force de l'ouvreur oscille entre 13 et 21 points, un éventail passablement large. La deuxième enchère de l'ouvreur restreint sensiblement cet éventail. Selon ses annonces, l'ouvreur décrit sa main ainsi:

MAIN MINIMALE:
de 13 à 16 points

MAIN INTERMÉDIAIRE:
17 ou 18 points

MAIN MAXIMALE:
de 19 à 21 points

Sur une ouverture de un cœur, le répondant sait avec certitude que l'ouvreur détient au moins quatre cœurs. Sur la deuxième enchère de l'ouvreur, le répondant a une idée plus nette de la composition de la main de l'ouvreur. Par exemple:

L'OUVREUR	LE RÉPONDANT	
un cœur	un pique	Les annonces de l'ouvreur
un SA		indiquent une main équilibrée
		de 13 à 15 points.

L'OUVREUR	LE RÉPONDANT	
un cœur	un pique	Les annonces de l'ouvreur
trois cœurs		indiquent une main non
		équilibrée de 17 ou 18 points.

En conséquence, au moment de la redemande, le répondant assume son rôle de capitaine et peut se servir de deux procédés connus pour sceller le contrat définitif.

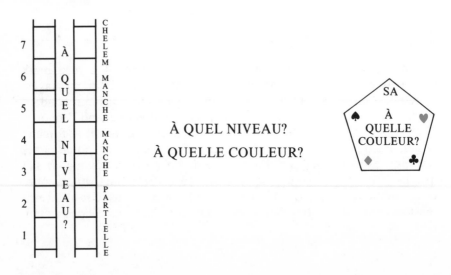

À QUEL NIVEAU?

À QUELLE COULEUR?

En ce qui a trait au NIVEAU du contrat définitif, la décision que prendra le répondant dépend de la force que l'ouvreur a signalée. Examinons ces quatre cas:

- L'ouvreur a indiqué une main minimale de 13 à 16 points.
- L'ouvreur a indiqué une main minimale ou intermédiaire de 13 à 18 points.
- L'ouvreur a indiqué une main intermédiaire de 17 ou 18 points.
- L'ouvreur a indiqué une main maximale de 19 à 21 points.

Dans ce chapitre, nous étudierons les deux premiers cas. L'analyse des deux cas suivants est reportée au chapitre XII.

Sur le signalement de la main minimale de l'ouvreur

Les deuxièmes enchères suivantes de l'ouvreur indiquent une main minimale:

	L'OUVREUR	LE RÉPONDANT
• Un soutien minimal de la majeure du répondant	un carreau **deux piques**	un pique
• Une annonce à SA au niveau le plus bas	un cœur **un SA**	un pique
• L'ouvreur répète sa couleur sans saut	un cœur **deux cœurs**	deux trèfles
• Un soutien minimal de la mineure du répondant	un trèfle **deux carreaux**	un carreau

Si l'ouvreur a indiqué une main minimale, le répondant sait que celui-ci détient de 13 à 16 points. Comme il faut 26 points combinés pour la manche, trois éventualités se présentent:

- Demander la manche partielle si la force combinée est inférieure à 26 points. C'est le cas du répondant disposant d'une main minimale de 6 à 10 points. (La seule exception possible a lieu quand le répondant possède exactement 10 points et l'ouvreur, exactement 16 points. Cette unique possibilité est trop rare pour qu'on s'y arrête.)

- Éventuellement, demander la manche. Ce cas apparaît quand le répondant dispose d'une main intermédiaire de 11 ou 12 points.

Si l'ouvreur ne jouit que de 13 ou 14 points, il est fort probable qu'il n'existe pas assez de forces combinées pour la manche. Toutefois, si l'ouvreur compte 15 ou 16 points, la combinaison permet la manche.

- Demander la manche si le minimum de forces combinées atteint 26 points. Ce cas apparaît quand le répondant détient une main maximale de 13 points ou plus.

Voyons comment le répondant se comporte durant chaque cas.

La redemande du répondant ayant de 6 à 10 points

Quand l'ouvreur est au minimum (de 13 à 16 points) et que le répondant dispose de 6 à 10 points, ce dernier comprend que le camp n'est pas prêt à conclure un contrat de manche et qu'il devrait se limiter à la manche partielle. Il doit donc annoncer une *enchère de dissuasion* ou d'arrêt. Alors, dans presque tous les cas, l'ouvreur passera. Le répondant signale ce message au moyen de deux redemandes possibles.

- Passez (ARRÊT)

- Répétez **une couleur déjà mentionnée** (ARRÊT)

Une *couleur déjà mentionnée* est une couleur déjà annoncée lors d'une enchère antérieure de l'ouvreur ou du répondant.

Parmi ces deux annonces, le répondant choisit celle qui le conduit le plus sûrement à la manche partielle.

Par exemple:

L'OUVREUR	LE RÉPONDANT	
un carreau	un pique	♠ R963
deux piques	?	♥ V83
		♦ A6
		♣ 10972

À QUEL NIVEAU? C'est la manche partielle. Ne disposant que de 8 points, le répondant est convaincu que les forces combinées ne sont pas suffisantes pour la manche puisque l'ouvreur est au minimum (de 13 à 16 points).

À QUELLE COULEUR? C'est à pique. L'ouvreur a soutenu la majeure du répondant, annonçant un soutien quatrième. Comme le répondant sait qu'il y a un fit magique dans une majeure, il a déterminé la COULEUR. Le contrat est virtuellement décidé: une manche partielle à pique. Alors le répondant conclut les enchères en passant.

Un autre exemple:

L'OUVREUR	LE RÉPONDANT	
un cœur	un pique	♠ V 10 9 6 3 2
un SA	?	♥ A 8 3
		♦ 8 6
		♣ 10 2

À QUEL NIVEAU? C'est la manche partielle. Ne disposant que de 7 points, le répondant sait que la manche est aléatoire puisque l'ouvreur est au minimum.

À QUELLE COULEUR? C'est à pique. Comme l'ouvreur a annoncé une main équilibrée, il doit détenir au moins deux piques. Sachant qu'il existe un fit magique dans une majeure, le répondant choisit deux piques, un retour à une couleur déjà mentionnée; c'est une enchère de dissuasion.

Voici d'autres exemples. Vous êtes le répondant et les enchères s'ouvrent ainsi:

L'OUVREUR	LE RÉPONDANT
un carreau	un cœur
un SA	?

Avec chacune de ces mains, demandez-vous À QUEL NIVEAU? et À QUELLE COULEUR? doit être votre deuxième enchère.

1. ♠ D 9 8 7	2. ♠ V 3	3. ♠ 10 6 5	4. ♠ 10 3
♥ A 8 7 3	♥ R 9 8 7 2	♥ R D 9 6 5 3	♥ D V 9 2
♦ 9 7 4	♦ R 10 9 8	♦ V	♦ 9 2
♣ 8 4	♣ 10 7	♣ V 6 5	♣ D V 7 5 2

1. À QUEL NIVEAU? C'est la manche partielle. L'ouvreur indique une main minimale et vous ne disposez que de 6 points. Vous désirez conclure la meilleure manche partielle possible.

   À QUELLE COULEUR? C'est à SA. Votre partenaire n'a pas relancé à cœur, donc il n'y a pas de fit magique à cœur. Peut-il y avoir un fit magique à pique? Non. Si l'ouvreur avait eu quatre piques, il aurait annoncé un pique au lieu de un SA. Vous détenez à ce moment le meilleur contrat possible de manche partielle; donc, passez.

2. À QUEL NIVEAU? C'est la manche partielle. Ne possédant que 8 points, vous désirez arrêter les enchères à la meilleure manche partielle possible.

   À QUELLE COULEUR? C'est à carreau. Votre ligne de conduite? Passer ou répéter une couleur déjà nommée au niveau de deux, soit deux carreaux ou deux cœurs. Depuis l'annonce d'ouverture, vous savez que votre partenaire dispose au moins d'une quatrième à carreau. Lorsque vous jouez la manche partielle, tout fit magique est admissible. Donc vous devez jouer à carreau. Dites: deux carreaux. L'ouvreur passera.

3. À QUEL NIVEAU?   C'est la manche partielle. Disposant de 9 points, vous voulez sceller les enchères à la meilleure manche partielle possible.

   À QUELLE COULEUR?   C'est à cœur. Puisque l'ouvreur doit détenir au moins deux cœurs, vous devez annoncer deux cœurs et jouer le fit magique.

4. À QUEL NIVEAU?   C'est la manche partielle. Ne possédant que 7 points, vous devez trouver la meilleure enchère de dissuasion.

   À QUELLE COULEUR?   Vous avez deux options: passer ou déclarer une couleur déjà mentionnée au niveau de deux, soit deux carreaux ou deux cœurs. Vous ne pouvez déclarer deux trèfles parce que c'est une **nouvelle** couleur au niveau de deux. Comme vous ne possédez pas un fit magique à carreau ou à cœur, vous devez passer et conclure le contrat définitif à un SA.

La redemande du répondant ayant 11 ou 12 points

Lorsque l'ouvreur annonce une main minimale (de 13 à 16 points) et que le répondant dispose de 11 ou 12 points, ce dernier sait que son camp a virtuellement atteint la manche. Il lui suffit de déclarer une enchère invitative. Alors l'ouvreur passe s'il possède 13 ou 14 points (la partie inférieure de la zone) ou alors il poursuit les enchères jusqu'à la manche s'il dispose de 15 ou 16 points (la partie supérieure de la zone). Le répondant transmet son message en choisissant l'une de ces deux options:

• Annoncer deux SA ▼

• Répéter une couleur déjà mentionnée au niveau de trois ▼ *

Comme il est possible que la COULEUR du contrat définitif ne soit pas clairement déterminée, le répondant choisit la plus descriptive des deux possibilités ci-dessus.

---

* Pour annoncer au niveau de trois, il est parfois nécessaire que le répondant saute un palier.

Par exemple,

L'OUVREUR	LE RÉPONDANT	♠ R 9 6 3
un carreau	un pique	♥ V 8 3
deux piques	?	♦ A 6
		♣ R 9 7 2

À QUEL NIVEAU? C'est peut-être la manche. Ne disposant que de 11 points, il n'est pas certain que les forces combinées soient suffisantes pour la manche.

À QUELLE COULEUR? C'est à pique. L'ouvreur a soutenu la majeure du répondant en signalant un soutien quatrième. Comme le répondant sait qu'il y a un fit magique dans la majeure, il doit annoncer la COULEUR.

Par conséquent, le répondant fait une enchère invitative en répétant une couleur déjà mentionnée au niveau de trois, trois piques. Si l'ouvreur dispose de 13 ou 14 points, il déclinera l'invitation en passant. Par contre, si l'ouvreur possède 15 ou 16 points, il acceptera l'invitation et annoncera quatre piques.

Voici un autre exemple:

L'OUVREUR	LE RÉPONDANT	♠ 9 6 3
un trèfle	un cœur	♥ A V 8 3
un SA	?	♦ A 10 6
		♣ R 7 2

À QUEL NIVEAU? C'est probablement la manche. Disposant de 12 points, le répondant veut faire une redemande invitative.

À QUELLE COULEUR? C'est à SA. Comme l'ouvreur n'a pas soutenu la majeure du répondant, il ne peut y avoir de fit magique dans une majeure. Dans ce cas, le répondant doit choisir deux SA, une redemande invitative. Sur l'enchère à deux SA du répondant, l'ouvreur peut passer s'il dispose de 13 ou 14 points, ou poursuivre à trois SA avec 15 ou 16 points.

Voici un autre exemple:

L'OUVREUR	LE RÉPONDANT	♠ A 9 6 3
un cœur	un pique	♥ D V 8
deux cœurs	?	♦ 10 6
		♣ R V 7 2

À QUEL NIVEAU? C'est probablement la manche. Détenant 11 points, le répondant désire une redemande invitative.

À QUELLE COULEUR? C'est à cœur. Comme l'ouvreur a signalé qu'il dispose de plus de quatre cœurs, le répondant sait qu'il existe un fit magique dans la majeure à cœur. Le répondant peut choisir son enchère invitative à trois cœurs. Sur l'enchère à trois cœurs du répondant, l'ouvreur peut passer s'il détient 13 ou 14 points ou poursuivre les enchères à quatre cœurs avec 15 ou 16 points.

Encore d'autres exemples où vous êtes le répondant:

L'OUVREUR	LE RÉPONDANT
un cœur	un pique
un SA	?

Lorsque vous vous posez les questions À QUEL NIVEAU? et À QUELLE COULEUR?, quelle est votre redemande avec chacune de ces mains?

1. ♠ ADV3   2. ♠ V98732
   ♥ 72   ♥ A3
   ♦ D98   ♦ D74
   ♣ R1087   ♣ R4

1. À QUEL NIVEAU? C'est probablement la manche. L'ouvreur est minimum (de 13 à 16 points). Possédant 12 points, vous invitez l'ouvreur à la manche.

   À QUELLE COULEUR? C'est à SA. Puisque l'ouvreur n'a pas signalé un soutien quatrième à pique, il n'existe pas de fit magique dans la majeure. Annoncez deux SA. De ce fait, l'ouvreur passera ou il poursuivra les enchères jusqu'à trois SA selon la force de sa main «minimale».

2. À QUEL NIVEAU? C'est probablement la manche. Ici, vous détenez également 12 points; donc, invitez à la manche.

   À QUELLE COULEUR? C'est à pique. Puisque, par sa deuxième enchère, l'ouvreur signale une main équilibrée, il a au moins deux piques. Sachant que vous jouissez d'un fit magique dans la majeure, vous faites une enchère invitative en répétant une couleur déjà mentionnée au niveau de trois, en l'occurrence trois piques.

La redemande du répondant ayant 13 points ou plus

Comme le répondant connaît le NIVEAU (la manche), il lui suffit de déterminer la COULEUR du contrat définitif. Pour définir la COULEUR, l'important est de savoir si oui ou non il y a un fit magique dans une majeure. Si oui, annoncez la manche dans cette majeure. Si non, annoncez trois SA. Lorsque le répondant ignore l'existence d'un fit magique dans une majeure, il doit obtenir de son partenaire des renseignements supplémentaires. Le répondant a le choix entre deux redemandes alors qu'il détient 13 points ou plus.

- La manche 🛑

- Une **nouvelle couleur** 💥

Une *nouvelle couleur* est celle qui n'a pas été annoncée par le camp au cours des enchères.

Comme la deuxième enchère de l'ouvreur a fourni au répondant une bonne description de sa main, le répondant peut dans la plupart des cas, savoir s'il existe ou non un fit magique dans une majeure. Par exemple:

L'OUVREUR	LE RÉPONDANT	♠ R963
un carreau	un pique	♥ V83
deux piques	?	♦ A6
		♣ AD72

À QUE NIVEAU?   C'est la manche. Le répondant détient 14 points et l'ouvreur, au moins 13.

À QUELLE COULEUR?   C'est à pique. L'ouvreur a soutenu la majeure du répondant, indice d'un soutien quatrième. Le répondant sait qu'il y a un fit magique dans la majeure et sa deuxième enchère est à quatre piques.

Voici un autre exemple:

L'OUVREUR	LE RÉPONDANT	♠ R963
un carreau	un pique	♥ V83
un SA	?	♦ A6
		♣ AV72

À QUEL NIVEAU?   C'est la manche. Jouissant de 13 points, le répondant sait que son camp dispose de 26 points combinés ou plus.

À QUELLE COULEUR?   C'est à SA. L'ouvreur a fait montre d'une main équilibrée. Donc il ne peut y avoir de fit magique dans la majeure. Le répondant doit annoncer trois SA.

Chacun de ces deux exemples définit la redemande du répondant comme étant une enchère d'arrêt. L'ouvreur a décrit sa main et le répondant a choisi le contrat de manche approprié. L'ouvreur ne doit pas annoncer de nouveau.

Que se passe-t-il si le répondant n'est pas certain de l'existence d'un fit magique dans la majeure? Il doit, en ce cas, obtenir de l'ouvreur des renseignements supplémentaires. Puisque le répondant sait que le camp doit décider d'un contrat de manche, mais ignore lequel, il désire faire une redemande à un niveau inférieur à la manche, ce qui lui permet d'obtenir des renseignements additionnels et de s'assurer que **l'ouvreur ne passera pas.** Pour ce faire, le répondant s'autorise du principe suivant:

> UNE ANNONCE À UNE NOUVELLE COULEUR DU RÉPONDANT AU SECOND TOUR DES ENCHÈRES EST UNE ENCHÈRE IMPÉRATIVE POUR LA MANCHE

Ce principe est un puissant outil pour le répondant. Chaque fois que ce dernier annonce une nouvelle couleur, l'ouvreur doit répondre par une autre annonce. Cela est très utile quand le répondant attend de l'ouvreur des renseignements supplémentaires. Le répondant peut même annoncer une couleur troisième ou moins, sachant qu'il ne sera pas obligé de jouer à ce niveau.

Un exemple d'annonce dans une nouvelle couleur:

L'OUVREUR	LE RÉPONDANT	
un carreau	un pique	♠ R 9 6 3 2
un SA	?	♥ V 8
		♦ A 6
		♣ A D 7 2

À QUEL NIVEAU? Détenant 15 points, le répondant sait qu'il a la manche.

À QUELLE COULEUR? Le camp possède-t-il un fit magique dans une majeure? L'ouvreur ne dispose pas d'un soutien quatrième à pique car, autrement, il aurait soutenu la majeure du répondant. Cependant l'ouvreur peut posséder un soutien troisième, suffisant en l'occurrence.

Dans le but d'obtenir des renseignements supplémentaires, le répondant doit annoncer une nouvelle couleur, deux trèfles. Comme cette enchère est impérative pour la manche, l'ouvreur doit annoncer une nouvelle fois. Si l'ouvreur détient un soutien troisième, à pique, il est à même de le signifier en annonçant deux piques au tour suivant. Puisqu'il n'a pas soutenu immédiatement, cela signifie seulement qu'il détient un soutien troisième. En conséquence, le répondant possède maintenant assez de renseignements pour conclure le contrat définitif: quatre piques.

Si l'ouvreur ne possède que deux piques, il déclare une enchère descriptive à son prochain tour, par exemple deux carreaux (indiquant une couleur cinquième) ou deux cœurs (indiquant une autre couleur quatrième) ou deux SA (signifiant qu'il n'a rien à ajouter). Le répondant sait alors qu'il n'y a pas de fit magique dans la majeure, et il peut décider du contrat définitif: trois SA.

Voyons cet exemple:

L'OUVREUR	LE RÉPONDANT	♠ R 9 3
un trèfle	un cœur	♥ A V 9 8 6
deux trèfles	?	♦ R 7 6
		♣ V 2

À QUEL NIVEAU? C'est la manche. Détenant 13 points, le répondant désire la manche.

À QUELLE COULEUR? Y a-t-il un fit magique dans la majeure? Le répondant sait que l'ouvreur, n'ayant pas soutenu immédiatement, ne possède pas de soutien quatrième à cœur. Dans ce cas, trois cœurs devraient suffire, mais il est possible que l'ouvreur en ait moins.

Le répondant réclame alors des renseignements additionnels et doit annoncer une nouvelle couleur. Comme il n'a pas de nouvelle couleur quatrième à annoncer, il doit répondre par une enchère à deux carreaux. Si, ensuite, l'ouvreur annonce deux cœurs, le répondant saura que l'ouvreur possède un soutien troisième à cœur et qu'il aura le loisir de fixer le contrat définitif: quatre cœurs.

Si l'ouvreur n'annonce pas deux cœurs, le répondant peut arrêter la recherche d'un fit magique dans une majeure et fixer le contrat définitif à trois SA.

Voici d'autres exemples:

L'ouvreur annonce un cœur et vous répondez un pique. Ensuite l'ouvreur dit un SA. À QUEL NIVEAU? et À QUELLE COULEUR? doit être votre redemande avec chacune de ces mains?

1. ♠ A D V 3	2. ♠ V 9 8 7 3 2	3. ♠ A 9 7 6 5	4. ♠ R V 7 5 4
♥ 7 2	♥ A 3	♥ 3	♥ D 9 5
♦ D V 8	♦ A 7 4	♦ A R 9 8 2	♦ A 5
♣ R 10 8 7	♣ R 4	♣ V 5	♣ D 7 2

1. À QUEL NIVEAU? C'est la manche. La deuxième enchère de l'ouvreur indique une main de 13 à 15 points. Détenant 13 points, vous amenez votre camp à la manche.

À QUELLE COULEUR? C'est à SA. Puisque l'ouvreur ne vous a pas apporté un soutien quatrième à pique en ne soutenant pas immédiatement votre annonce, il n'y a pas de fit magique dans la majeure. Votre redemande doit être à trois SA. L'ouvreur approuvera votre décision et passera.

2. À QUEL NIVEAU? C'est la manche. Ici, vous détenez 14 points et, par conséquent, vous visez la manche.

À QUELLE COULEUR? C'est à pique. Par sa deuxième enchère, l'ouvreur a prouvé qu'il avait une main équilibrée; il doit donc posséder au moins deux piques. Sachant que vous disposez d'un fit magique dans la majeure, vous décidez du contrat définitif: quatre piques.

3. À QUEL NIVEAU? Vos 14 points combinés aux 13 points minimum de l'ouvreur permettent d'annoncer la manche.

À QUELLE COULEUR? Y a-t-il un fit magique dans la majeure? Peut-être. Il est possible que votre partenaire dispose d'un soutien troisième à pique. Annoncez une nouvelle couleur, deux carreaux, qui incitera l'ouvreur à décrire davantage sa main. S'il dit deux piques, vous poursuivez et déclarez quatre piques. S'il annonce autre chose, dites trois SA.

4. À QUEL NIVEAU? C'est la manche. Possédant 13 points, vous souhaitez que votre camp atteigne un contrat de manche.

À QUELLE COULEUR? Quel est le meilleur contrat de manche? Actuellement, vous n'avez pas suffisamment de renseignements. Il est possible que l'ouvreur détienne un soutien troisième à pique ou qu'il dispose d'une couleur cinquième à cœur et d'une main équilibrée.

Même si vous ne pouvez déclarer une nouvelle couleur quatrième, annoncez deux trèfles. Dès lors, si l'ouvreur annonce deux piques, révélant ainsi un soutien troisième, déclarez quatre piques. Si l'ouvreur annonce deux cœurs, signifiant une couleur cinquième à cœur, soutenez à quatre cœurs. Si, par contre, l'ouvreur déclare une tout autre annonce, signalez trois SA, sachant qu'il n'y a pas de fit magique dans la majeure.

Sur le signalement de la main minimale ou intermédiaire de l'ouvreur

| 13 | 14 | 15 | 16 | 17 | 18 | 19 | 20 | 21 |

Parfois l'annonce de l'ouvreur indique une main minimale (de 13 à 16 points) ou une main intermédiaire (17 ou 18 points). Par exemple:

	L'OUVREUR	LE RÉPONDANT
• Une nouvelle couleur au niveau de un	un trèfle **un pique**	un cœur
• Une nouvelle couleur au niveau de deux si la première couleur de l'ouvreur est moins chère.	un cœur **deux trèfles**	un pique

Comment le répondant réagit-il face à ces deux options? En général comme si l'ouvreur indiquait une main minimale. Si celui-ci dispose d'une main intermédiaire, il peut élucider l'ambiguïté lors de sa prochaine enchère. En conséquence:

- le répondant considère que la main doit être jouée à la manche partielle quand il est au minimum (de 6 à 10 points) et il déclare une enchère de dissuasion;

- le répondant annonce une enchère invitative lorsqu'il détient une main intermédiaire (11 ou 12 points);

- le répondant s'assure que son partenaire envisage la manche quand il est au maximum (13 points ou plus).

Pour chaque cas, voyons comment le répondant redemande:

- sur une nouvelle couleur au niveau de un;

- sur une nouvelle couleur au niveau de deux.

La redemande du répondant sur la deuxième enchère de l'ouvreur au niveau de un

En supposant que l'ouvreur soit au minimum, le répondant se propose d'annoncer une enchère de dissuasion quand il détient de 6 à 10 points. Pour transmettre son message, le répondant choisit parmi trois redemandes différentes.

- Passer 🛑

- Annoncer un SA 🔻

- Répéter une couleur déjà mentionnée au niveau de deux 🔻

Parmi ces enchères, le répondant choisit la plus descriptive. Notez que la redemande à un SA indique de 6 à 10 points. Étudions quelques exemples:

L'OUVREUR	LE RÉPONDANT	♠ V 6 3
un carreau	un cœur	♥ A V 8 3
un pique	?	♦ 8 6
		♣ R 10 7 4

À QUEL NIVEAU? C'est la manche partielle. Possédant 9 points, le répondant sait qu'il n'y a pas assez de points combinés pour la manche si l'ouvreur est au minimum.

À QUELLE COULEUR? C'est à SA. Puisque l'ouvreur n'a pas soutenu la majeure du répondant, il n'existe pas de fit magique dans la majeure. Le répondant choisit un SA à titre de redemande de dissuasion. Si l'ouvreur est au minimum des points, il passe, à moins qu'il ne soit pas satisfait de la décision du répondant (contrat de manche partielle). Par exemple, l'ouvreur peut retourner à deux carreaux s'il dispose d'une main non équilibrée incluant une couleur sixième à carreau.

Si l'ouvreur est intermédiaire, il indique sa force additionnelle en annonçant une enchère invitative. Dans l'exemple ci-dessus, il est maintenant possible qu'il soutienne à deux SA s'il veut signifier une force de 17 ou 18 points. Avec 9 points, le répondant accepte l'invitation et poursuit en annonçant trois SA. Par contre, avec 6, 7 ou 8 points, le répondant passe et l'équipe, par mesure de prudence, se limite à la manche partielle.

Autre exemple:

L'OUVREUR	LE RÉPONDANT	♠ 6 3
un trèfle	un carreau	♥ 9 2
un cœur	?	♦ R 10 9 7 3
		♣ A 10 8 3

À QUEL NIVEAU? C'est la manche partielle. Le répondant détient 8 points. C'est insuffisant pour la manche si l'ouvreur est au minimum.

À QUELLE COULEUR? C'est à trèfle. Au niveau de la manche partielle, tout fit magique est admissible. Le répondant choisit deux trèfles qui est une enchère de dissuasion.

Si le répondant dispose de 11 ou 12 points, il fait une redemande d'invitation:

- deux SA ▼

- Répète une couleur déjà mentionnée au niveau de trois ▼

Le répondant retient l'enchère la plus explicite. Par exemple:

L'OUVREUR	LE RÉPONDANT	
un trèfle	un carreau	♠ A 6
un pique	?	♥ D 7 3 2
		♦ D V 4 2
		♣ D 10 3

À QUEL NIVEAU? C'est probablement la manche. Disposant de 11 points, le répondant doit faire une redemande invitative.

À QUELLE COULEUR? C'est à SA. Il n'y a pas de fit magique dans la majeure. Le répondant doit choisir deux SA.

Autre exemple:

L'OUVREUR	LE RÉPONDANT	
un carreau	un cœur	♠ 7 3
un pique	?	♥ A 10 9 8 6 3
		♦ R 10
		♣ R 9 2

À QUEL NIVEAU? C'est probablement la manche. Détenant 12 points, le répondant donne la préférence à une redemande d'invitation descriptive.

À QUELLE COULEUR? C'est à cœur. Possédant une main non équilibrée, il devrait annoncer une couleur déjà mentionnée au niveau de trois: trois cœurs. N'ayant que 13 ou 14 points, l'ouvreur passe ou il annonce la manche s'il dispose de 15 ou 16 points.

Quand le répondant détient 13 points ou plus, il cherche à ce que son camp atteigne la manche. Il a le choix entre deux redemandes:

- La manche ▼

- Une nouvelle couleur

Si le répondant connaît la COULEUR, il annonce la manche; s'il l'ignore, il annonce une nouvelle couleur. Par exemple:

L'OUVREUR	LE RÉPONDANT	
un trèfle	un cœur	♠ R V 10 4
un pique	?	♥ A 10 9 8
		♦ R 9
		♣ D 6 2

À QUEL NIVEAU? C'est la manche. Possédant 14 points, le répondant sait qu'il existe assez de points combinés pour la manche.

À QUELLE COULEUR? C'est à pique. Comme il a décelé un fit magique dans la majeure, le répondant est au courant de la couleur du jeu. Il possède assez de renseignements pour décider du contrat: quatre piques.

Un autre exemple:

L'OUVREUR	LE RÉPONDANT	
un trèfle	un cœur	♠ 3
un pique	?	♥ R D 10 7 4
		♦ D V 7 4
		♣ A 8 2

À QUEL NIVEAU? C'est la manche. Possédant 13 points, le répondant sait qu'il existe assez de points combinés pour la manche.

À QUELLE COULEUR? Le répondant n'est pas assuré de la COULEUR. Pour obtenir des renseignements supplémentaires, il peut annoncer une nouvelle couleur, deux carreaux. Cette enchère est impérative et l'ouvreur, au prochain tour, doit fournir au répondant tous les renseignements voulus pour que ce dernier choisisse le contrat définitif: trois SA ou quatre cœurs.

Les cas suivants montrent ce qu'il faut annoncer sur la deuxième enchère de l'ouvreur au niveau de un.

L'OUVREUR	LE RÉPONDANT
un carreau	un cœur
un pique	?

Après avoir considéré le NIVEAU et la COULEUR, quelle est votre redemande avec chacune de ces mains?

1. ♠ A D V 3 2. ♠ 10 9 5 3. ♠ V 3
   ♥ R 9 8 7 2   ♥ A V 8 7 5 4   ♥ A D 10 3
   ♦ 6 4   ♦ 6   ♦ 10 9 2
   ♣ 9 7   ♣ R 6 5   ♣ A D 5 2

1. À QUEL NIVEAU? C'est probablement la manche. Après avoir décelé un fit à pique, votre main compte maintenant 12 points du mort. Comme l'ouvreur détient une main minimale, faites une redemande invitative.

   À QUELLE COULEUR? C'est à pique. Vous déclarez une enchère invitative en soutenant la majeure au niveau de trois: trois piques.

2. À QUEL NIVEAU? C'est la manche partielle. Ne disposant que de 9 points, vous devez trouver une redemande de dissuasion appropriée.

À QUELLE COULEUR? C'est à cœur. Comme vous ne vous souciez pas outre mesure des différentes couleurs de l'ouvreur et que vous détenez une main non équilibrée, la meilleure redemande, en ce cas-ci, est deux cœurs; répétez votre couleur au niveau de deux. Si votre partenaire possède un ou deux cœurs, cela doit suffire pour un contrat de manche partielle. Tant mieux s'il en a trois... tant pis s'il n'en a aucun!

3. À QUEL NIVEAU? C'est la manche. Disposant de 13 points, vous envisagez la manche.

À QUELLE COULEUR? C'est à SA. Vous savez qu'il n'existe pas de fit magique dans une majeure, alors vous devez redemander trois SA, un contrat de manche.

La redemande du répondant sur la deuxième enchère de l'ouvreur au niveau de deux

Supposons, par mesure de sécurité, que l'ouvreur est au minimum et que le répondant annonce une enchère de dissuasion parce qu'il ne dispose que de 6 à 10 points. Lorsque l'ouvreur annonce une nouvelle couleur au niveau de deux, le répondant signale son message en annonçant l'une ou l'autre des redemandes suivantes:

- Passer (ARRÊT)

- Répéter une couleur déjà mentionnée au niveau de deux ▼

Le répondant choisit l'enchère la plus explicite. Analysons quelques exemples:

L'OUVREUR	LE RÉPONDANT	
un carreau	un cœur	♠ 8 6 3
deux trèfles	?	♥ D V 7 4
		♦ 7 4
		♣ A 8 7 2

À QUEL NIVEAU? C'est la manche partielle. Ne disposant que de 7 points, le répondant sait que son camp ne possède pas suffisamment de forces combinées pour la manche.

À QUELLE COULEUR? C'est à trèfle. Puisqu'il sait qu'il existe un fit magique à trèfle et que tout fit magique est suffisant pour la manche partielle, le répondant passe.

Voici un autre cas qui aborde une notion importante:

L'OUVREUR	LE RÉPONDANT	♠ R 8 7 4
un cœur	un pique	♥ 10 7 4
deux carreaux	?	♦ A 7 4
		♣ V 8 2

À QUEL NIVEAU?   C'est la manche partielle. Ne possédant que
8 points, le répondant sait que la manche est peu probable, car
l'ouvreur a signalé une main minimale ou intermédiaire.

À QUELLE COULEUR?   Le répondant doit faire une redemande de dissuasion appropriée. Il peut soit passer, soit répéter une couleur déjà
mentionnée au niveau de deux.

Comme l'ouvreur a d'abord annoncé cœur, puis carreau, le répondant
peut en déduire que l'ouvreur détient au moins une couleur cinquième
à cœur. S'il n'avait qu'une couleur quatrième à cœur et une quatrième
à carreau, il aurait annoncé en premier lieu la couleur la moins chère:
carreau. Par conséquent, le répondant doit inciter l'ouvreur à revenir
à sa couleur d'ouverture en disant: deux cœurs.

D'une façon générale, quand vous avez le choix de jouer un contrat à
l'une des couleurs de l'ouvreur, vous devriez choisir sa couleur
d'ouverture parce qu'elle est longue, plus longue qu'aucune autre de
ses couleurs. Cela se dit: *donner la préférence* à la couleur d'ouverture
de l'ouvreur.

Si le répondant dispose de 11 ou 12 points, il annonce une redemande
invitative.

  • Deux SA ▼

  • Répéter une couleur déjà mentionnée au niveau de trois ▼

Le répondant choisit l'enchère la plus explicite. Par exemple:

L'OUVREUR	LE RÉPONDANT	♠ R 10 7 3
un carreau	un cœur	♥ R V 7 4
deux trèfles	?	♦ D 4
		♣ D 10 2

À QUEL NIVEAU?   C'est probablement la manche. Possédant 11 points,
le répondant annonce une redemande invitative.

À QUELLE COULEUR?   C'est à SA. Le fait que l'ouvreur ne soutienne
pas à cœur ou n'annonce pas pique signifie qu'il n'existe pas de fit
magique dans une majeure; le répondant propose alors la manche en

annonçant deux SA. Si l'ouvreur à 13 ou 14 points, il passe. S'il a 15 points ou plus, il continue jusqu'à la manche.

Autre exemple:

L'OUVREUR	LE RÉPONDANT	
un carreau	un cœur	♠ 8 3
deux trèfles	?	♥ D V 10 3
		♦ A V 7 6 4
		♣ D 2

À QUEL NIVEAU? C'est probablement la manche. Détenant 11 points, le répondant doit faire une redemande invitative.

À QUELLE COULEUR? C'est à carreau. Dans ce cas-ci, la redemande la plus explicite est de sauter à trois carreaux, donc, de répéter une couleur déjà mentionnée au niveau de trois. Notez que le répondant n'annonce pas deux carreaux, parce que ce serait une redemande de dissuasion indiquant de 6 à 10 points.

Lorsque le répondant a 13 points ou plus, il voit à ce que le camp atteigne la manche. Il dispose de deux redemandes possibles:

- La manche ▼

- Une nouvelle couleur ✺

Si le répondant est certain de la COULEUR, il annonce la manche. S'il ne l'est pas, il annonce une nouvelle couleur. Par exemple:

L'OUVREUR	LE RÉPONDANT	
un carreau	un cœur	♠ A V 10 4
deux trèfles	?	♥ R 8 7 4
		♦ D 9
		♣ R 8 4

À QUEL NIVEAU? C'est la manche. Jouissant de 13 points, le répondant sait qu'il existe assez de points combinés pour la manche.

À QUELLE COULEUR? C'est à SA. Le répondant sait qu'il n'existe pas de fit magique dans la majeure. Il possède dès lors assez de renseignements pour décider du contrat: trois SA.

Voici un autre exemple:

L'OUVREUR	LE RÉPONDANT	
un cœur	un pique	♠ D 10 9 6 4 3
deux carreaux	?	♥ R 8
		♦ A R
		♣ D 6 3

À QUEL NIVEAU? C'est la manche. Les 16 points du répondant sont largement suffisants.

À QUELLE COULEUR? Le répondant n'est pas certain de la COU-
LEUR. Puisqu'il désire en savoir plus, il annonce une nouvelle couleur: trois trèfles. Au prochain tour, l'ouvreur communique les renseignements désirés afin que son partenaire puisse conclure le contrat
définitif.

Les exemples suivants portent sur une annonce d'une nouvelle couleur
au niveau de deux de l'ouvreur:

L'OUVREUR	LE RÉPONDANT
un cœur	un pique
deux trèfles	?

Quelle est votre redemande avec chacune de ces mains?

1. ♠ D V 8 7 2	2. ♠ A D V 3	3. ♠ A 10 9 5	4. ♠ R V 9 8 6 4
♥ R 10	♥ R 9 8	♥ R V 8	♥ A D
♦ 6 2	♦ 6 4 3 2	♦ A 8 6	♦ 10 9 2
♣ A V 5 4	♣ V 7	♣ D 6 5	♣ 5 2

1. À QUEL NIVEAU? C'est probablement la manche. Comme vous
   avez 12 points, annoncez une redemande invitative.

   À QUELLE COULEUR? C'est à trèfle. Vous avez le choix: deux SA
   ou répéter une couleur déjà mentionnée au niveau de trois.
   L'enchère la plus explicite est trois trèfles, signifiant à l'ouvreur
   l'existence d'un fit magique à trèfle et indiquant, en même temps,
   une force d'invitation. Si l'ouvreur ne dispose que de 13 ou 14
   points, il passe et joue la manche partielle à trois trèfles.

2. À QUEL NIVEAU? C'est probablement la manche. Vous détenez 11
   points, nombre suffisant pour une redemande invitative.

   À QUELLE COULEUR? C'est à cœur. La séquence suivie par
   l'ouvreur sous-entend qu'il possède au moins une couleur cinquième à cœur puisqu'il l'a annoncée en ouvrant et qu'ensuite il a
   signalé une main non équilibrée. (Cette situation sera exposée dans
   le prochain chapitre.) Vous concluez de ce fait qu'il existe un fit
   magique dans la majeure. Dites trois cœurs.

3. À QUEL NIVEAU? C'est la manche. Cette fois-ci, vous comptez 14
   points.

   À QUELLE COULEUR? C'est à cœur. Cet exemple est analogue au
   précédent. Annoncez quatre cœurs; c'est la manche à cause d'un fit
   magique dans la majeure.

4. À QUEL NIVEAU? C'est la manche probable. Disposant de 12
   points, vous vous devez d'annoncer une redemande invitative.

À QUELLE COULEUR? C'est à pique. Faites savoir à l'ouvreur que votre couleur à pique est très longue. Une annonce à trois piques (répétition d'une couleur au niveau de trois) est le meilleur message à lui transmettre.

Résumé

Lorsque votre partenaire ouvre et fait une deuxième enchère indiquant qu'il peut être au minimum (de 13 à 16 points), vous, répondant, pouvez faire votre redemande de la façon suivante:

LA REDEMANDE DU RÉPONDANT QUAND L'OUVREUR EST AU MINIMUM

Demandez-vous À QUEL NIVEAU? et À QUELLE COULEUR? si vous avez:

6 à 10 points: la manche est peu probable; par conséquent, annoncez une redemande de dissuasion:
- passez;
- répétez une couleur déjà mentionnée au niveau de deux;
- déclarez un SA.

11 ou 12 points: la manche est possible; par conséquent, annoncez une redemande invitative:
- répétez une couleur déjà mentionnée au niveau de trois;
- déclarez deux SA.

13 points ou plus: la manche est assurée; en conséquence, faites tout pour l'atteindre:
- annoncez la manche si vous êtes certain de la COULEUR;
- annoncez une nouvelle couleur si vous n'êtes pas certain de la COULEUR.

Exercices

1. Votre partenaire ouvre de un carreau. Vous répondez un cœur. Votre partenaire soutient à deux cœurs. Quelle est votre redemande avec chacune de ces mains?

a.	♠ V943	b.	♠ A63	c.	♠ 72	d.	♠ 83
	♥ RV32		♥ R982		♥ RDV9		♥ 9873
	♦ V94		♦ 73		♦ AD3		♦ AD753
	♣ 92		♣ RV73		♣ R973		♣ 93

2. Votre partenaire ouvre de un trèfle, vous répondez un carreau et votre partenaire annonce un pique. Que faites-vous alors avec chacune de ces mains?

a. ♠ D985 b. ♠ RD102 c. ♠ AR93
   ♥ A5   ♥ D32   ♥ A7
   ♦ R763   ♦ A754   ♦ DV984
   ♣ 873   ♣ 63   ♣ 73

3. Votre partenaire ouvre de un cœur et vous répondez un pique. Votre partenaire annonce ensuite un SA. Quelle est votre redemande avec chacune de ces mains?

a. ♠ A742 b. ♠ V76532 c. ♠ ADV2 d. ♠ R7652
   ♥ 73   ♥ 53   ♥ 532   ♥ D93
   ♦ R98   ♦ 83   ♦ R83   ♦ RD
   ♣ D762   ♣ A53   ♣ D93   ♣ A83

4. Votre partenaire ouvre de un pique et vous répondez un SA. Votre partenaire annonce ensuite deux trèfles. Que faites-vous alors avec chacune de ces mains?

a. ♠ A74 b. ♠ 3 c. ♠ D3 d. ♠ 2
   ♥ D963   ♥ V85   ♥ R9432   ♥ R932
   ♦ V74   ♦ RV84   ♦ V732   ♦ V8532
   ♣ V97   ♣ RV763   ♣ D6   ♣ V62

5. Votre partenaire ouvre de un carreau, vous répondez un cœur et votre partenaire dit deux carreaux. Quelle est votre redemande avec chacune de ces mains?

a. ♠ A32 b. ♠ A10 c. ♠ A632 d. ♠ 9
   ♥ A1098   ♥ AV10764 ♥ 97543   ♥ AV975
   ♦ D8   ♦ 83   ♦ 3   ♦ R3
   ♣ RD32   ♣ J42   ♣ D93   ♣ RD972

XII

La redemande du répondant sur la deuxième enchère intermédiaire ou maximale de l'ouvreur

Même si la deuxième enchère de l'ouvreur indique, dans la plupart des cas, une main minimale (de 13 à 16 points), il arrive parfois que sa deuxième enchère trahisse une main intermédiaire (17 ou 18 points) ou maximale (de 19 à 21 points).

La redemande du répondant sur le signalement d'une main intermédiaire de l'ouvreur

Comme le répondant doit avoir au moins 6 points pour sa première enchère, chaque fois que la deuxième enchère de l'ouvreur signale une main intermédiaire (17 ou 18 points), les forces combinées sont *habituellement* suffisantes pour jouer un contrat de manche. Par contre, c'est seulement quand le répondant détient 6, 7 ou 8 points qu'il doit arrêter les enchères à un contrat de manche partielle. Avec 9 points ou plus, le répondant doit toujours faire en sorte que son camp vise la manche.

Comment le répondant sait-il que l'ouvreur signale une main intermédiaire? Les deuxièmes enchères suivantes de l'ouvreur décrivent une main intermédiaire quand le répondant annonce au niveau de un.

	L'OUVREUR	LE RÉPONDANT
• Un soutien à saut dans la majeure du répondant au niveau de trois	un carreau **trois piques**	un pique
• Répétition de la couleur d'ouverture en sautant au niveau de trois	un cœur **trois cœurs**	un pique
• Une nouvelle couleur au niveau de deux, si elle est plus chère que la couleur d'ouverture de l'ouvreur	un carreau **deux cœurs**	un pique

Examinons chacune de ces situations.

La redemande sur un soutien à saut dans la majeure du répondant

L'OUVREUR	LE RÉPONDANT
un carreau	un pique
trois piques	?

La COULEUR est choisie puisqu'il y a un fit magique dans la majeure à pique. Il ne reste au répondant qu'à décider du NIVEAU. Puisque l'ouvreur signale 17 ou 18 points, le répondant annonce ainsi sa redemande:

LA REDEMANDE DU RÉPONDANT SUR UN SOUTIEN À SAUT

- de 6 à 8 points: passez 🛑 ; la manche étant peu probable, il décide de la manche partielle.

- 9 points ou plus: annoncez au niveau de quatre dans la majeure 🛑 ; il y a suffisamment de forces combinées pour la manche.

Voici quelques directives:

- Si le répondant détient exactement 8 points, il se peut que l'ouvreur lui aussi, ait exactement 18 points; les forces combinées sont suffisantes pour la manche. Il est impossible d'être absolument précis. Vous devez faire preuve de jugement et, si vous le désirez, vous pouvez amener les enchères jusqu'à la manche avec 8 points seulement.

- Si le répondant détient 15 points ou plus, il doit envisager le chelem.

Par exemple, votre partenaire ouvre de un carreau et vous répondez un cœur. Ensuite, votre partenaire soutient à trois cœurs. Demandez-vous À QUEL NIVEAU? et À QUELLE COULEUR? vous devez jouer avec chacune de ces mains:

1.		2.		3.	
♠	9 7 4	♠	7 5	♠	A V 9 8
♥	R 7 5 4	♥	D 9 8 6 5	♥	A 9 7 3
♦	8 6	♦	R V 8	♦	10 9
♣	D V 9 3	♣	V 3 2	♣	V 6 2

1. À QUEL NIVEAU? C'est la manche partielle. Ne disposant que de 6 points, les forces combinées seraient insuffisantes pour la manche, même si l'ouvreur détient 18 points.

   À QUELLE COULEUR? C'est à cœur. Le soutien de l'ouvreur vous a révélé un fit magique dans la majeure. Passez et jouez un contrat de manche partielle à trois cœurs.

2. À QUEL NIVEAU? C'est la manche partielle. Ici, vous disposez de 7 PH, plus un point pour la couleur cinquième à cœur. Puisque votre partenaire a signalé 17 ou 18 points, vous totalisez à 25 ou 26 points.

   À QUELLE COULEUR? C'est à cœur. Vous avez un fit magique. Peut-être passerez-vous. Cependant, rien ne vous empêche d'a-dopter une attitude plus dynamique et d'annoncer quatre cœurs. Si votre partenaire ne dispose que de 17 points, vous pourrez relever un défi: jouer la main!

3. À QUEL NIVEAU? C'est la manche. Avec 10 points, vous avez suffisamment de forces combinées pour la manche.

   À QUELLE COULEUR? C'est à cœur. Acceptez l'invitation de votre partenaire et annoncez quatre cœurs.

La redemande lorsque l'ouvreur répète sa couleur avec saut

L'OUVREUR	LE RÉPONDANT
un cœur	un pique
trois cœurs	?

Notez que la deuxième enchère à saut dans sa couleur signifie que l'ouvreur:

- possède une main intermédiaire (17 ou 18 points);
- dispose d'une couleur sixième ou plus.

Le répondant détermine le NIVEAU en redemandant comme suit:

LA REDEMANDE SUR LA DEUXIÈME ENCHÈRE À SAUT DE L'OUVREUR DANS SA COULEUR D'OUVERTUTE

- de 6 à 8 points: passez 🛑 . La manche est aléatoire; préférez-lui la manche partielle.

- 9 points ou plus: annoncez la manche 🛑 . Soutenez à la manche dans la majeure de l'ouvreur si vous disposez d'un soutien deuxième (6 + 2 = 8). Choisissez trois SA s'il n'y a pas de fit magique dans la majeure.

Par exemple, votre partenaire ouvre de un cœur et vous répondez un pique. Puis votre partenaire dit trois cœurs. Comment réagissez-vous avec chacune de ces mains?

1. ♠ R9743	2. ♠ D V75	3. ♠ A V94
♥ 5	♥ D5	♥ 3
♦ V86	♦ A943	♦ D1064
♣ D973	♣ 532	♣ R762

1. À QUEL NIVEAU? C'est la manche partielle. Ne possédant que 7 points, les forces combinées sont nettement insuffisantes pour la manche, même si l'ouvreur détient 18 points.

   À QUELLE COULEUR? C'est à cœur. Vous devez passer et jouer un contrat qui satisfasse la manche partielle à trois cœurs.

2. À QUEL NIVEAU? C'est la manche. Ici, vous disposez de 9 points; c'est suffisant pour la manche.

   À QUELLE COULEUR? C'est à cœur. Puisque votre partenaire détient une main non équilibrée sans seconde couleur à annoncer, il possède au moins une couleur sixième. Vous avez un fit magique dans la majeure; donc, soutenez votre partenaire à quatre cœurs.

3. À QUEL NIVEAU? C'est la manche. Avec 10 points, les forces combinées devraient être plus que suffisantes pour la manche.

À QUELLE COULEUR? C'est à SA. Puisque votre partenaire n'a pas soutenu votre couleur à pique, il ne peut y avoir de fit magique dans la majeure. Il est douteux qu'il existe un fit magique à cœur, à moins que votre partenaire n'ait 7 cartes ou plus. Redemandez trois SA, donc fort probablement un contrat de manche.

La déduction 5 - 4

Quand l'ouvreur annonce deux couleurs, il doit avoir au moins 4 cartes de chaque couleur. Quelquefois, cependant, le répondant devra présumer que l'ouvreur dispose de **cinq** cartes dans sa couleur d'ouverture, même si ce dernier n'a pas répété sa première couleur.

Quand l'ouvreur nomme une nouvelle couleur au **niveau de deux**, il a une main non équilibrée, car il est censé avoir répondu négativement à la troisième question: «Ai-je une main équilibrée?». Le répondant peut donc «déduire» que l'ouvreur dispose d'une main «5 - 4», soit cinq cartes ou plus dans sa première couleur et quatre cartes ou plus dans sa seconde couleur. Supposons que les enchères se déroulent comme suit:

L'OUVREUR	LE RÉPONDANT
un cœur	un pique
deux carreaux	?

L'ouvreur peut avoir l'une ou l'autre de ces mains:

♠ 6 4	♠ 9	♠ 5
♥ A D 6 4 2	♥ R D 7 5 4	♥ D V 9 7 5 4
♦ R V 8 3	♦ A D 8 4 2	♦ A R V 3 2
♣ R 3	♣ V 6	♣ 3

Dans de rares cas, l'ouvreur détient une main non équilibrée en n'ayant que des couleurs quatrièmes (c'est-à-dire une main dont la distribution est 4-4-4-1), mais, d'une façon générale, le répondant peut présumer de ceci:

LA DÉDUCTION 5 - 4

Si l'ouvreur annonce une nouvelle couleur au niveau de deux, il dispose au moins de cinq cartes dans sa première couleur et au moins de quatre cartes dans sa deuxième couleur.

La déduction 5 - 4 est importante en ce qu'elle facilite très souvent les enchères du répondant. Par exemple:

L'OUVREUR	LE RÉPONDANT	♠ V 7 6 4
un cœur	un pique	♥ R 4 3
deux carreaux	?	♦ A R 2
		♣ D 6 3

Détenant 13 points, le répondant connaît le NIVEAU et songe à la manche. Quant à la COULEUR, il se sert de la déduction 5 - 4, en présumant que l'ouvreur dispose au moins de cinq cœurs. Puisqu'il connaît l'existence d'un fit magique dans la majeure, le répondant annonce quatre cœurs.

Voici un autre exemple:

L'OUVREUR	LE RÉPONDANT	♠ V 8 6 3
un cœur	un pique	♥ V 2
deux carreaux	?	♦ D 4
		♣ D 8 4 3 2

Comme il ne détient que 7 points, le répondant vise la meilleure manche partielle. Lorsqu'il décide de la COULEUR, le répondant déduit que l'ouvreur possède au moins une couleur cinquième à cœur. Le répondant annonce alors deux cœurs au lieu de passer, laissant ainsi l'ouvreur avec sa deuxième couleur. La formule qui permet de choisir entre les deux couleurs de l'ouvreur se nomme la préférence.

On ne se sert pas de la déduction 5 - 4 quand l'ouvreur annonce une nouvelle couleur au niveau de un. Par exemple:

L'OUVREUR	LE RÉPONDANT
un trèfle	un cœur
un pique	?

Dans ce cas, l'ouvreur peut avoir une main équilibrée parce que la deuxième question: «Puis-je annoncer une nouvelle couleur au niveau de un?» est posée avant la troisième: «Ai-je une main équilibrée?».

La redemande lorsque l'ouvreur annonce une couleur plus chère au niveau de deux

L'OUVREUR	LE RÉPONDANT
un carreau	un pique
deux cœurs	?

Ici, l'ouvreur fait une deuxième enchère invitative, car sa main n'est pas équilibrée. Afin de pouvoir utiliser la déduction 5 - 4, l'ouvreur doit posséder au moins cinq carreaux et au moins quatre cœurs. Sachant que la première couleur de l'ouvreur est plus longue que sa deuxième, le répondant redemande ainsi:

LA REDEMANDE DU RÉPONDANT SUR L'ANNONCE PAR L'OUVREUR D'UNE COULEUR PLUS CHÈRE AU NIVEAU DE DEUX

de 6 à 8 points: visez la meilleure manche partielle
- en ramenant l'ouvreur à sa première couleur si elle a votre préférence;
- en passant, si vous préférez sa deuxième couleur;
- en redemandant une couleur cinquième ou plus;
- en annonçant deux SA.

9 points ou plus: les choix sont connus;
- annoncez la manche si vous êtes sûr de la COULEUR:
- annoncez une nouvelle couleur si vous voulez plus de renseignements.

Par exemple, votre partenaire ouvre de un carreau et vous répondez un pique. Ensuite votre partenaire annonce deux cœurs. Que faites-vous de ces mains?

1.	♠ R 9 7 4	2.	♠ R 9 7 4 3 2	3.	♠ A V 6 2
	♥ 5 4		♥ 6 3		♥ 7 6 3
	♦ R 8 6		♦ 6 4		♦ 7 3
	♣ 9 8 7 3		♣ R 7 6		♣ R D 7 4

1. À QUEL NIVEAU? C'est la manche partielle. Avec 6 points seulement, la manche est aléatoire même si l'ouvreur détient 18 points.

À QUELLE COULEUR? C'est à carreau. En dépit du fait que vous ne possédiez que 6 points, ne passez pas, car vous ne tendez pas vers la meilleure manche partielle. Il est possible que votre partenaire détienne au moins cinq carreaux (la déduction 5 - 4); dans ce cas, votre meilleure redemande est trois carreaux, ce qui permettra à votre camp d'utiliser un fit magique.

2. À QUEL NIVEAU? C'est la manche partielle. (Peut-être la manche?) Ne détenant que 8 points, la manche est aléatoire si l'ouvreur n'a que 17 points. Elle est possible, toutefois, s'il compte 18 points. Un esprit conservateur présumera que le contrat devrait se jouer à la manche partielle.

À QUELLE COULEUR? C'est à pique. En ayant une couleur sixième, redemandez deux piques. Cette déclaration indique à votre partenaire que vous disposez de 6 à 8 points, de cinq piques au moins et que vous n'avez aucun soutien dans ses couleurs.

3. À QUEL NIVEAU? C'est la manche. En possédant 10 points, cela suffit pour la manche (10 + 17 = 27).

À QUELLE COULEUR? C'est à SA. Puisque l'ouvreur n'a pas soutenu votre couleur à pique et que vous ne pouvez soutenir convenablement ses propres couleurs, vous devez presque obligatoirement annoncer la manche, trois SA.

Remarque: Si le répondant a pour première réaction d'annoncer une nouvelle couleur au niveau de deux, c'est qu'il détient au moins 11 points. Si l'ouvreur signale une main intermédiaire de 17 ou 18 points, il doit exister suffisamment de forces combinées pour un contrat de manche. Puisque l'ouvreur le sait également, aucun des deux partenaires ne doit arrêter les enchères avant d'atteindre la manche. En conséquence, toute redemande du répondant en deçà de la manche est impérative.

La redemande du répondant sur le signalement d'une main maximale de l'ouvreur

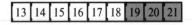

Si la deuxième enchère de l'ouvreur indique une main maximale (de 19 à 21 points), il déclare une enchère impérative pour la manche . En ce cas, il faut toujours avoir assez de forces combinées pour un contrat de manche, même si le répondant n'a que six points. Celui-ci doit toujours s'assurer que les enchères conduisent à un contrat de manche.

Comment le répondant peut-il être certain que l'ouvreur signale une main maximale? Les deuxièmes enchères suivantes de l'ouvreur indiquent une main maximale sur une annonce au niveau de un du répondant:

	L'OUVREUR	LE RÉPONDANT
• Une deuxième enchère à saut dans une nouvelle couleur (une enchère à saut)	un cœur **trois trèfles**	un pique
• Une deuxième enchère à saut à SA	un cœur **deux SA**	un pique
• Un saut à la manche dans une majeure ou à SA	un cœur **quatre cœurs**	un pique

Puisque le camp totalise assez de points pour la manche, la réponse à la question À QUEL NIVEAU? est claire: c'est la manche. Pour décider de la couleur, il ne reste au répondant qu'à spécifier si oui ou non il y a un fit magique dans une majeure. Comme l'ouvreur et le répondant savent qu'ils visent la manche, toute annonce inférieure à la manche est impérative pour la manche et cela même s'il se répète une couleur déjà mentionnée au niveau de trois. Cela facilite sensiblement la tâche du répondant et il redemande comme suit:

LA REDEMANDE DU RÉPONDANT SUR LE SIGNALEMENT D'UNE MAIN MAXIMALE DE L'OUVREUR

- Annoncez la manche si vous êtes certain de la COULEUR.
- Répétez une couleur déjà mentionnée (la deuxième enchère de l'ouvreur est impérative pour la manche) ou alors, annoncez une nouvelle couleur si vous ne savez pas À QUELLE COULEUR jouer le contrat.

Sachez que si l'ouvreur saute au niveau de trois dans une nouvelle couleur, il lui faut détenir au moins une couleur cinquième dans sa première couleur (déduction 5 - 4).

Voici quelques exemples. Votre partenaire ouvre de un cœur et vous répondez un pique. Ensuite votre partenaire dit trois trèfles. Que faites-vous avec chacune de ces mains?

1. ♠ R974   2. ♠ DV52   3. ♠ R7643
   ♥ 54   ♥ R73   ♥ 63
   ♦ R863   ♦ 743   ♦ 643
   ♣ 983   ♣ 863   ♣ R72

1. À QUEL NIVEAU? C'est la manche. Même si vous ne possédez que 6 points, ne passez pas, car votre partenaire a annoncé une enchère impérative pour la manche.

   À QUELLE COULEUR? C'est à SA. Comme votre partenaire n'a pas soutenu votre couleur, vous n'avez pas de fit magique dans la majeure à pique. À moins que votre partenaire n'ait une couleur sixième ou plus à cœur, vous n'avez pas plus de fit magique dans la majeure à cœur. Redemandez trois SA.

2. À QUEL NIVEAU? C'est la manche. Ici aussi, vous disposez de 6 points, mais l'annonce de l'ouvreur est impérative pour la manche.

   À QUELLE COULEUR? C'est à cœur. Puisque votre partenaire doit posséder au moins cinq cœurs (déduction 5 - 4), redemandez quatre cœurs.

3. À QUEL NIVEAU? C'est la manche. Dans ce cas-ci, vous détenez 8 points. Envisagez la manche.

   À QUELLE COULEUR? L'ouvreur vous a refusé un soutien quatrième à pique en ne vous soutenant pas, mais il est possible qu'il détienne un soutien troisième. Redemandez trois piques et donnez l'occasion à l'ouvreur de soutenir votre couleur.

La dernière partie des enchères

Si les enchères se poursuivent au-delà de la redemande du répondant, le camp est fort probablement sur le chemin de la manche ou même du chelem. Appliquez les principes qui, jusqu'à présent, ont guidé l'ouvreur et le répondant, et vous permettent de compléter les enchères. Plusieurs possibilités s'offrent à vous; c'est ce qui rend le bridge si fascinant. Avant d'aborder de nouvelles avenues, voyons cet exemple:

	L'OUVREUR	LE RÉPONDANT
	♠ A 10 3	♠ R V 7 6 5
	♥ R D 8	♥ A V 5
	♦ V 8 7 4	♦ 2
	♣ R V 3	♣ A 9 5 4
Les enchères	un carreau	un pique
	un SA	deux trèfles
	deux piques	quatre piques

Détenant 14 points, l'ouvreur annonce d'abord sa couleur la plus longue. Le répondant peut déclarer une nouvelle couleur au niveau de un et c'est ce qu'il fait. Après quoi, l'ouvreur signale sa force minimale et une distribution équilibrée en disant un SA. Le répondant sait que son camp dispose d'assez de forces combinées pour la manche, mais n'est pas certain qu'il y a un fit magique dans la majeure. Par conséquent, il annonce une nouvelle couleur, une enchère impérative pour la manche dans le but d'obtenir le plus de renseignements possible.

Comme l'ouvreur a déjà décrit une main équilibrée et n'a pas souligné un soutien quatrième à pique, il lui est possible d'annoncer un soutien troisième dans la couleur du répondant. Cela fournit au répondant les renseignements requis pour conclure un contrat définitif.

Qu'arrive-t-il si l'on modifie quelque peu la main de l'ouvreur?

	L'OUVREUR	LE RÉPONDANT
	♠ A 3	♠ R V 7 6 5
	♥ R D 8	♥ A V 5
	♦ V 10 8 7 4	♦ 2
	♣ R V 3	♣ A 9 5 4
Les enchères:	un carreau	un pique
	un SA	deux trèfles
	deux carreaux	trois SA

En vérité, nos enchères deviennent de plus en plus recherchées! Souvenez-vous que les adversaires ont été bien sages jusqu'à présent. La deuxième partie de ce livre expose ce qui advient quand les deux camps se font concurrence pour gagner le contrat.

Résumé

Lorsque la deuxième enchère de l'ouvreur indique une main intermédiaire (17 ou 18 points), le répondant redemande comme suit:

LA REDEMANDE DU RÉPONDANT QUAND L'OUVREUR SIGNALE UNE MAIN INTERMÉDIAIRE

- de 6 à 8 points: choisissez la meilleure manche partielle.

- 9 points ou plus: annoncez la manche ou faites une enchère impérative pour la manche dans une nouvelle couleur.

Lorsque la deuxième enchère de l'ouvreur signale une main maximale (de 19 à 21 points), le répondant redemande comme suit:

LA REDEMANDE DU RÉPONDANT QUAND L'OUVREUR SIGNALE UNE MAIN MAXIMALE

- 6 points ou plus: annoncez la manche ou faites une enchère descriptive; poursuivez les enchères jusqu'à ce que la manche soit atteinte.

Quand le répondant ignore si sa redemande sera impérative ou non, il lui est toujours loisible d'**annoncer une nouvelle couleur**.

Exercices

1. Votre partenaire ouvre les enchères de un carreau. Vous répondez un cœur. Ensuite votre partenaire soutient à trois cœurs. Quelle est votre redemande avec chacune de ces mains?

a.	b.	c.	d.
♠ V 9 4 3	♠ A 6 3	♠ 7 2	♠ 8 3
♥ R V 3 2	♥ R 9 8 2	♥ R V 9 3	♥ V 8 7 3
♦ V 9 4	♦ 7 3	♦ A D 3	♦ A D 7 5 3
♣ 9 2	♣ R V 7 3	♣ R 9 7 3	♣ 9 3

2. Votre partenaire ouvre de un cœur, vous répondez un pique et votre partenaire annonce trois cœurs. Que faites-vous ensuite avec chacune de ces mains?

a. ♠ V 9 5 3   b. ♠ D 9 8 5   c. ♠ R 10 9 5 2   d. ♠ A D 9 3
♥ D 4 2   ♥ A 5   ♥ 2   ♥ 7
♦ D 10 9 8   ♦ R 7 6 3   ♦ A 7 5 4   ♦ D V 9 8 4
♣ V 10   ♣ 8 7 3   ♣ D 6 3   ♣ R 7 3

3. Votre partenaire ouvre de un cœur et vous répondez un pique. Ensuite votre partenaire annonce trois carreaux. Quelle est votre redemande avec chacune de ces mains?

a. ♠ A 7 4 2   b. ♠ V 7 6 5 3 2   c. ♠ A V 6 2   d. ♠ R D 6 5 2
♥ 7 3   ♥ 5 3   ♥ 5 3 2   ♥ 9 3
♦ R 9 8   ♦ 8 3   ♦ R 8 3   ♦ D 5 2
♣ D 7 6 2   ♣ A 5 3   ♣ D 9 3   ♣ 9 8 5

4. Votre partenaire ouvre de un pique et vous répondez un SA. Ensuite votre partenaire annonce trois piques. Que faites-vous avec chacune de ces mains?

a. ♠ D 4   b. ♠ 3   c. ♠ D 3   d. ♠ V 2
♥ D 10 9 6 3   ♥ R 8 5   ♥ R D 3 2   ♥ R 9 3 2
♦ V 7 4   ♦ D V 8 4   ♦ 9 7 3 2   ♦ R 8 5 3 2
♣ V 9 7   ♣ D V 7 6 3   ♣ D 6 3   ♣ 9 2

5. Votre partenaire ouvre de un carreau, vous répondez un cœur et votre partenaire annonce deux SA. Quelle est votre redemande avec chacune de ces mains?

a. ♠ V 3 2   b. ♠ V 10   c. ♠ 6 3 2   d. ♠ R V 9 2
♥ A 10 9 8   ♥ A V 10 7 6 4   ♥ A D 5 4 3   ♥ A 9 7 5
♦ D 8   ♦ 8 3   ♦ 4 2   ♦ D 3
♣ V 8 3 2   ♣ V 4 2   ♣ 9 6 3   ♣ 9 7 2

DEUXIÈME PARTIE

LES ENCHÈRES
DE COMPÉTITION

XIII

Le contre

Découvrons maintenant le monde des enchères de compétition où les deux camps annoncent à tour de rôle. Avant d'y pénétrer, voyons, sur la marque, quelques notions importantes qui se rattachent aux enchères de compétition.

Les pénalités de levées de chute

Dans le chapitre 3, nous avons vu les conséquences résultant, par exemple, de votre contrat déclaré à quatre piques et qui ne fait pas dix levées. Votre contrat a chuté et vos adversaires obtiennent des points, ou primes de pénalité, pour chaque levée (de chute) qui a précipité la défaite de votre contrat. La pénalité est subordonnée à la vulnérabilité du camp défait et se calcule ainsi:

- vulnérable: 100 points pour chaque levée de chute
- non vulnérable: 50 points pour chaque levée de chute

Le contre

Il est possible d'alourdir les pénalités qui ont fait chuter le contrat des adversaires. Si le camp adverse déclare un contrat et donne l'impression de ne pouvoir le réaliser, au lieu de passer, dites *contre* à votre prochain tour d'annonce:

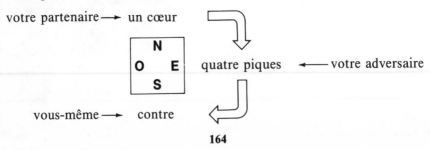

votre partenaire → un cœur

quatre piques ← votre adversaire

vous-même → contre

Voici quelques remarques importantes sur le contre.

- Contrer ne signifie pas nécessairement la fin des enchères. Comme toute autre annonce, le contre doit être suivi de trois passes avant de décider du contrat définitif.

- Vous ne pouvez contrer qu'à votre tour d'annonce.

- Vous ne pouvez contrer qu'une déclaration de votre adversaire et non une annonce de votre partenaire.

Le contre a pour effet de modifier la valeur des levées de chute. Si un contrat définitif est contré, les pénalités résultantes sont calculées ainsi:

- vulnérable: 200 points pour la première levée de chute
300 points pour chacune des levées de chute suivantes

- non vulnérable: 100 points pour la première levée de chute
200 points pour chacune des levées de chute suivantes

Par exemple, n'étant pas vulnérable, vous annoncez trois cœurs et vous chutez de trois levées. Vos adversaires obtiennent 150 points (50 + 50 + 50). Si le camp adverse contre le contrat définitif, il acquiert 500 points (100 + 200 + 200). Désastre! vos adversaires récoltent un surplus de 350 points pour avoir contré votre contrat! Cette façon d'agir se nomme un *contre de pénalité*. Le chapitre 17 traite d'une autre forme de contre.

La réalisation d'un contrat contré

Qu'arrive-t-il si vous complétez un contrat après avoir été contré? En ce cas:

- les points de levées du contrat sont doublés;

- une prime de 50 points est accordée (pour compenser la honte d'avoir été contré!);

- toute levée supplémentaire est marquée de cette façon:
  — vulnérable: 200 points pour chaque levée supplémentaire;
  — non vulnérable: 100 points pour chaque levée supplémentaire.

Par exemple, si vous réalisez un contrat à trois cœurs après avoir été contré par vos adversaires, vous obtenez les points suivants:

Points de levée (2 × 90)	180
+ Points de prime pour une manche non vulnérable	300
+ Points de prime en guise de compensation	50
= Marque totale	530

Veuillez noter que le contre transforme votre manche partielle à trois cœurs en un contrat de manche puisque les points de levées ont été doublés, vous accordant ainsi plus de 100 points si vous le réalisez. Un contre est une arme à double tranchant: il augmente le nombre de points que vous pouvez gagner, mais aussi celui que vous pouvez perdre.

Le surcontre

On utilise rarement le surcontre. Si vous avez été contré et conservez l'espoir de pouvoir réussir votre contrat, au lieu de passer, dites *surcontre* à votre prochain tour d'annonce.

Voici quelques remarques importantes sur le surcontre:
- Surcontrer ne signifie pas nécessairement la fin des enchères. Comme toute autre annonce, le surcontre doit être suivi de trois passes avant de décider du contrat définitif.
- Vous ne pouvez surcontrer qu'à votre tour d'annonce.
- Vous ne pouvez surcontrer que sur un contre.

Le surcontre a pour effet:
- de multiplier par deux le contre de pénalité si votre contrat chute;
- de multiplier par deux les points de levées contrées si vous honorez votre contrat.

Résumé

Vous pouvez marquer des points lorsque vous faites chuter les contrats de vos adversaires. Les points gagnés ou perdus peuvent être augmentés en *doublant* les pénalités du contrat définitif.

Exercices

1. Vous n'êtes pas vulnérable et vous annoncez un contrat à trois SA. Vous enlevez sept plis. Quelle est votre marque?

2. Vous êtes vulnérable et vous annoncez un contrat à quatre cœurs. Vos adversaires font chuter votre contrat de trois plis. Combien de points obtiennent-ils?

3. Vos adversaires ne sont pas vulnérables et annoncent un contrat à quatre piques. Vous contrez et ils n'enlèvent que huit plis. Combien de points obtenez-vous pour avoir fait chuter leur contrat?

4. Votre camp est vulnérable et vous décidez d'un contrat à quatre cœurs. Vos adversaires contrent et vous font chuter de deux plis. Combien de plis reçoivent-ils?

5. Vous n'êtes pas vulnérable et vous annoncez un contrat à deux cœurs. L'un de vos adversaires contre et vous parvenez à obtenir neuf levées. Quelle sera la marque?

XIV

L'intervention

Dans la partie A, nous avons passé en revue les enchères sans intervention adverse. Votre partenaire et vous avez ouvert les enchères et échangé des renseignements jusqu'au contrat définitif. Pendant tout ce temps, le camp adverse n'a réagi d'aucune façon. Nous allons voir à présent comment les deux camps annoncent leurs enchères en vue de réussir le contrat définitif.

Vous avez l'intention d'ouvrir les enchères, mais l'un de vos adversaires intervient. Que faites-vous? Vous pourriez, entre autres, aller de l'avant et annoncer votre propre couleur. Comme vous faites une *enchère* dans la ligne opposée à celle de l'ouverture, on lui donne le nom d'*intervention*.

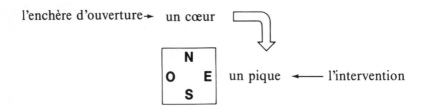

Vous pouvez également surenchérir à un SA. Dans ce cas, vous faites un intervention à SA.

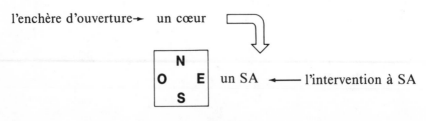

Pendant les enchères, chacun des deux partenaires peut en tout temps faire une intervention.

Par exemple:

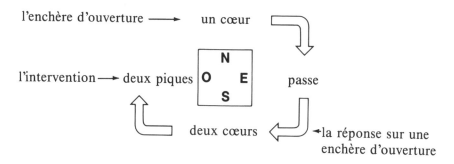

l'enchère d'ouverture ⟶ un cœur

l'intervention ⟶ deux piques

deux cœurs ⟵ la réponse sur une enchère d'ouverture

passe

Avant d'étudier les conditions favorables à une intervention, examinons les avantages et les risques de participer aux enchères quand le camp adverse a ouvert.

Les avantages

Plusieurs raisons vous autorisent à participer aux enchères même si les adversaires ont ouvert.

- Il vous est possible de décider d'un contrat de manche partielle ou de manche.
- Il vous est possible de faire obstacle aux échanges de renseignements entre vos deux adversaires.
- Il vous est possible d'entraîner vos adversaires vers un niveau de contrat trop élevé pour leurs forces existantes.
- Il vous est possible de communiquer à votre partenaire suffisamment de renseignements pour l'aider à faire chuter le contrat de vos adversaires.

Analysons successivement chacune de ces situations. Par exemple, votre adversaire de droite (*joueur de flanc droit*) ouvre de un trèfle et vous disposez de la main suivante:

♠ A R D V 7 6
♥ 7 3
♦ A 6 3
♣ 9 2

Vous pourriez fort probablement gagner au moins sept levées à pique comme atout, et même davantage, si votre partenaire possède une certaine force. Vous abstenir de participer aux enchères donne au camp adverse la latitude de proposer la couleur — soit trèfle, soit cœur — et votre main sera beaucoup moins efficace lors de la défense.

Si vous annoncez un pique, évaluez les répercussions que cette déclaration entraînera chez votre adversaire de gauche (*joueur de flanc gauche*). Supposons qu'il détienne la main suivante:

♠ 3
♥ R98732
♦ RV6
♣ 432

Sur l'annonce d'ouverture d'un trèfle de son partenaire, il a l'intention de proposer un cœur, nouvelle couleur au niveau de un. En annonçant un pique, vous l'en avez empêché. Comme il a moins de 11 points, il ne peut déclarer une nouvelle couleur au niveau de deux. Que pourrait-il faire? Annoncer un SA? Solution peu séduisante: votre camp emportera promptement les levées à pique. Comprenez-vous de quelle façon votre intervention à un pique peut rendre la situation de vos adversaires peu enviable?

Mettons, en outre, que votre partenaire dispose de quelque soutien en votre faveur et que les enchères se poursuivent ainsi:

NORD	EST	SUD	OUEST
(le donneur)	(vous-même)		
un trèfle	un pique	deux trèfles	deux piques
?			

Si vos adversaires choisissent trèfle comme atout, ils doivent annoncer trois trèfles. C'est manifestement trop élevé, puisqu'ils ne peuvent recueillir que huit levées. Par conséquent, plutôt que de laisser vos adversaires marquer des points en annonçant deux trèfles et en les réalisant, marquez vous-même 50 points (100 points s'ils sont vulnérables) en faisant chuter trois trèfles. Une alternative existe pour eux: vous laisser jouer deux piques et réaliser une manche partielle.

En dernier ressort, dans l'hypothèse où vos adversaires acceptent le contrat alors que votre partenaire est celui qui entame, il sera utile pour celui-ci de connaître dans une certaine mesure la composition de votre main.

Les risques

Même s'il y a des avantages à intervenir quand les adversaires ouvrent les enchères, il est parfois dangereux de le faire. L'ouvreur a signalé une main supérieure à la moyenne, au moins 13 points. Il a déjà commencé à décrire sa main à son partenaire alors que vous n'avez pas encore échangé de renseignements. Le partenaire de l'ouvreur se trouve dans une position stratégique pour contrer, si vous intervenez dans les enchères. Vous devez donc décider d'une manoeuvre sans rien connaître de la main de votre partenaire. Les risques les plus importants sont:

- La possibilité d'être contré (ou de voir votre contrat chuter sans être contré);
- La possibilité de transmettre à vos adversaires des renseignements utiles.

Ainsi, supposons que votre adversaire de flanc droit ouvre de un cœur, alors que vous détenez la main suivante:

♠ R V 7 3 2
♥ D 9
♦ 7 6 4
♣ R V 2

Si votre intervention est à un pique, cette annonce peut alerter vos adversaires et leur faire voir que vous détenez une certaine force, ce qui les aidera à décider du meilleur contrat ou à jouer leur main, sachant où sont situées les hautes cartes.

Supposons, par contre, que votre partenaire ne dispose que d'une force minimale et que, laissé seul, vous jouiez un pique. Vous chuterez probablement de plusieurs levées, alors que si vous n'intervenez pas, vos adversaires peuvent décider d'un contrat qu'il vous sera loisible de faire chuter en recueillant ainsi un certain nombre de points.

Votre adversaire de flanc gauche peut détenir une main telle celle-ci:

♠ A D 10 9 8
♥ 7 3
♦ A R 3
♣ D 5 4

Sachant que son partenaire a au moins 13 points, il peut vouloir contrer votre contrat:

NORD	EST	SUD	OUEST
(le donneur)	(vous-même)		
un cœur	un pique	contre	passe
passe	passe		

Si votre partenaire a une main faible (ce qui est fort probable!), vous risquez de n'enlevez que trois plis et de chuter de quatre plis. Si vous n'êtes pas vulnérable, la pénalité sera de 700 points (100 + 200 + 200 + 200). Mais si vous l'êtes, la pénalité montera à 1100 points (200 + 300 + 300 + 300)!

L'intervention

Comment évaluer les avantages et les risques d'une intervention? Vous pouvez atténuer les risques en vous assurant de détenir:

- une couleur cinquième ou plus;
- une force suffisante.

Plus votre couleur sera longue et moins votre adversaire aura la possibilité de vous contrer. Si vous possédez au moins une couleur cinquième, vous limitez les risques. Cela facilite en outre à votre partenaire la tâche de participer aux enchères, car s'il sait que vous détenez au moins cinq cartes, il ne devra annoncer qu'un soutien troisième.

Plus votre main est forte et plus vous ferez de levées, sans compter que votre intervention s'en trouvera davantage protégée. De plus, cette situation aide votre partenaire à prendre des décisions dont nous discuterons au chapitre suivant.

CONDITIONS PRÉALABLES À
UNE INTERVENTION

Disposer d'une couleur cinquième
ou plus
et
Avoir une main d'ouverture
(de 13 à 21 points).

Examinons quelques exemples. Votre adversaire de flanc droit ouvre les enchères de un carreau. Qu'annoncez-vous avec chacune des mains suivantes?

1. ♠ A D V 7 3   2. ♠ A 6 3   3. ♠ R 9 8 7 2   4. ♠ A 9 6 5 3
   ♥ A 2   ♥ R 2   ♥ D 8   ♥ D 5
   ♦ 7 4 3   ♦ 7 3   ♦ R V 6 3   ♦ 3
   ♣ D 9 2   ♣ A V 7 5 4 3 ♣ 7 3   ♣ A R 7 5 3

1. UN PIQUE Votre main chiffre à 14 points et vous détenez une couleur cinquième. Une intervention à un pique vous donnera le droit de préciser le contrat définitif. Votre partenaire comprendra votre annonce et le fait que vous disposez au moins de cinq piques.

2. DEUX TRÈFLES Avec ces 14 points, vous auriez pu ouvrir les enchères de un trèfle. Cependant, puisque vos adversaires ouvrent avant vous, votre intervention doit être à deux trèfles, indiquant une bonne couleur. Sachez que votre camp doit intervenir au niveau de deux.

3. PASSEZ Même si vous détenez une couleur cinquième, vous ne pouvez intervenir. Si vous annoncez alors que vous disposez d'une telle main, il y a danger que vos adversaires vous contrent et, en outre, que votre partenaire vous croie détenteur d'une main plus forte.

4. UN PIQUE Ayant une possibilité d'intervenir et détenant deux couleurs cinquièmes, agissez comme si vous deviez ouvrir les enchères. Annoncez votre couleur la plus chère, un pique.

L'intervention à un SA

Supposons que vous disposiez de la main suivante:

        ♠ R V 7 2
        ♥ A 9 4
        ♦ R D 4
        ♣ R V 2

Votre adversaire de flanc droit ouvre de un trèfle. Comme vous avez une main équilibrée de 17 points, vous décidez d'ouvrir de un SA.

Rien ne vous empêche de transmettre ce renseignement à votre partenaire en intervenant à un SA. Votre partenaire devrait comprendre ce message tout comme si vous aviez ouvert les enchères de un SA.

CONDITIONS PRÉALABLES À
UNE INTERVENTION À UN SA

Disposer de 16 à 18 points.

Détenir une main équilibrée.

Examinons quelques exemples. Votre adversaire de flanc droit ouvre de un coeur. Qu'annoncez-vous avec chacune des mains suivantes?

1. ♠ AR3	2. ♠ R3	3. ♠ 872	4. ♠ AD653
♥ AD2	♥ AV10	♥ AD8	♥ AV65
♦ A743	♦ 973	♦ RDV32	♦ 2
♣ V92	♣ AR543	♣ V3	♣ AV3

1. UN SA   Vous détenez une main équilibrée et disposez de 18 points.

2. UN SA   Votre main compte 16 points (15 PH plus un point pour la couleur cinquième à trèfle). Même si vous pouvez intervenir à deux trèfles avec votre couleur cinquième, une intervention à un SA donnera un meilleur aperçu de votre force. Votre partenaire sait que votre main de 16 à 18 points est équilibrée.

3. DEUX CARREAUX   Même si vous disposez d'une main équilibrée, vous ne détenez que 14 points. Contentez-vous d'une intervention à deux carreaux.

4. UN PIQUE   Quoique vous comptiez 14 points, votre main n'est pas équilibrée. Déclarez une intervention à un pique.

Le passe avec 13 points ou plus

Supposons que vous possédiez la main suivante:

♠ RV972
♥ D9
♦ R64
♣ RV2

Vous projetez d'ouvrir les enchères de un pique, mais votre adversaire de flanc droit déclare un pique. Comment réagissez-vous? Puisque votre adversaire a au moins quatre piques et qu'il se propose d'enlever 7 levées à pique comme atout, il serait illogique d'annoncer deux piques en vue d'un contrat de 8 levées à pique comme atout. Passez et demeurez sur la défensive. **Vous n'êtes nullement contraint d'intervenir pour la seule raison que vous pouvez ouvrir les enchères d'une couleur cinquième.** Vous ne devez pas intervenir dans la même couleur annoncée par votre adversaire.

Résumé

Quand vos adversaires ouvrent les enchères, vous pouvez annoncer en faisant une *intervention*.

CONDITIONS PRÉALABLES À
UNE INTERVENTION

Disposer d'une couleur cinquième
ou plus
et
Avoir une main d'ouverture
(de 13 à 21 points).

Vous pouvez aussi faire une intervention à un SA lorsque vous possédez la main qui vous permet d'ouvrir les enchères de un SA.

CONDITIONS PRÉALABLES À
UNE INTERVENTION À UN SA

Disposer de 16 à 18 points.

Détenir une main équilibrée.

Exercices

1. Votre adversaire de flanc droit ouvre de un carreau. Qu'annoncerez-vous avec chacune de ces mains?

a. ♠ A V 9 4 3   b. ♠ D V 6 3   c. ♠ A 7 2   d. ♠ D 4
   ♥ R V 3 2   ♥ 8 2   ♥ R 9   ♥ A D 9
   ♦ 9 4   ♦ A R 7 3   ♦ 9 6 3   ♦ R D 3
   ♣ A 2   ♣ D V 3   ♣ R D V 7 3   ♣ D V 9 7 6

e. ♠ 3   f. ♠ D 9 5   g. ♠ D 10 3 2   h. ♠ A 9 3
   ♥ R D 9 4 2   ♥ A 5   ♥ V 7 6 4 2   ♥ A 10 8 7
   ♦ D 8   ♦ R D 10 7 3   ♦ A 4   ♦ A V 6 3
   ♣ A D 10 7 5   ♣ V 8 3   ♣ R 3   ♣ 9 8

2. Les enchères se déroulent ainsi:

NORD	EST	SUD	OUEST
(vous-même)	(l'ouvreur)		
—	un pique	passe	deux carreaux
?			

Vous êtes le Nord. Que faites-vous avec chacune de ces mains?

a. ♠ A42   b. ♠ RV764   c. ♠ V2
♥ RDV973   ♥ AD   ♥ A32
♦ 98   ♦ 83   ♦ R8
♣ D2   ♣ A953   ♣ ARV753

XV

La réponse sur une intervention au niveau de un

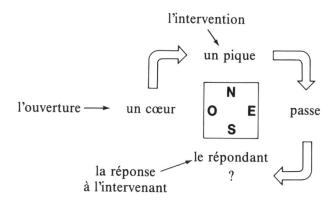

l'intervention

un pique

l'ouverture ⟶ un cœur

N
O   E
S

passe

le répondant
?

la réponse
à l'intervenant

Quand votre partenaire fait une intervention au niveau de un, vous savez qu'il détient:

- une couleur cinquième ou plus

- une main d'ouverture (de 13 à 21 points)

Par conséquent, quand vous répondez sur une intervention de votre partenaire, faites comme si c'était une annonce d'ouverture. Posez-vous les quatre questions suivantes:

LES QUATRE QUESTIONS DU RÉPONDANT

1. PUIS-JE SOUTENIR LA MAJEURE DE MON PARTENAIRE?
2. AI-JE UNE MAIN FAIBLE (DE 0 À 5 POINTS)?
3. PUIS-JE ANNONCER UNE NOUVELLE COULEUR AU NIVEAU DE UN?
4. AI-JE UNE MAIN MINIMALE (DE 6 À 10 POINTS)?

De petits réajustements peuvent se révéler nécessaires parce que votre partenaire a signalé une couleur cinquième et votre adversaire de flanc gauche a ouvert. Voyons comment procéder en pareil cas:

Première question

┌───┐
│ PUIS-JE SOUTENIR LA MAJEURE DE MON PARTENAIRE ?   │
└───┘

Comme votre partenaire vous indique qu'il possède au moins une couleur cinquième, **il ne vous faut, pour soutenir, qu'une couleur troisième** (5 + 3 = 8). Si vous détenez un soutien troisième ou plus, réévaluez votre main avec les points du mort et relancez au niveau approprié.

Choisissez le NIVEAU et soutenez comme si votre partenaire avait ouvert les enchères.

LE SOUTIEN DE LA MAJEURE
DE L'INTERVENANT

POINTS DU MORT	ANNONCE	
0 à 5:	passez ⬟ARRÊT	La manche est aléatoire; arrêtez alors à la manche partielle la moins chère.
6 à 10:	soutenez au niveau de deux ▼	La manche est possible si votre partenaire possède une main intermédiaire (17 ou 18 points) ou une main maximale (de 19 à 21 points).
11 ou 12:	soutenez au niveau de trois ▼	La manche est presque certaine à moins que votre partenaire ne possède que 13 ou 14 points.
13 à 16:	soutenez au niveau de quatre ▼	Annoncez la manche, car il existe au moins 26 points combinés.

Si les enchères débutent ainsi:

NORD	EST	SUD	OUEST
(le donneur)			(vous-même)
un carreau	un cœur	passe	?

Vous êtes l'Ouest. Que répondez-vous avec chacune de ces mains?

1. ♠ 9 4 3	2. ♠ R 6 3	3. ♠ A 7 2	4. ♠ —
♥ V 6 3 2	♥ R 8 2	♥ D 9 4 2	♥ A V 9
♦ D 9 4	♦ 9 8 7 4 3	♦ 3	♦ R 9 7 6 3
♣ V 7 2	♣ V 3	♣ D V 8 7 3	♣ D V 9 7 6

1. PASSEZ   Même si vous pouvez soutenir la majeure de votre partenaire avec une couleur quatrième, la manche est fort peu probable avec quatre points du mort uniquement.

2. DEUX CŒURS   Dans ce cas-ci, vous disposez d'un soutien troisième; cela est suffisant, car votre partenaire détient au moins cinq cartes. Votre main compte 8 points du mort (7 PH plus un point pour le doubleton à trèfle). Soutenez à deux cœurs. Votre partenaire sera alors en mesure de poursuivre jusqu'à la manche s'il est maximum (de 19 à 21 points) ou de faire une annonce invitative en signalant trois cœurs s'il est intermédiaire (17 ou 18 points).

3. TROIS CŒURS   Vous possédez un soutien quatrième et 12 points du mort (9 PH plus trois points pour le singleton à carreau). La manche est probable; alors faites une enchère invitative à trois cœurs. Votre partenaire ne la refusera que s'il n'a que 13 ou 14 points.

4. QUATRE CŒURS   Détenant un soutien troisième et une main se chiffrant à 16 points du mort (11 PH plus cinq points pour la chicane à pique), vous devez posséder assez de forces combinées pour la manche.

Deuxième question

AI-JE UNE MAIN FAIBLE (DE 0 À 5 POINTS)?

Si oui, passez. La manche est improbable. Si les enchères suivantes débutent ainsi:

NORD	EST	SUD	OUEST
(le donneur)			(vous-même)
un trèfle	un cœur	passe	?

Vous êtes l'Ouest. Après vous être posé les deux premières questions, comment répondez-vous si vous détenez chacune de ces mains?

1. ♠ R 7 4 3	2. ♠ D 8 4 3	3. ♠ R V 8 7 2
♥ 3 2	♥ R 9 8 2	♥ 4 2
♦ D 7 5 4	♦ 3	♦ 5 3
♣ 9 8 2	♣ 9 7 6 3	♣ R 9 8 7

1. PASSEZ   Vous ne pouvez soutenir la majeure de votre partenaire et vous ne détenez que 5 points. Passez pour empêcher votre partenaire d'annoncer trop haut.

2. DEUX CŒURS   Vous pouvez soutenir la majeure de votre partenaire avec votre couleur quatrième. Si vous réévaluez votre main avec les points du mort, vous chiffrez à 8 points (5 PH plus trois points pour le singleton). Cela suffit à soutenir votre partenaire à deux cœurs.

3. Vous êtes incapable de soutenir la majeure de votre partenaire et votre main n'est pas faible (8 points). C'est le moment de vous poser la question suivante.

Troisième question

> ## PUIS-JE ANNONCER UNE NOUVELLE COULEUR
> ## AU NIVEAU DE UN?

Si possible, annoncez la couleur quatrième appropriée ou plus. Si les enchères se déroulent ainsi:

NORD	EST	SUD	OUEST
(le donneur)			(vous-même)
un trèfle	un cœur	passe	?

Étant l'Ouest, servez-vous des trois premières questions pour formuler votre réponse avec chacune de ces mains:

1. ♠ A D 8 4 3	2. ♠ R 9 8 4 3	3. ♠ R 9 7 3 2	4. ♠ V 9 4
♥ 3 2	♥ 8 2	♥ R 4 2	♥ 7 4
♦ 9 4	♦ 8 7 4 3	♦ D 5 3	♦ R 9 7 6
♣ R V 8 2	♣ 7 3	♣ V 8	♣ R V 9 3

1. UN PIQUE   Vous ne pouvez soutenir la majeure de votre partenaire et vous ne possédez pas une main faible (de 0 à 5 points). Annoncez une nouvelle couleur au niveau de un: un pique.

2. PASSEZ   Avec 4 points seulement, vous ne disposez pas de forces suffisantes pour annoncer autre chose; passez.

3. DEUX CŒURS   Avec un soutien troisième et 10 points du mort, soutenez au niveau approprié: deux cœurs. Ne vous souciez pas de chercher un deuxième fit magique dans la majeure, un seul suffit.

4. Vous ne pouvez soutenir la majeure de votre partenaire; vous ne disposez pas d'une main faible et vous ne pouvez annoncer une nouvelle couleur au niveau de un. C'est le moment de vous poser la quatrième question.

Quatrième question

AI-JE UNE MAIN MINIMALE (DE 6 À 10 POINTS)?

Si oui, vous détenez de 6 à 10 points. Puisque vous ne pouvez soutenir la majeure de votre partenaire ni annoncer une nouvelle couleur au niveau de un, vous n'avez que ces deux choix:

- soutenir la mineure de votre partenaire ▼ ;
- annoncer un SA ▼ .

Vous pouvez soutenir la mineure de votre partenaire avec votre couleur troisième au niveau de deux. Sinon il ne vous reste que la réponse «fourre-tout» de un SA.

Dans l'exemple suivant, les enchères se déroulent ainsi:

NORD	EST	SUD	OUEST
(le donneur)			(vous-même)
un trèfle	un carreau	passe	?

Étant l'Ouest, que répondez-vous avec chacune de ces mains?

1. ♠ R 4 3   2. ♠ R 4 3   3. ♠ R D 3
   ♥ D 3 2   ♥ 8 2   ♥ R 7 4
   ♦ D 4   ♦ R 7 4 3   ♦ 9 7 6
   ♣ V 9 7 4 2 ♣ V 8 7 3   ♣ A D V 9

1. UN SA   Pouvez-vous soutenir la majeure de votre partenaire?
   Non, car il ne l'a pas annoncée. Disposez-vous d'une main faible
   (de 0 à 5 points)? Non, vous comptez 9 points (8 PH plus un
   point pour la couleur cinquième à trèfle). Pouvez-vous annoncer
   une nouvelle couleur au niveau de un? Non, vous n'en possédez
   aucune. Avez-vous une main minimale (de 6 à 10 points)? Oui,
   car vous détenez 9 points. Comme vous n'avez que deux cartes
   dans la mineure de votre partenaire, répondez un SA.

2. DEUX CARREAUX   Vous ne pouvez soutenir la majeure de votre
   partenaire, car vous n'avez pas de 0 à 5 points et ne pouvez annoncer une nouvelle couleur au niveau de un. Vous avez une
   main minimale (7 points) et vous pouvez soit soutenir la mineure
   de votre partenaire, soit annoncer un SA. Pour soutenir, il ne
   vous faut qu'un soutien troisième et vous en possédez plus qu'il
   n'est nécessaire. Soutenez votre partenaire à deux carreaux.

3. Vous ne pouvez soutenir la majeure de votre partenaire; vous ne
   possédez pas moins de 6 points et il vous est également impossible d'annoncer une nouvelle couleur au niveau de un. De plus,
   vous ne détenez pas une main minimale (vous avez 15 points).
   Qu'arrive-t-il si vous répondez par la négative aux quatre questions?

Le choix définitif

Si c'est le cas, vous devez détenir au moins 11 points. Comme votre
partenaire en a au moins 13, vous n'êtes pas loin de la manche. Si
votre partenaire fait une intervention au niveau de un, vous devez
répondre comme s'il avait ouvert à ce même niveau:

- Soutenir l'intervention de la mineure de votre partenaire au
  niveau de trois ou au niveau de la manche (trois SA);

- Annoncer une nouvelle couleur au niveau de deux.

Soutenir la mineure de votre partenaire au niveau de trois est une
enchère invitative et indique:

- un soutien troisième ou plus dans la mineure de votre
  partenaire;

- un avoir de 11 ou 12 points ▼ .

Un saut à trois SA sur une intervention en mineure de votre
partenaire est une enchère invitative et signale:

- un soutien troisième ou plus dans la mineure de votre partenaire;

- un avoir de 13 à 16 points ♥ .

Une nouvelle couleur au niveau de deux est une enchère impérative et signale:

- une couleur quatrième ou plus;

- un avoir de 11 points ou plus (AVANCEZ) .

Examinons quelques exemples. Les enchères se déroulent ainsi:

NORD	EST	SUD	OUEST
(le donneur)			(vous-même)
un carreau	un pique	passe	?

Étant l'Ouest, que répondez-vous avec chacune de ces mains?

1.	♠ A 7	2.	♠ R D
	♥ 8 6 2		♥ D 10 9 7 2
	♦ 7 6 3		♦ 9
	♣ A R V 4 3		♣ R 7 6 3 2

1. DEUX TRÈFLES   Vous ne pouvez soutenir la majeure de votre partenaire, car vous n'avez pas une main faible; vous ne pouvez annoncer une nouvelle couleur au niveau de un et vous ne détenez pas une main minimale (vous avez 13 points). Répondez deux trèfles, une nouvelle couleur au niveau de deux.

2. DEUX CŒURS   Pouvez-vous soutenir la majeure de votre partenaire? Non, votre soutien n'est que de 2 cartes. Possédez-vous une main faible? Non, vous détenez 12 points (10 PH plus deux points pour les deux couleurs cinquièmes). Pouvez-vous annoncer une nouvelle couleur au niveau de un? Non, car il ne vous reste aucune latitude. Disposez-vous d'une main minimale? Non puisque vous chiffrez à 12 points. Comme vous avez un choix de couleurs au niveau de deux, annoncez la plus chère et répondez deux cœurs.

Voici d'autres exemples:

NORD	EST	SUD	OUEST
(le donneur)			(vous-même)
un trèfle	un carreau	passe	?

Étant l'Ouest, que répondez-vous avec chacune de ces mains?

3.   ♠ A 7 6   4.   ♠ A D 8
     ♥ 4 2   ♥ 7 3 2
     ♦ R V 4 3   ♦ A V 7 2
     ♣ R 8 7 3   ♣ R 9 8

3. TROIS CARREAUX   Vous ne pouvez soutenir la majeure de votre
   partenaire, car vous n'avez pas moins de 6 points; vous ne pouvez
   annoncer une nouvelle couleur au niveau de un et vous ne
   détenez pas une main minimale (vous avez 11 points). En répondant trois carreaux, vous signalez à votre partenaire que vous
   disposez de 11 ou de 12 points et d'une couleur troisième ou plus
   à carreau.

4. TROIS SA   Vous ne pouvez soutenir la majeure de votre partenaire, car votre main n'est pas faible; vous ne pouvez annoncer
   une nouvelle couleur au niveau de un et votre main n'est pas
   minimale. Vous avez 14 points, somme trop haute pour soutenir
   votre partenaire au niveau de trois. Par conséquent, répondez
   trois SA, signalant ainsi une main de 13 à 16 points et un soutien
   au moins troisième dans la mineure de votre partenaire.

Sur une intervention à un SA

Quand votre partenaire intervient à un SA, il signale une main
équilibrée de 16 à 18 points. Par conséquent, votre réponse doit être
exactement celle que vous feriez si votre partenaire avait ouvert de un
SA (voir chapitre 5). Seule différence: vous ne choisissez pas la
couleur de vos adversaires comme atout.

LES RÉPONSES SUR UNE INTERVENTION À UN SA

de 0 à 7 points:	annoncez deux carreaux, deux cœurs ou deux piques si votre couleur est cinquième ou plus. Sinon, passez.
8 ou 9 points:	annoncez deux SA (ou deux trèfles*).
de 10 à 14 points:	annoncez quatre cœurs ou quatre piques si votre majeure est sixième ou plus. Répondez trois cœurs ou trois piques si votre majeure est cinquième (ou deux trèfles si votre majeure est quatrième*). Sinon, répondez trois SA.

* La réponse «deux trèfles» est expliquée au chapitre 20.

Si les enchères se déroulent ainsi:

NORD	EST	SUD	OUEST
(le donneur)			(vous-même)
un carreau	un SA	passe	?

Vous êtes l'Ouest. Que répondez-vous avec chacune de ces mains?

1. ♠ R 4 3	2. ♠ R V 6 4 3	3. ♠ A D 8 6 3	4. ♠ 3
♥ V 4 2	♥ 4 2	♥ 3 2	♥ 10 9 8 6 4 3
♦ 8 5 3	♦ 4 3	♦ 5 3	♦ A 7 4
♣ V 7 6 2	♣ D 8 7 3	♣ A 8 7 2	♣ A 4 2

1. PASSEZ   Vous n'avez que 5 points; il n'y a pas assez de forces combinées pour la manche. Ne détenant pas de couleur cinquième, passez. Le contrat définitif sera à un SA.

2. DEUX PIQUES   Vous n'avez que 7 points; cela ne vous permet pas d'espérer la manche. Vous avez une couleur cinquième: annoncez deux piques. Si votre partenaire a trois piques ou plus, vous aurez un fit magique dans la majeure. Même si votre partenaire n'a qu'une couleur deuxième, un fit de 7 cartes devrait se révéler suffisant.

3. TROIS PIQUES   Vous avez 11 points; il devrait y avoir suffisamment de forces combinées pour la manche. Si vous annoncez trois piques, une enchère impérative pour la manche, vous saurez si votre partenaire détient un soutien troisième ou non. Au cas où il dispose d'un soutient troisième ou plus à pique, il annoncera quatre piques. Sinon il répondra trois SA.

4. QUATRE CŒURS   En comptant 10 points (8 PH plus deux points pour la couleur sixième à cœur), les points combinés sont suffisants pour viser la manche. Puisque votre partenaire doit posséder au moins deux cœurs, annoncez quatre cœurs et tenez pour certain un fit magique dans la majeure.

Résumé

Si votre partenaire intervient au niveau de un à la couleur, vous pouvez cerner la réponse en vous posant les quatre questions du répondant.

Première question: PUIS-JE SOUTENIR LA MAJEURE DE MON PARTENAIRE? (Vous n'avez besoin que d'un soutien troisième.)

Si votre réponse est POSITIVE, réévaluez votre main en utilisant les points du mort et soutenez au niveau approprié.

LES POINTS DU MORT		LE NIVEAU APPROPRIÉ
As	4 points	0 à 5 points: passez;
Roi	3 points	6 à 10 points: soutenez au
Dame	2 points	niveau de deux;
Valet	1 point	11 à 12 points: soutenez au
		niveau de trois;
Chicane	5 points	13 à 16 points: soutenez au
Singleton	3 points	niveau de quatre.
Doubleton	1 point	

Si votre réponse est NÉGATIVE, posez-vous la question suivante:

Deuxième question: AI-JE UNE MAIN FAIBLE (DE 0 À 5 POINTS)?

Si votre réponse est POSITIVE, passez.

Si votre réponse est NÉGATIVE, posez-vous la question suivante:

Troisième question: PUIS-JE ANNONCER UNE NOUVELLE COULEUR AU NIVEAU DE UN?

Si votre réponse est POSITIVE, annoncez au niveau approprié.

Si votre réponse est NÉGATIVE, posez-vous la question suivante:

Quatrième question: AI-JE UNE MAIN MINIMALE (DE 6 À 10 POINTS)?

Si votre réponse est POSITIVE:
- soutenez la mineure de l'ouvreur au niveau de deux si vous possédez un soutien troisième ou plus;
- annoncez un SA.

Si votre réponse est NÉGATIVE:
- soutenez la mineure de l'ouvreur au niveau de trois si vous détenez 11 ou 12 points et un soutien troisième ou plus;
- soutenez la mineure de l'ouvreur au niveau de la manche (trois SA) si vous possédez de 13 à 16 points et un soutien troisième ou plus;

• annoncez une nouvelle couleur au niveau de deux.

Si votre partenaire intervient à un SA, vous pouvez répondre comme s'il avait ouvert à un SA.

LES RÉPONSES SUR UNE INTERVENTION À UN SA

de 0 à 7 points: annoncez deux carreaux, deux cœurs ou deux piques si votre couleur est cinquième ou plus. Sinon, passez.

8 ou 9 points: annoncez deux SA (ou deux trèfles*).

de 10 à 14 points: annoncez quatre cœurs ou quatre piques si votre majeure est sixième ou plus. Répondez trois cœurs ou trois piques si votre majeure est cinquième (ou deux trèfles si votre majeure est quatrième*). Sinon, répondez trois SA.

---

* La réponse Stayman «deux trèfles» est expliquée au chapitre 20.

Exercices

1. Les enchères se déroulent ainsi:

NORD	EST	SUD	OUEST
un carreau	un cœur	passe	?

Étant l'Ouest, servez-vous des quatre questions du répondant pour cerner votre réponse avec chacune de ces mains:

a. ♠ V983	b. ♠ R9843	c. ♠ 732	d. ♠ 43
♥ V832	♥ R82	♥ R942	♥ A74
♦ D94	♦ 83	♦ A73	♦ AR976
♣ 52	♣ V73	♣ RV8	♣ R83

e. ♠ V9853	f. ♠ R9843	g. ♠ 732	h. ♠ R43
♥ 2	♥ 82	♥ R2	♥ A4
♦ V94	♦ R83	♦ D97	♦ 9876
♣ V652	♣ V73	♣ RV862	♣ AR32

i. ♠ 83
    ♥ 32
    ♦ D 9 4
    ♣ A R V 10 5 2

j. ♠ R D 6 3
    ♥ 8 2
    ♦ 9 8 3
    ♣ A R V 3

2. Votre adversaire de flanc gauche couvre de un cœur et votre partenaire intervient à un SA. Si votre adversaire de flanc droit passe, quelle sera votre réponse avec chacune de ces mains?

a. ♠ D 9 8 3
    ♥ 9 8
    ♦ V 9 4
    ♣ D 8 7 2

b. ♠ 9 7
    ♥ V 8 2
    ♦ R 10 8 7 4 3
    ♣ 7 3

c. ♠ A V 7 3 2
    ♥ 2
    ♦ R D 7 3 2
    ♣ V 8

d. ♠ V 3
    ♥ 4 3
    ♦ A R 8 4 3
    ♣ D 9 8 3

XVI

La réponse sur une intervention au niveau de deux

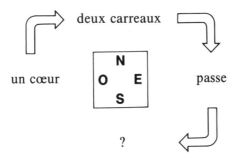

deux carreaux

un cœur   N
          O   E   passe
            S

?

Lorsque votre partenaire intervient au niveau de deux, vous savez qu'il détient:

- une couleur cinquième ou plus **et**
- une main d'ouverture (de 13 à 21 points).

Vous répondez comme à une enchère d'ouverture, **sauf que la première annonce de votre camp est au niveau de deux.** Cette manoeuvre restreint votre choix dans l'éventail des enchères. Cependant, vous pouvez encore vous servir des quatre questions du répondant pour formuler votre réponse.

LES QUATRE QUESTIONS DU RÉPONDANT

1. PUIS-JE SOUTENIR LA MAJEURE DE MON PARTENAIRE?
2. AI-JE UNE MAIN FAIBLE (DE 0 À 5 POINTS)?
3. PUIS-JE ANNONCER UNE NOUVELLE COULEUR AU NIVEAU DE UN?
4. AI-JE UNE MAIN MINIMALE (DE 6 À 10 POINTS)?

Première question

┌───┐
│ PUIS-JE SOUTENIR LA MAJEURE DE MON PARTENAIRE?   │
└───┘

À l'instar de la réponse à une intervention au niveau de un, il ne vous faut qu'un soutien troisième (5 + 3 = 8). Si vous l'avez, ou si vous avez plus, réévaluez votre main en utilisant les points du mort.

Lorsque vous fixez le NIVEAU de votre soutien, souvenez-vous que vous n'avez pas assez de latitude pour indiquer toutes les possibilités des échelles de points. Actuellement, vous êtes au niveau de deux et un soutien au niveau de deux signale de 6 à 10 points avec la probabilité de passer. Servez-vous de ce tableau comme guide:

┌──┐
│ LE SOUTIEN DE LA MAJEURE   │
│   DE L'INTERVENANT   │
│   │
│ POINTS DU   ANNONCE   │
│   MORT   │
│   │
│   0 à 10:   passez ⬡ARRÊT   │
│ 11 ou 12 points: soutenez au   ▼   │
│   niveau de trois   │
│   │
│ 13 à 16 points: soutenez au   ▼   │
│   niveau de   │
│   quatre   │
└──┘

La manche est aléatoire.

La manche est probable à moins que votre partenaire n'ait que 13 ou 14 points.

Annoncez la manche, car il existe au moins 26 points combinés.

Si les enchères débutent ainsi:

NORD	EST	SUD	OUEST
(le donneur)			(vous-même)
un pique	deux cœurs	passe	?

Vous êtes l'Ouest. Que répondez-vous avec chacune de ces mains?

1.	♠ R 4 3	2.	♠ R D 4 3	3.	♠ A 7 2	4.	♠ A D 9
	♥ V 6 3 2		♥ R V 2		♥ A 4 2		♥ 6 5
	♦ D 9 4		♦ 9 8 7 4 3		♦ 5 3		♦ R 9 6 3
	♣ V 7 2		♣ 3		♣ R V 8 7 3		♣ D V 7 6

1. PASSEZ Même si vous disposez d'un soutien quatrième dans la majeure de votre partenaire et de 7 points du mort, passez. Vous

ne manquerez qu'une manche si votre partenaire jouit d'une main maximale (de 19 à 21 points), ce qui est peu probable. Si vous soutenez au niveau de trois, vous courez le risque d'inciter votre partenaire à annoncer trop haut s'il possède une main minimale (de 13 à 16 points).

2. TROIS CŒURS Avec un soutien troisième et 12 points du mort (9 PH plus trois points pour le singleton à trèfle), tentez la manche en annonçant trois cœurs. Votre partenaire poursuivra jusqu'à la manche à moins qu'il n'ait que 13 ou 14 points.

3. QUATRE CŒURS En ayant 13 points du mort et un soutien troisième, vos forces combinées sont suffisantes pour la manche. Répondez quatre cœurs à l'intervention de votre partenaire.

4. Dans ce cas, vous ne pouvez soutenir la majeure de votre partenaire. Passez à la question suivante.

Deuxième question

> AI-JE UNE MAIN FAIBLE (DE 0 À 5 POINTS)?

Si votre réponse est positive, passez. La manche est peu probable.

Troisième question

> PUIS-JE ANNONCER UNE NOUVELLE COULEUR
> AU NIVEAU DE UN?

Comme vous êtes déjà au niveau de deux, ignorez cette question et posez-vous la quatrième.

Quatrième question

> AI-JE UNE MAIN MINIMALE (DE 6 À 10 POINTS)?

Si vous répondez oui, **passez**.

Lorsque vous répondez à une ouverture d'enchère ou à une intervention au niveau de un, ne passez que si vous détenez moins de 6 points, au cas où votre partenaire aurait une main maximale (de 19 à 21 points). Si votre partenaire intervient au niveau de deux, abandonnez l'espoir que votre partenaire possède une main intermédiaire (17 ou 18 points) ou maximale (de 19 à 21 points) et passez si la somme des points est égale ou inférieure à 10. Dans les cas relativement fréquents où votre partenaire a le minimum (de 13 à 16 points), vous risquez d'inciter votre camp à annoncer trop haut.

Par exemple, si les enchères se déroulent ainsi:

NORD	EST	SUD	OUEST
(le donneur)			(vous-même)
un cœur	deux carreaux	passe	?

Passez si vous avez une de ces mains:

1.	♠ D 7 4 3	2.	♠ R 9 4 3	3.	♠ R V 8 7 2
	♥ R 6 3 2		♥ 8 2		♥ 4 2
	♦ 4		♦ D 7 4 3		♦ 5 3
	♣ D 8 7 2		♣ 9 6 3		♣ R V 8 7

Le choix définitif

Si vous avez répondu par la négative aux quatre questions, vous détenez au moins 11 points; votre partenaire en a au moins 13, donc vous devez approcher de la manche. Puisque votre partenaire est intervenu au niveau de deux, il vous reste les options suivantes:

- Annoncer une nouvelle couleur au niveau de deux ou plus.
- Soutenir la mineure de l'intervenant
  — soit au niveau de trois;
  — soit à la manche (trois SA)

L'annonce d'une nouvelle couleur au niveau de deux ou plus est une enchère impérative et signale:

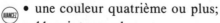

- une couleur quatrième ou plus;
- 11 points ou plus.

Le soutien de la mineure de votre partenaire au niveau de trois est une enchère invitative et signale:

- un soutien troisième ou plus dans la mineure de votre partenaire;
- 11 ou 12 points.

Un saut à trois SA, sur l'intervention en mineure de votre partenaire est une enchère invitative et signale:

 • un soutien troisième ou plus dans la mineure de votre partenaire;

• de 13 à 16 points.

Dans les cas suivants, votre partenaire est intervenu au niveau de deux.

Les enchères se déroulent ainsi:

NORD	EST	SUD	OUEST
(le donneur)			(vous-même)
un cœur	deux carreaux	passe	?

Étant l'Ouest, formulez votre réponse avec chacune de ces mains en utilisant les quatre questions du répondant:

1. ♠ R 4 3	2. ♠ A V 3	3. ♠ A V 7 3 2	4. ♠ R D 3
♥ D 3 2	♥ 8 3 2	♥ V 2	♥ R 7 4
♦ D 4 3	♦ R 8 4 3	♦ V 3	♦ 9 7 6 3
♣ V 9 7 2	♣ D V 7	♣ R D 8 3	♣ A D V

1. PASSEZ Vous ne pouvez soutenir la majeure de votre partenaire, car il ne l'a pas annoncée. Vous ne disposez pas d'une main faible. Questionnez-vous: «Ai-je une main minimale (de 6 à 10 points)?» Dans ce cas-ci, vous répondrez par oui: vous n'avez que 8 points; alors passez. Il se peut que vous manquiez une manche si votre partenaire dispose d'une main maximale, mais vous courez le risque d'annoncer trop haut si votre partenaire détient une main minimale.

2. TROIS CARREAUX Vous ne pouvez soutenir la majeure de votre partenaire; vous n'avez pas ni main faible ni main minimale (vous avez 11 points). Puisque vous disposez d'un soutien quatrième dans la mineure de votre partenaire, annoncez trois carreaux.

3. DEUX PIQUES Vous ne pouvez soutenir la majeure de votre partenaire et ne possédez pas ni main faible ni main minimale. Vous chiffrez à 13 points. Annoncez une nouvelle couleur au niveau de deux: deux piques.

4. TROIS SA Vous êtes dans l'incapacité de soutenir la majeure de votre partenaire et n'avez pas moins de 11 points (vous en comptez 15). Ne disposant pas d'une couleur quatrième ou plus, autre que carreau, soutenez votre partenaire à la manche en annonçant trois SA.

Résumé

Si votre partenaire intervient au niveau de deux dans une couleur, décidez de la réponse appropriée en vous posant les quatre questions du répondant.

Première question: PUIS-JE SOUTENIR LA MAJEURE DE MON PARTENAIRE? (Vous n'avez besoin que d'un soutien troisième.)

Si votre réponse est POSITIVE, réévaluez votre main en utilisant les points du mort et soutenez au niveau approprié.

LES POINTS DU MORT		LE NIVEAU APPROPRIÉ	
As	4 points	0 à 10 points:	passez;
Roi	3 points	11 ou 12 points:	soutenez au niveau de trois;
Dame	2 points		
Valet	1 point	13 à 16 points:	soutenez au niveau de quatre.
Chicane	5 points		
Singleton	3 points		
Doubleton	1 point		

Si votre réponse est NÉGATIVE, posez-vous la question suivante:

Deuxième question: AI-JE UNE MAIN FAIBLE (DE 0 À 5 POINTS)?

Si votre réponse est POSITIVE, passez.

Si votre réponse est NÉGATIVE, posez-vous la question suivante:

Troisième question: PUIS-JE ANNONCER UNE NOUVELLE COULEUR AU NIVEAU DE UN?

La réponse est toujours NÉGATIVE. Posez-vous la dernière question:

Quatrième question: AI-JE UNE MAIN MINIMALE (DE 6 À 10 POINTS)?

Si votre réponse est POSITIVE, passez.

Si votre réponse est NÉGATIVE: • annoncez une nouvelle couleur au niveau de deux ou plus;
• soutenez la mineure de votre partenaire:
— au niveau de trois, avec 11 ou 12 points et un soutien troisième ou plus;

— à la manche (trois SA), avec de 13 à 16 points et un soutien troisième ou plus dans la mineure de votre partenaire.

Exercices

1. Les enchères se déroulent ainsi:

NORD	EST	SUD	OUEST
(le donneur)			(vous-même)
un pique	deux cœurs	passe	?

Étant l'Ouest, quelle est votre réponse avec chacune de ces mains?

a.
♠ R983
♥ 98
♦ V94
♣ D872

b.
♠ R9
♥ D82
♦ A1083
♣ V732

c.
♠ RV2
♥ R942
♦ AD7
♣ 953

d.
♠ 76432
♥ RD943
♦ A76
♣ —

2. Les enchères se déroulent ainsi:

NORD	EST	SUD	OUEST
(le donneur)			(vous-même)
un pique	deux trèfles	passe	?

Étant l'Ouest, quelle est votre réponse avec chacune de ces mains?

a.
♠ D983
♥ V8
♦ D94
♣ V872

b.
♠ R98
♥ DV2
♦ A10832
♣ V7

c.
♠ 732
♥ RD7432
♦ A7
♣ RD

d.
♠ 3
♥ AV943
♦ AR976
♣ 83

e.
♠ 983
♥ RD8
♦ D97
♣ A542

f.
♠ R53
♥ A8
♦ R83
♣ DV643

XVII

Le contre d'appel

Supposons que votre adversaire de flanc droit ouvre de un cœur et que vous déteniez la main suivante:

♠ A 5 4 2
♥ 6
♦ A D 9 4
♣ A 6 5 3

Vous avez 14 points et vous envisagiez d'ouvrir les enchères. Cependant votre adversaire de flanc droit vous coupe l'herbe sous le pied. Pouvez-vous intervenir? Non, parce que vous n'avez pas de couleur cinquième. Que faire? Vous voudriez signaler votre force et **demander à votre partenaire de choisir une couleur à opposer.** Par quelle annonce pourriez-vous transmettre ce message? Le **contre.** Lorsque vous contrez l'ouverture de votre adversaire, vous signalez:

- «j'ai une valeur d'ouverture de 13 à 21 points»
- «partenaire, veuillez annoncer votre meilleure couleur!»

En ce cas, le contre est dit *contre d'appel* parce que vous demandez à votre partenaire de «faire appel» à votre contre et d'annoncer sa meilleure couleur. C'est l'annonce idéale pour transmettre votre message parce qu'elle n'affecte pas l'éventail des enchères. Mais est-ce possible de l'utiliser dans ce cas précis? Après tout, au chapitre 13, nous avons vu comment se servir du contre pour augmenter les pénalités quand le contrat adverse a chuté.

Pénalité ou appel?

Il existe plusieurs justifications expliquant que le contre d'un contrat de manche partielle n'est pas habituellement utilisé à des fins de pénalités. Supposons que votre adversaire ouvre de un cœur et que vous avez la main suivante:

196

♠ 4 3 2
♥ A D V 10 3
♦ A R 3
♣ 3 2

Il n'est pas souhaitable, ici, de contrer pour des pénalités:

- il se peut que vous ne puissiez pas faire chuter le contrat de vos adversaires, car vous ignorez tout de la main de votre partenaire;
- même si vous faites chuter le contrat, les pénalités seront peut-être minimes;
- en révélant à vos adversaires la piètre valeur de leur contrat, vous risquez de les inciter à en annoncer un meilleur.

Comment votre partenaire signale-t-il qu'il s'agit d'un contre de pénalité ou d'appel?

C'est un contre d'appel dans le cas où:

- ni vous ni votre partenaire n'avez encore annoncé une enchère, sauf passer, **et**
- vous contrez un contrat de manche partielle.

C'est un contre de pénalité dans le cas où:

- vous-même ou votre partenaire avez déjà annoncé (ici passer est exclu) **ou**
- vous contrez un contrat de manche ou supérieur à la manche.

Les contres ci-dessous sont des contres d'**appel**:

NORD (l'ouvreur)	EST (votre partenaire)	SUD	OUEST (vous-même)
un cœur	**contre**		

NORD (l'ouvreur)	EST (vous-même)	SUD	OUEST (votre partenaire)
un cœur	passe	deux cœurs	**contre**

NORD (l'ouvreur)	EST (vous-même)	SUD	OUEST (votre partenaire)
passe	passe	un carreau	**contre**

NORD (l'ouvreur)	EST (vous-même)	SUD	OUEST (votre partenaire)
un cœur	passe	un SA	**contre**

Les contres ci-dessous sont des contres de **pénalité**:

NORD (l'ouvreur)	EST (vous-même)	SUD	OUEST (votre partenaire)
un cœur	passe	quatre cœurs	**contre**

NORD (l'ouvreur)	EST (vous-même)	SUD	OUEST (votre partenaire)
passe	un cœur	deux trèfles	**contre**

NORD (l'ouvreur)	EST (vous-même)	SUD	OUEST (votre partenaire)
un cœur	un pique	deux cœurs	**contre**

Vous savez maintenant comment vous servir tantôt, du contre de pénalités, tantôt du contre d'appel. Examinons attentivement le type de mains qui vous permet d'avoir recours au contre d'appel.

Pour être en mesure d'annoncer un contre d'appel, vous devez tenir compte de deux composantes de votre main:

- la distribution
- la force

La distribution exigée pour un contre d'appel

Puisque vous vous préparez à demander à votre partenaire de choisir une couleur d'atout autre que celle annoncée par vos adversaires, vous devez détenir au moins un **soutien troisième dans toute couleur non déclarée**. Comme votre partenaire, ainsi que nous le verrons dans le prochain chapitre, va s'efforcer d'annoncer une majeure, la condition citée plus haut a une importance particulière en regard des couleurs majeures non déclarées. Dans certains cas, cette formalité n'est pas aussi rigoureuse avec des couleurs mineures non annoncées.

Quelle serait la distribution idéale? Détenir un soutien quatrième dans chacune des couleurs non déclarées. Par exemple, si votre adversaire de flanc droit ouvre de un cœur, la main ci-dessous a une distribution parfaite pour un contre d'appel:

♠ A 5 4 2
♥ 6
♦ A D 9 4
♣ A 6 5 3

Quelle que soit la couleur choisie par votre partenaire, vous disposez d'un soutien quatrième. Par conséquent, vous avez la certitude de posséder un fit magique.

La main ci-dessus n'est pas propice à un contre d'appel si votre adversaire de flanc droit ouvre les enchères en toute autre couleur que de un cœur. Par exemple, si l'annonce d'ouverture est de un pique, vous ne pouvez vous servir du contre d'appel. Et si votre partenaire choisit cœur atout, vous ne pouvez le soutenir.

Le contre d'appel étant un instrument très flexible, vous n'avez pas à détenir une distribution idéale pour vous en servir. Par exemple, avec chacune des mains suivantes, vous pouvez faire un contre d'appel lorsque vos adversaires ouvrent de un cœur.

♠ A V 8 3	♠ A 5 3 2	♠ A 9 4 3
♥ 3 2	♥ —	♥ 8 7 4
♦ D 9 4 2	♦ A 9 7 3	♦ A R 9 6
♣ A R 3	♣ R V 8 6 4	♣ A 3

La première main offre un soutien quatrième à pique ou à carreau et un soutien troisième à trèfle. Vous serez satisfait, quelle que soit la couleur choisie par votre partenaire.

Avec la deuxième main, vous pouvez annoncer de votre couleur cinquième: deux trèfles. Cependant, le contre est plus flexible. En laissant à votre partenaire le choix de la couleur, vous triplez la probabilité d'aboutir à votre meilleur fit d'atout.

Avec la dernière main, vous ne détenez qu'un soutien deuxième si votre partenaire choisit trèfle. Toutefois, si vous désirez relever un défi, c'est le moment d'y faire face. Il se peut que votre partenaire annonce pique ou carreau. S'il choisit trèfle, espérez qu'il en détienne au moins cinq!

La force exigée pour un contre d'appel

Vous devez posséder au moins la force d'une enchère d'ouverture afin de tenir tête à l'adversaire, car vous savez qu'il est l'ouvreur et qu'il a une main de force égale sinon supérieure à la vôtre. Cependant, comme votre partenaire doit choisir la couleur d'atout, votre main est considérée comme étant celle du mort. En conséquence, **évaluez votre main en vous servant des points du mort dans le but de compenser votre infériorité de longueur dans la couleur de votre adversaire.**

Par exemple, votre adversaire de flanc droit ouvre les enchères de un cœur et vous disposez de la main suivante:

♠ A 5 4 2
♥ 6
♦ R 10 9 4
♣ A 6 5 3

Vous faites un contre d'appel même si vous ne détenez que 11 PH. Quand vous réévaluez votre main en tenant compte des points du mort, vous en comptez 14 (11 PH plus trois points pour le singleton à cœur). Résumons:

> ## LES CONDITIONS EXIGÉES POUR UN CONTRE D'APPEL
> * Pouvoir soutenir les couleurs non déclarées.
> * Compter de 13 à 21 points du mort.

Considérons les exemples suivants:

Votre adversaire de flanc droit ouvre de un pique. Devez-vous contrer, faire une intervention, ou passer si vous détenez chacune de ces mains?

1.	2.	3.	4.
♠ 3	♠ 3	♠ 3 2	♠ —
♥ A V 3 2	♥ R 8 7 2	♥ R D V 4 2	♥ A 10 4 3
♦ A 9 7 4	♦ R 9 8 3	♦ 7 3	♦ V 9 7 6
♣ D 6 3 2	♣ D 10 7 3	♣ A R V 8	♣ R 10 9 8 3

5.	6.
♠ A D V 9 8	♠ A R 9 3
♥ 3 2	♥ 8 2
♦ A R 9 4	♦ R 8 3
♣ 5 2	♣ R V 7 3

1. CONTREZ Avec 14 points du mort (11 PH plus trois points pour le singleton à pique) et la capacité de soutenir toutes les couleurs non déclarées, vous détenez la main idéale pour un contre d'appel.

2. PASSEZ Même si vous pouvez soutenir toutes les couleurs non déclarées, il vous est impossible de contrer. Votre partenaire présumera que vous possédez au moins assez de force pour une enchère d'ouverture; même si vous évaluez votre main avec les points du mort, vous n'en comptez que 11.

3. DEUX CŒURS   Dans ce cas, vous chiffrez à 15 points (14 PH plus un point pour la cinquième à cœur). Avec cinq cœurs, votre main vous autorise plutôt à intervenir à deux cœurs que d'utiliser un contre d'appel. Notez que pour recourir à une intervention, vous évaluez votre main en comptant les points de longueur, alors que pour un contre d'appel vous utilisez les points du mort si vous avez de la distribution exigée.

4. CONTREZ   Même si vous ne disposez que de 8 PH, vous pouvez ajouter 5 points du mort pour votre chicane. Quelle que soit la couleur choisie par votre partenaire, vous pouvez la soutenir, car vous possédez suffisamment de force pour continuer la compétition avec un contre d'appel.

5. PASSEZ   Ici, vous aimeriez faire un contre de pénalités sur l'annonce d'ouverture. Comme on l'a vu plus haut, cette manœuvre n'est pas toujours réussie; pire, votre partenaire interprètera sans doute votre contre de pénalités pour un contre d'appel et s'empressera d'annoncer sa meilleure couleur. Pour parer ce danger, passez. Vous ne serez pas déçu si à la fin du compte vous défendez un contrat à un pique.

6. Ici, votre main ne convient pas à un contre d'appel. Vous n'avez pas de soutien dans les couleurs non déclarées. De plus, vous ne pouvez faire une intervention parce que vous ne détenez pas une couleur cinquième. Voyons comment manœuvrer lorsqu'on détient ce genre de main:

Les mains disqualifiées

Si votre adversaire ouvre les enchères de un pique et si vous détenez une main suffisamment forte pour annoncer vous-même, à l'instar de la main suivante:

♠ A R 9 3
♥ 8 2
♦ R 8 3
♣ R V 7 3

- vous n'avez pas une main équilibrée comptant de 16 à 18 points;
- vous n'avez pas une couleur cinquième pour intervenir;
- vous n'avez aucun soutien dans toutes les couleurs non déclarées.

En un tel cas, **passez**.

Si votre adversaires ouvrent les enchères, ne vous bornez pas à annoncer uniquement parce que votre main est suffisamment forte pour ouvrir. Vous possédez deux armes:

- l'intervention
- le contre d'appel

Si ces deux conditions ne sont pas remplies, ne faites pas concurrence à l'adversaire. Les enchères ne sont pas terminées et votre partenaire peut encore annoncer quelque chose. S'il s'abstient, continuez à passer. Les risques seront encore plus sérieux si vous concurrencez plus tard.

Résumé

Si vos adversaires ouvrent les enchères, vous disposez d'un outil autre que l'intervention pour poursuivre le combat: le *contre d'appel*.

Votre partenaire saura opérer la distinction entre votre contre d'appel et votre contre de pénalités si vous remplissez les critères suivants:

CONTRE DE PÉNALITÉ OU CONTRE D'APPEL?

C'est un contre d'appel dans le cas où:
- ni vous ni votre partenaire n'avez annoncé **et**
- vous contrez un contrat de manche partielle.

C'est un contre de pénalité dans les cas où:
- vous-même ou votre partenaire avez déjà annoncé **ou**
- vous contrez un contrat de manche ou supérieur.

Vous pouvez vous servir d'un contre d'appel si vous satisfaisez aux:

CONDITIONS EXIGÉES POUR UN CONTRE D'APPEL

- détenir un soutien dans chacune des couleurs non déclarées;
- compter de 13 à 21 points du mort.

Exercices

1. Vous êtes l'Ouest. Quel type de contre votre partenaire semble-t-il vouloir faire dans chacun de ces cas?

a)
NORD	EST	SUD	OUEST
(le donneur)	(votre partenaire)		(vous-même)
un carreau	**contre**	passe	?

b)
NORD	EST	SUD	OUEST
		(le donneur)	(vous-même)
—	—	un cœur	passe
deux trèfles	**contre**	passe	?

c)
NORD	EST	SUD	OUEST
	(votre partenaire)	(le donneur)	(vous-même)
—	—	un pique	deux cœurs
deux piques	**contre**	passe	?

d)
NORD	EST	SUD	OUEST
	(votre partenaire)	(le donneur)	(vous-même)
—	—	un cœur	passe
quatre cœurs	**contre**	passe	?

2. Vous êtes l'Est. Que faites-vous avec chacune des ces mains si les enchères se déroulent ainsi?

NORD	EST	SUD	OUEST
(le donneur)	(vous-même)		(votre partenaire)
un carreau	?		

a) ♠ R V 9 8 3
♥ V 8 3 2
♦ 4
♣ D 9 3

b) ♠ R V 8 4
♥ R D 8 2
♦ 8
♣ A 8 7 3

c) ♠ R D 9 8 4
♥ R 2
♦ A 7 3
♣ D 9 8

d) ♠ R V
♥ A V 4
♦ A D 9
♣ D 8 7 4 3

e) ♠ R 9 8 4
♥ 2
♦ A R 8 3
♣ D V 7 3

f) ♠ R 7 3 2
♥ R 9 7 2
♦ —
♣ R V 8 6 2

g) ♠ R 4 3
♥ 7 4
♦ A R D 7 6
♣ V 8 2

XVIII

La réponse sur un contre d'appel

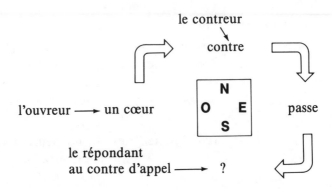

le contreur

contre

l'ouvreur ⟶ un cœur

```
┌───────┐
│   N   │
│ O   E │
│   S   │
└───────┘
```

passe

le répondant
au contre d'appel ⟶ ?

Quand votre partenaire annonce un contre d'appel, il sous-entend: «Partenaire, annoncez votre meilleure couleur.» Quelle doit être votre réponse?

Qu'est-ce qui a changé?

Sachez que les réponses sur un contre d'appel sont différentes des réponses sur une ouverture à la couleur, car les règles habituelles d'une ouverture ne s'appliquent pas au contre d'appel:

- Les enchères d'ouverture au niveau de un sont invitatives, tandis que les contres d'appel sont impératifs.
- La réponse sur une nouvelle couleur d'une enchère d'ouverture de un à la couleur est impérative, tandis qu'une réponse sur une nouvelle couleur sur un contre d'appel est invitative.

Pourquoi le contre d'appel de votre partenaire est-il une enchère impérative? Voyez ce qui se passe si vous passez:

NORD	EST (votre partenaire)	SUD	OUEST (vous-même)
un cœur	contre	passe	**passe**
passe!			

Le contrat est donc à un cœur contré. Pour votre camp, faire chuter ce contrat sera une tâche difficile. Votre partenaire vous a signalé qu'il voulait engager la lutte dans une couleur quelconque **sauf cœur**. Par exemple, la main de votre partenaire peut être composée ainsi:

♠ A 9 7 4
♥ 2
♦ A 7 6 3
♣ A 7 5 3

Votre partenaire ne peut enlever que trois plis comme défense contre les cœurs, alors ne passez pas.

Pourquoi l'annonce du répondant dans une nouvelle couleur est-elle invitative en réponse sur un contre d'appel? Il est facile de le comprendre si vous la concevez ainsi:

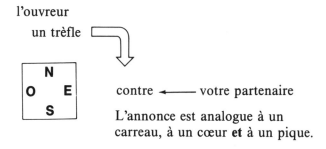

l'ouvreur

un trèfle

contre ⟵ votre partenaire

L'annonce est analogue à un carreau, à un cœur **et** à un pique.

Trois annonces d'ouverture en une seule déclaration! Votre partenaire vous demande de relancer une de ses couleurs:

Si vous possédez:

- de 0 à 10 points, soutenez sans saut : un pique, un cœur ou un carreau dans l'exemple ci-dessus.

- 11 ou 12 points, soutenez à saut: deux piques, deux cœurs ou deux carreaux dans l'exemple ci-dessus.

- 13 points ou plus, soutenez à la manche: quatre piques, quatre cœurs ou trois SA dans l'exemple ci-dessus.

Comme un contre d'appel est impératif, un soutien sans saut suppose une main de 0 à 5 points ou une main de 6 à 10 points. Également, les «soutiens» sur un contre d'appel peuvent se faire à un niveau moins cher que les soutiens correspondant à une enchère d'ouverture. Par exemple, comparez les enchères suivantes:

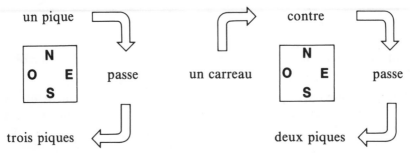

un pique	passe	un carreau	contre	passe
trois piques			deux piques	

L'annonce à trois piques indique 11 ou 12 points et un soutien quatrième.

L'annonce à deux piques indique 11 ou 12 points et un soutien quatrième.

Dans chaque cas, le «soutien» a sauté un niveau. En bref, les réponses à un contre d'appel dans une nouvelle couleur sont invitatives parce qu'elles «soutiennent» l'une des couleurs promises par le contreur d'appel.

La réponse sur un contre d'appel de 0 à 10 points

Puisque le contre d'appel est une enchère impérative, vous êtes tenu d'annoncer quelque chose. Votre partenaire vous a demandé de choisir une couleur d'atout autre que celle(s) qui a (ont) été annoncée(s) par le camp adverse. Quelle couleur devez-vous préférer? Votre partenaire et vous désirez jouer un fit magique dans la majeure; **vous devez en priorité annoncer une majeure quatrième ou plus** si vous en détenez une. Votre partenaire vous a assuré d'un soutien au moins équivalent à une troisième dans toute majeure non déclarée, et peut-être même d'un soutien quatrième. Comme vous désirez signaler à votre partenaire que vous ne disposez pas d'une main forte, annoncez la majeure au niveau le moins cher possible.

Si vous ne pouvez annoncer une majeure quatrième ou plus, repliez-vous sur une mineure quatrième ou plus. Encore une fois annoncez au niveau le moins cher possible.

Ce niveau le moins cher peut être celui de deux. Il peut sembler étrange d'annoncer une nouvelle couleur au niveau de deux sans détenir 11 points ou plus, mais du fait que votre partenaire a annoncé un contre d'appel, la situation est comparable à un soutien à la couleur de votre partenaire.

En résumé:

LA RÉPONSE SUR UN CONTRE D'APPEL DE 0 À 10 POINTS

- Annoncez une couleur au niveau le moins cher:
  — proposez une majeure quatrième ou plus non déclarée *ou*
  — proposez une mineure quatrième ou plus non déclarée *ou*
- Annoncez un SA (réponse assez rare).

Examinons quelques exemples.

NORD	EST	SUD	OUEST
	(votre partenaire)		(vous-même)
un carreau	contre	passe	?

Quelle est votre réponse avec chacune de ces mains?

1. ♠ A V 9 8 3　　2. ♠ A 9 8 4　　3. ♠ 9 8 4 3　　4. ♠ V 7
　♥ V 3 2　　　　　♥ 8 7 5 4 2　　　♥ 6 2　　　　　♥ 8 5 4
　♦ 9 4　　　　　　♦ 8 6　　　　　　♦ A 7　　　　　♦ V 8 3
　♣ 9 7 3　　　　　♣ 7 3　　　　　　♣ D 9 8 7 4　　♣ D 10 7 4 3

5. ♠ D 7 5　　　　6. ♠ 9 8 4
　♥ 8 3 2　　　　　♥ 9 7 4 2
　♦ R D 10 4　　　　♦ 8 6 3
　♣ V 9 3　　　　　♣ 8 7 3

1. UN PIQUE　Avec 7 points (6 PH plus un point pour la couleur cinquième à pique), annoncez votre majeure au niveau le moins cher possible. Votre réponse à pique signale à votre partenaire que vous avez en main de 0 à 10 points. Sachez qu'à titre de répondant vous ne comptez pas les points du mort; le contreur d'appel le fait lui-même.

2. UN CŒUR　Puisque vous avez un choix de couleurs, annoncez la plus longue majeure au niveau le moins cher possible: un cœur.

3. UN PIQUE　Même si vos trèfles sont plus longs que vos piques, annoncez votre majeure quatrième ou plus si vous en possédez une. Quand vous répondez un pique, vous donnez à votre parte-

naire la possibilité la meilleure de découvrir si votre camp détient un fit magique dans une majeure. Quatre piques vous accorderont la manche si votre partenaire a une main maximale.

4. DEUX TRÈFLES   Comme vous ne disposez pas d'une majeure quatrième ou plus, annoncez votre mineure au niveau le moins cher possible: deux trèfles. **C'est un cas spécial où vous n'avez pas besoin de 11 points ou plus pour annoncer une nouvelle couleur au niveau de deux.**

5. UN SA   Ici, votre force est intéressante (8 PH). Votre unique couleur quatrième est précisément celle que vos adversaires ont choisie.

6. UN CŒUR   Même si cette main est décevante, vous ne pouvez passer. Le contre d'appel de votre partenaire est impératif. Annoncez votre majeure quatrième: un cœur. Comme votre réponse est au niveau le moins cher, votre partenaire se doute que vous détenez de 0 à 10 points.

La réponse sur un contre d'appel de 11 ou 12 points

En déclarant son contre d'appel, votre partenaire vous a promis au moins 13 points. Par conséquent, vous n'êtes pas loin du total de points exigé pour la manche quand vous avez 11 ou 12 points. Dans ce cas, vous êtes tenté d'annoncer une forte enchère invitative, signalant ainsi à votre partenaire que vous visez la manche à moins qu'il n'ait que 13 ou 14 points. Pour préparer le terrain, **sautez un niveau** lorsque vous annoncez votre couleur. Cette manœuvre s'apparente à une réponse sur une ouverture de un cœur, alors que vous détenez 11 ou 12 points et un soutien quatrième: sautez à trois cœurs. L'important est de chercher s'il y a un fit magique dans une majeure; dans ce cas:

LA RÉPONSE SUR UN CONTRE D'APPEL DE 11 OU 12 POINTS

- Annoncez une couleur en **sautant un niveau** lorsque vous avez:
  — une majeure quatrième non déclarée *ou*
  — une mineure quatrième non déclarée *ou*
- Sautez à deux SA (réponse assez rare).

Examinons quelques exemples:

NORD	EST	SUD	OUEST
	(votre partenaire)		(vous-même)
un carreau	contre	passe	?

Que répondez-vous avec chacune de ces mains?

1.	♠ A V 9 8 3	2.	♠ A 9 8 4	3.	♠ R D 4	4.	♠ R 9 7
	♥ V 3 2		♥ 4 2		♥ 6 2		♥ V 5 4
	♦ 9 4		♦ V 6		♦ 7 3		♦ A D 10 3
	♣ A 7 3		♣ R D 9 7 3		♣ A V 9 8 7 4		♣ D 10 7

1. DEUX PIQUES   Avec 11 points (10 PH plus un point pour la couleur cinquième à pique), sautez à deux piques; vous inciterez votre partenaire à poursuivre jusqu'à la manche, à moins qu'il n'ait que 13 ou 14 points.

2. DEUX PIQUES   Avec 11 points (10 PH plus un point pour la couleur cinquième à trèfle), vous avez l'intention de sauter en signalant ainsi à votre partenaire une force invitative. Vous saurez à deux piques au lieu de trois trèfles parce que vous essayez, si possible, de profiter d'un fit magique dans la majeure.

3. TROIS TRÈFLES   Avec 12 points et aucune majeure quatrième ou plus, sautez dans votre mineure: trois trèfles.

4. DEUX SA   Ici, vous avez 12 points et vous ne détenez aucune couleur quatrième non déclarée. Signalez à votre partenaire que vous possédez 11 ou 12 points en sautant à deux SA.

La réponse sur un contre d'appel de 13 points ou plus

Lorsque votre partenaire annonce un contre d'appel et que vous détenez 13 points ou plus, vous connaissez la réponse à la question À QUEL NIVEAU? C'est la manche. Les options sont connues: quatre piques, quatre cœurs et trois SA.

Dans cet exemple, les enchères se déroulent ainsi:

NORD	EST	SUD	OUEST
	(votre partenaire)		(vous-même)
un cœur	contre	passe	?

et votre main est celle-ci:

♠ R D 8 6
♥ 6 5
♦ A 9 5
♣ R V 7 4

Annoncez quatre piques. Vous avez 13 points et votre partenaire au moins 13. Il est possible que vous déteniez un fit magique dans la majeure à pique. Même si votre partenaire ne dispose que de trois piques, vous avez malgré tout sept cartes d'atout, un fit très acceptable.

LA RÉPONSE SUR UN CONTRE D'APPEL
DE 13 POINTS OU PLUS

* Sautez à la manche si vous détenez une majeure quatrième, ou plus, non déclarée *ou*

* Sautez à trois SA.

Voyons quelques exemples:

NORD	EST	SUD	OUEST
	(votre partenaire)		(vous-même)
un carreau	contre	passe	?

Que répondez-vous avec chacune de ces mains?

1. ♠ 8 3   2. ♠ 9 8 2   3. ♠ 9 8 6 4 3 2   4. ♠ A 8 5
    ♥ A R 9 3 2   ♥ D 4   ♥ A 6   ♥ R V 5 4
    ♦ A 9 4   ♦ R D 10 6   ♦ R 3   ♦ 8
    ♣ V 9 3   ♣ A D 7 3   ♣ A V 7   ♣ A V 9 7 3

1. QUATRE CŒURS   Vous avez 13 points (12 PH plus un point pour la couleur cinquième à cœur). Avec une couleur cinquième à cœur, vous savez qu'il existe un fit magique dans la majeure. Puisque vous connaissez les réponses aux questions À QUEL NIVEAU? (c'est la manche) et À QUELLE COULEUR? (c'est à cœur), annoncez quatre cœurs.

2. TROIS SA   Encore une fois, vous chiffrez à 13 points mais ici il est peu probable que vous ayez un fit magique dans la majeure. Déclarez trois SA, très probablement la manche.

3. QUATRE PIQUES   Puisque vous avez 14 points (12 PH plus deux points pour la couleur sixième à pique); c'est suffisant pour la

manche. Sachant qu'il y a un fit magique dans la majeure, annoncez quatre piques.

4. QUATRE CŒURS Avec 14 points, vous savez qu'il y a assez de forces combinées pour la manche. Vous détenez une couleur quatrième à cœur, une majeure non annoncée; sautez alors à quatre cœurs.

Les deuxièmes enchères du contreur d'appel

Tout comme aux enchères d'ouverture, la main de celui qui annonce le contre d'appel relève de l'une ou de l'autre de ces catégories:

- MAIN MINIMALE
  (de 13 à 16 points)
- MAIN INTERMÉDIAIRE
  (17 ou 18 points)
- MAIN MAXIMALE
  (de 19 à 21 points)

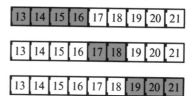

Si vous faites un contre d'appel et que votre partenaire répond au niveau le moins cher (de 0 à 10 points), souvenez-vous que **vous avez poussé votre partenaire à annoncer alors qu'il ne possède que quelques points.** Pensez-y quand **vous annoncez à un niveau inférieur à celui de la deuxième enchère que vous feriez si vous étiez l'ouvreur.**

LES DEUXIÈMES ENCHÈRES DU CONTREUR D'APPEL QUAND LE PARTENAIRE A DE 0 À 10 POINTS

Votre main
(minimale: de 13 à 16):

passez ⬡ ; comme votre partenaire a au maximum 10 points, la manche est aléatoire.

Votre main
(intermédiaire: 17 ou 18):

soutenez la couleur de votre partenaire ▼ ; c'est une annonce invitative «peu pressante». Si votre partenaire a 9 ou 10 points, il peut annoncer la manche; sinon, il s'arrête à la manche partielle.

Votre main
(maximale: de 19 à 21):

| 13 | 14 | 15 | 16 | 17 | 18 | **19** | **20** | **21** |

sautez dans la majeure de votre partenaire ▼, ou annoncez SA* ▼; ce sont des enchères invitatives «fortes». Votre partenaire peut annoncer la manche s'il a de 6 à 10 points; sinon, il s'arrête à la manche partielle.

* Cette annonce signale une main équilibrée (de 19 à 21 points) trop forte pour une intervention à un SA.

Si votre partenaire détient une main de 11 ou 12 points en sautant dans une couleur ou en annonçant deux SA, envisagez la manche, à moins que vous n'ayez que 13 ou 14 points. Vous devriez surenchérir ainsi:

LA DEUXIÈME ENCHÈRE DU CONTREUR D'APPEL QUAND LE PARTENAIRE A 11 OU 12 POINTS

avec 13 ou 14 points:

| **13** | **14** | 15 | 16 | 17 | 18 | 19 | 20 | 21 |

passez ⬡ARRÊT; vous n'aurez probablement pas assez de forces combinées pour la manche.

avec 15 à 21 points:

| 13 | 14 | **15** | **16** | **17** | **18** | **19** | **20** | **21** |

soutenez dans la majeure de votre partenaire à la manche ⬡ARRÊT ou annoncez SA ⬡ARRÊT.

Si votre partenaire signale un acquis de 13 points ou plus en sautant à la manche, vous devriez annoncer ainsi:

LA DEUXIÈME ENCHÈRE DU CONTREUR D'APPEL QUAND LE PARTENAIRE A 13 POINTS OU PLUS

Votre main (minimale: de 13 à 16) ou intermédiaire (17 ou 18):   passez ⬡ARRÊT.

| **13** | **14** | **15** | **16** | **17** | **18** | 19 | 20 | 21 |

Votre main
(maximale: de 19 à 21):

visez le chelem; ce point sera développé au chapitre 22.

| 13 | 14 | 15 | 16 | 17 | 18 | **19** | **20** | **21** |

Examinons des exemples où les enchères se déroulent ainsi:

NORD	EST	SUD	OUEST
	(vous-même)		(votre partenaire)
un carreau	contre	passe	un pique
passe	?		

Quelle est votre annonce avec chacune de ces mains?

1. ♠ A 9 8	2. ♠ A R 8 3	3. ♠ A R 8 3
♥ R V 3 2	♥ R V 3 2	♥ A R 3 2
♦ 9 4	♦ 4	♦ 4
♣ A 9 3 2	♣ A 9 3 2	♣ A 9 3 2

1. PASSEZ Vous avez une main minimale (12 PH plus un point pour le doubleton à carreau). Puisque votre partenaire a au maximum 10 points, optez pour la manche partielle et passez.

2. DEUX PIQUES Avec 18 points (15 PH plus trois points pour le singleton à carreau), vous pouvez demander une enchère invitative à deux piques. Si votre partenaire a 9 ou 10 points, il vise la manche. N'oubliez pas de soutenir à un niveau moins cher que celui que vous soutiendriez si vous étiez l'ouvreur.

3. TROIS PIQUES Même si vous avez 21 points (18 PH plus trois points pour le singleton à carreau), votre partenaire peut fort bien n'en détenir aucun. Sautez à trois piques, une enchère invitative forte. Votre partenaire passera s'il ne dispose que de 0 à 5 points.

Résumé

Les contres d'appel sont des enchères impératives.

LES RÉPONSES SUR UN CONTRE D'APPEL	
0 à 10 points:	annoncez une majeure quatrième ou plus non déclarée au niveau le moins cher;
	annoncez une mineure quatrième ou plus non déclarée au niveau le moins cher;
	annoncez un SA (réponse assez rare).
11 ou 12 points:	sautez dans une majeure quatrième ou plus non déclarée;
	sautez dans une mineure quatrième ou plus non déclarée;
	sautez à deux SA (réponse assez rare).

> 13 points ou plus: sautez à la manche dans une majeure quatrième ou plus non déclarée;
>
> sautez à trois SA.

Si vous annoncez un contre d'appel, votre deuxième enchère est subordonnée à la force signalée par la réponse de votre partenaire:

VOTRE FORCE	CELLE DE VOTRE PARTENAIRE	À QUEL NIVEAU?	VOTRE DEUXIÈME ENCHÈRE
De 13 à 16 points	de 0 à 10 points	la manche partielle	passez [ARRÊT]. Votre partenaire a choisi la meilleure manche partielle.
	11 ou 12 points	peut-être la manche	passez [ARRÊT] si vous avez 13 ou 14 points ou annoncez la manche [ARRÊT] si vous avez 15 ou 16 points.
	13 points ou plus	la manche	passez [ARRÊT]. Votre partenaire a choisi la meilleure manche.
17 ou 18 points	de 0 à 10 points	peut-être la manche	soutenez la couleur de votre partenaire ▼.
	11 ou 12 points	la manche	soutenez à la manche [ARRÊT], ou annoncez trois SA [ARRÊT].
	13 points ou plus	la manche	passez [ARRÊT].
De 19 à 21 points	de 0 à 10 points	peut-être la manche	sautez dans la majeure de votre partenaire ou annoncez SA ▼.
	11 ou 12 points	la manche	soutenez à la manche [ARRÊT] ou annoncez trois SA [ARRÊT].
	13 points ou plus	peut-être le chelem	visez le chelem (voir le chapitre 22).

Exercices

1.

NORD	EST	SUD	OUEST
(le donneur)	(votre partenaire)		(vous-même)
un trèfle	contre	passe	?

Quelle est votre réponse avec chacune de ces mains?

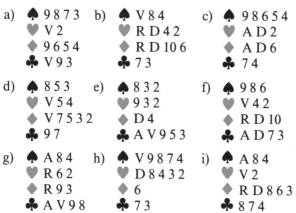

a) ♠ 9 8 7 3
♥ V 2
♦ 9 6 5 4
♣ V 9 3

b) ♠ V 8 4
♥ R D 4 2
♦ R D 10 6
♣ 7 3

c) ♠ 9 8 6 5 4
♥ A D 2
♦ A D 6
♣ 7 4

d) ♠ 8 5 3
♥ V 5 4
♦ V 7 5 3 2
♣ 9 7

e) ♠ 8 3 2
♥ 9 3 2
♦ D 4
♣ A V 9 5 3

f) ♠ 9 8 6
♥ V 4 2
♦ R D 10
♣ A D 7 3

g) ♠ A 8 4
♥ R 6 2
♦ R 9 3
♣ A V 9 8

h) ♠ V 9 8 7 4
♥ D 8 4 3 2
♦ 6
♣ 7 3

i) ♠ A 8 4
♥ V 2
♦ R D 8 6 3
♣ 8 7 4

2.

NORD	EST	SUD	OUEST
(le donneur)	(votre partenaire)		(vous-même)
un trèfle	contre	passe	un cœur
passe	?		

Quelle sera votre prochaine enchère avec chacune de ces mains?

a) ♠ A D 7 3
♥ A V 2
♦ A 6 5 4
♣ 9 3

b) ♠ R 9 8 4
♥ R D 4 2
♦ A D 6 3
♣ 3

c) ♠ A D 6
♥ A V 9 2
♦ A D 6 3 2
♣ 4

d) ♠ A 9 8 6
♥ D 8 4 2
♦ R V 10 3 2
♣ —

e) ♠ A 8 4
♥ R V 6 2
♦ R D V 9 3
♣ A

Pour les « fureteurs »

Si votre unique couleur a été annoncée par vos adversaires

Alors que vous détenez de 0 à 5 points et une couleur quatrième non déclarée, votre partenaire annonce quelquefois un contre d'appel.

Supposons que les enchères se déroulent ainsi:

NORD	EST	SUD	OUEST
	(votre partenaire)		(vous-même)
un trèfle	contre	passe	?

et que vous déteniez la main suivante:

♠ 7 5 4
♥ R 6 4
♦ 7 3 2
♣ V 5 3 2

Ou que la séquence d'enchères soit:

NORD	EST	SUD	OUEST
	(vous-même)		(votre partenaire)
un carreau	passe	un pique	contre
passe	?		

et que vous ayez:

♠ 8 5 3 2
♥ 8 5
♦ V 9 5 3
♣ D 8 7

Le contre d'appel de votre partenaire est impératif; alors vous devez annoncer. Pour chaque exemple, annoncez une couleur troisième! C'est vexant, mais il n'y a pas d'autre solution. Habituellement, votre partenaire dispose d'un soutien quatrième, vous permettant un fit suffisant de sept cartes. Quoi qu'il en soit, cela vaut mieux que de défendre un contrat contré au niveau de un. Si le répondant détient de 6 à 10 points et aucune couleur quatrième ou plus non déclarée, il peut répondre: un SA.

Il est très rare que le répondant possède une longue suffisamment forte dans la couleur d'atout de son adversaire pour passer sur le contre d'appel de son partenaire. Imaginons cette séquence d'enchères:

NORD	EST	SUD	OUEST
	(votre partenaire)		(vous-même)
un trèfle	contre	passe	?

et vous détenez:

♠ A 5
♥ 7 5
♦ 9 6 4
♣ D V 10 9 8 7

Avec 9 points seulement (7 PH plus deux points pour la couleur sixième à trèfle), il semble que vous vous dirigiez vers la manche partielle. Quelle serait la meilleure? Même si votre partenaire n'en possède pas beaucoup, il appert que ce sera à trèfle! Vous serez peut-être capable d'enlever quatre levées d'atout et une cinquième avec l'as de pique. Votre partenaire pourra probablement réussir deux ou trois levées puisqu'il a donné la preuve de sa force d'ouverture. Comment devez-vous réagir? Das ce cas-ci, **passez. Cette réponse a pour effet de transformer le contre d'appel en un contre de pénalité.**

NORD	EST (votre partenaire)	SUD	OUEST (vous-même)
un trèfle	contre	passe	**passe**
passe			

Le contrat définitif (en supposant que Nord choisit de passer) est de un trèfle contré. Si, à la défense, vous réussissez au moins sept plis, vous ferez chuter le contrat.

Transformer le contre d'appel de votre partenaire en un contre de pénalités est une décision qui se prend rarement. Avant de vous y risquez, assurez-vous d'avoir au moins cinq bons atouts.

Annoncer la couleur de votre adversaire est une réponse cue-bid

Lorsque votre partenaire annonce un contre d'appel et que vous possédez 13 points ou plus, nous vous avons conseillé de sauter à la manche dans la majeure quatrième ou plus non déclarée. Si vous n'en avez pas, annoncez trois SA. Cette ligne de conduite est facile à retenir et elle convient à la plupart des mains.

Pour être certain de votre fait, vous pouvez procéder à une légère modification lorsque vous n'êtes pas sûr de la COULEUR du contrat sur le contre d'appel de votre partenaire. Par exemple, si les enchères se déroulent ainsi:

NORD	EST (votre partenaire)	SUD	OUEST (vous-même)
un trèfle	contre	passe	?

et que votre main soit:

♠ A D 7 6
♥ R V 6 5
♦ 7 6 5
♣ R 6

Avec 13 points, vous visez la manche, mais puisque votre partenaire ne détient peut-être qu'un soutien troisième dans les couleurs non déclarées, vous n'êtes pas certain de pouvoir déterminer le meilleur contrat de la manche. Votre partenaire peut avoir l'une de ces mains:

1.	♠ R 5 4	2.	♠ R V 5 4	3.	♠ R 8 3
	♥ A D 3 2		♥ A 4 3		♥ A 9 2
	♦ A R 8 4		♦ A R 4 2		♦ A 8 3 2
	♣ 7 5		♣ 5 3		♣ D V 8

S'il détient la première main, vous avez un fit magique dans la majeure à cœur, mais non à pique. S'il a la deuxième, jouez votre fit magique dans la majeure à pique. S'il détient la troisième main, vous n'avez pas de fit magique dans la majeure; dans ce cas, jouez trois SA.

Pour obtenir de votre partenaire des renseignements supplémentaires en vue de déterminer la COULEUR, faites une enchère impérative. Puisqu'il vous a incité à choisir une couleur quelconque **autre que la couleur annoncée par vos adversaires**, vous disposez d'une enchère qui peut être utilisée dans ce but. **Annoncez la couleur de vos adversaires!** Une telle réponse est appelée un *cue-bid* dans la couleur du camp adverse. Comme ni votre partenaire ni vous-même n'avez l'intention de jouer comme atout la couleur de vos adversaires, votre partenaire ne passera pas.

> LA RÉPONSE CUE-BID SUR UN CONTRE D'APPEL EST UNE ENCHÈRE IMPÉRATIVE POUR LA MANCHE SIGNIFIANT: «JE PUIS RÉALISER LA MANCHE MAIS JE NE SUIS PAS CERTAIN DE LA COULEUR.»

Que fera votre partenaire lorsque vous déclarez un cue-bid dans la couleur de l'adversaire? Il vous communiquera les renseignements supplémentaires dont vous avez besoin. Supposons qu'il ait l'une des mains ci-dessus et que les enchères se déroulent ainsi:

NORD	EST	SUD	OUEST
	(votre partenaire)		(vous-même)
un trèfle	contre	passe	**deux trèfles**
passe	?		

Avec les deux premières mains, votre partenaire annonce sa majeure quatrième et vous soutenez à la manche. Avec la troisième main, il ne dispose pas de majeure quatrième; il annonce alors deux SA et vous soutenez à trois SA.

Le cue-bid utilisé en réponse au contre d'appel de votre partenaire est souvent très efficace. Il rend toutefois les enchères un peu plus compliquées.

XIX

Les enchères de compétition

Que de chemin parcouru! Nous avons étudié au début les enchères de l'ouvreur et du répondant sans devoir affronter de compétition. Puis nous avons examiné la conduite à suivre lorsque les adversaires participent aux enchères. Nous allons maintenant coordonner ces données en analysant les exemples les plus courants de compétition.

LE CAMP DE L'OUVREUR
{
- Le partenaire ouvre les enchères et l'adversaire de flanc droit:
  — intervient;
  — fait un contre d'appel.

LE CAMP DE L'INTERVENANT OU DU CONTREUR D'APPEL
{
- L'adversaire de flanc gauche ouvre les enchères et le partenaire:
  — intervient alors que l'adversaire de flanc droit annonce;
  — déclare un contre d'appel alors que l'adversaire de flanc droit annonce.

Examinons chacune de ces conjonctures.

Le partenaire ouvre les enchères et l'adversaire de flanc droit intervient

Quelles répercussions a l'intervention sur le choix d'annonce du répondant? Posez-vous de nouveau les quatre questions du répondant. À cause de l'intervention, toutefois, vous devrez procéder à certains réajustements.

LES QUATRE QUESTIONS DU RÉPONDANT

1. PUIS-JE SOUTENIR LA MAJEURE DE MON PARTENAIRE?
2. AI-JE UNE MAIN FAIBLE (DE 0 À 5 POINTS)?
3. PUIS-JE ANNONCER UNE NOUVELLE COULEUR AU NIVEAU DE UN?
4. AI-JE UNE MAIN MINIMALE (DE 6 À 10 POINTS)?

Examinons les exemples suivants.

Première question:

PUIS-JE SOUTENIR LA MAJEURE DE MON PARTENAIRE?

Si vous pouvez soutenir la majeure de votre partenaire, l'intervention n'influencera que très rarement votre réponse. Par exemple:

NORD	EST	SUD	OUEST
(votre partenaire)		(vous-même)	
un cœur	un pique	?	

Vous détenez:

♠ 7 6 5
♥ R V 5 3
♦ A 9 6
♣ R 4 3

Répondez trois cœurs; vous signalez ainsi un soutien quatrième dans la majeure de votre partenaire et 11 ou 12 points, exactement ce que vous auriez fait si l'Est avait passé.

Deuxième question:

AI-JE UNE MAIN FAIBLE (DE 0 À 5 POINTS)?

Ici encore, aucune conséquence n'en découle. Par exemple:

NORD	EST	SUD	OUEST
(votre partenaire)		(vous-même)	
un carreau	un cœur	?	

Vous détenez:

♠ 10 8 7 6 5
♥ V 3
♦ D V 8
♣ 10 7 4

Passez. L'intervention n'a pas modifié votre réponse.

Troisième question:

PUIS-JE ANNONCER UNE NOUVELLE COULEUR AU NIVEAU DE UN?

Vous pouvez répondre par l'affirmative si l'intervention vous laisse assez de latitude pour annoncer une nouvelle couleur au niveau de un. Dans certains cas, l'intervention n'a pas d'influence sur votre réponse:

NORD	EST	SUD	OUEST
(votre partenaire)		(vous-même)	
un trèfle	un cœur	?	

Comment réagissez-vous avec la main suivante?

♠ R V 5 4 2
♥ A 10 6
♦ 8 6 4
♣ 9 6

Annoncez un pique. L'intervention n'a pas influencé votre réponse normale. Dans certains cas, l'intervention le fait, mais vous pouvez trouver une annonce alternative acceptable. Par exemple:

NORD	EST	SUD	OUEST
(votre partenaire)		(vous-même)	
un trèfle	un cœur	?	

Dans ce cas-ci, vous détenez la main suivante:

♠ A 10 6 3
♥ 9 2
♦ D 10 8 6 4
♣ 7 3

Au début, vous vouliez répondre un carreau mais même si l'on vous en a empêché, vous pouvez malgré cela annoncer une nouvelle couleur au niveau de un: un pique.

Quatrième question:

AI-JE UNE MAIN MINIMALE (DE 6 À 10 POINTS)?

Il se peut que vous ayez à trouver encore une fois une alternative acceptable (c'est-à-dire une réponse «la plus fidèle possible» à l'annonce normalement déclarée) lorsque l'intervention vient s'interposer. Par exemple:

NORD	EST	SUD	OUEST
(votre partenaire)		(vous-même)	
un carreau	un pique	?	

Vous détenez la main suivante:

♠ R V 3
♥ D 7 4 2
♦ 10 3
♣ D 9 7 4

Vous êtes sur le point de répondre un cœur, une nouvelle couleur au niveau de un, mais vous avez dû dire non à la troisième question parce que l'intervention est venue bousculer vos plans. Avec vos 8 points, vous n'êtes pas assez fort pour annoncer une nouvelle couleur au niveau de deux. Toutefois, vous avez une réponse toute prête: un SA, indiquant un avoir de 6 à 10 points.

En certaines occasions, il vous arrivera de vouloir poursuivre un peu plus la compétition afin de trouver une alternative intéressante. Dans l'exemple suivant, les enchères se déroulent ainsi:

NORD	EST	SUD	OUEST
(votre partenaire)		(vous-même)	
un cœur	deux trèfles	?	

et vous avez en main:

♠ D 9 7 4 2
♥ A D 3
♦ 9 8 5
♣ 3 2

Vous avez 9 points. Si votre adversaire de flanc droit passe, vous pouvez répondre un pique. Après l'intervention, vous n'avez pas assez de force pour annoncer votre couleur au niveau de deux. Vous pourriez passer, mais il vaut mieux signaler à votre partenaire que vous jouissez de 6 à 10 points si vous avez une annonce de rechange qui en vaille la peine. Avec la main ci-dessus, vous devriez soutenir à deux cœurs. Souvent votre partenaire possède une couleur cinquième ou plus et, dans ce cas, vous avez un fit magique. Si votre partenaire a une couleur quatrième, vous êtes encore en possession d'un fit septième parfaitement approprié. Le soutien d'une «couleur troisième» est si important durant les enchères de compétition qu'il vaut d'être approfondi:

LORS D'ENCHÈRES DE COMPÉTITION VOUS POUVEZ SOUTENIR LA COULEUR DE VOTRE PARTENAIRE AVEC UN SOUTIEN TROISIÈME SEULEMENT

Si vous avez de 6 à 10 points et aucune couleur de rechange acceptable en prévision, passez. Par exemple:

NORD	EST	SUD	OUEST
(votre partenaire)		(vous-même)	
un carreau	deux trèfles	?	

Vous avez la main suivante:

♠ 6 5 3
♥ R 10 7 3
♦ 9 6
♣ R 4 3 2

Vous projetiez de répondre un cœur, mais l'intervention de votre adversaire vous en a privé. Détenant une main minimale (de 6 à 10 points), vous ne pouvez annoncer une nouvelle couleur au niveau de deux. Passez, en ce cas.

Si vous ne disposez pas d'une main minimale, vous devez annoncer quelque chose. Si vous passez, la manche peut vous échapper. Avec 11 points ou plus, vous avez assez de force pour annoncer sans difficulté une nouvelle couleur au niveau de deux ou même plus. Supposons toutefois que les enchères se déroulent ainsi:

NORD	EST	SUD	OUEST
(votre partenaire)		(vous-même)	
un carreau	deux trèfles	?	

et que vous avez en main:

♠ A 6 5
♥ 6 5 3
♦ 9 6
♣ A D V 7 5

Votre adversaire vous a déjoué en déclarant votre réponse. Dans ce cas, servez-vous du contre de pénalité:

NORD	EST	SUD	OUEST
(votre partenaire)		(vous-même)	
un carreau	deux trèfles	**contre**	

Vous escomptez trois ou quatre levées à trèfle plus celle de l'as de pique. Puisque votre partenaire a ouvert, il doit être à même d'enlever au moins deux ou trois plis. Vous ne devriez avoir aucune difficulté à faire chuter le contrat de vos adversaires.

À la suite d'une intervention au niveau de deux, vous détenez quelquefois 11 ou 12 points, mais ne pouvez rien annoncer de valable. Par exemple:

NORD	EST	SUD	OUEST
(votre partenaire)		(vous-même)	
un cœur	deux carreaux	?	

Votre main est:

♠ A V 5
♥ D 9
♦ R 10 9 5
♣ V 9 6 4

Avec 11 points, vous vous devez d'annoncer. Trois trèfles ne semble pas être une déclaration intéressante. Si votre partenaire ne possède pas un fit, votre camp risque d'être à un niveau trop élevé et sans marge de manœuvre pour jouer un contrat acceptable. Un contre de pénalité n'est pas alléchant. Avec de telles mains, réagissez comme suit:

LORS D'ENCHÈRES DE COMPÉTITION, UNE RÉPONSE À DEUX SA EST UNE ANNONCE INVITATIVE RÉVÉLANT 11 OU 12 POINTS

En résumé:

LES RÉPONSES SUR UNE INTERVENTION DE VOTRE ADVERSAIRE DE FLANC DROIT

Utilisez LES QUATRE QUESTIONS DU RÉPONDANT:

1. Puis-je soutenir la majeure de mon partenaire?
   - L'intervention n'influence pas votre réponse.

2. Ai-je une main faible (de 0 à 5 points)?
   - L'intervention n'influence pas votre réponse.

3. Puis-je annoncer une nouvelle couleur au niveau de un?
   - Si l'intervention influence votre réponse, annoncez si possible une nouvelle couleur au niveau de un.

---

4. Ai-je une main minimale (de 6 à 10 points)?
- Si vous avez de 6 à 10 points, trouvez si possible une annonce de rechange:
  — soutenez la couleur de votre partenaire si vous disposez d'un soutien troisième ou plus;
  — déclarez un SA.
- Si vous avez 11 points ou plus, trouvez, si nécessaire, une annonce de rechange:
  — deux SA, si vous avez 11 ou 12 points;
  — un contre de pénalité quand vous possédez plusieurs atouts des adversaires et que vous présumez qu'ils ne pourront réaliser leur contrat.

Voici des cas où une intervention au niveau de un a été annoncée:

NORD	EST	SUD	OUEST
(votre partenaire)		(vous-même)	
un trèfle	un cœur	?	

Vous détenez l'une de ces mains:

1. ♠R9873	2. ♠D764	3. ♠D83
♥A62	♥V864	♥RV2
♦V54	♦A975	♦D983
♣D9	♣3	♣764

1. UN PIQUE   Pouvez-vous soutenir la majeure de votre partenaire? Non, car il ne l'a pas annoncée. Avez-vous une main faible? Non, vous avez 11 points. Pouvez-vous annoncer une nouvelle couleur au niveau de un? Oui. Répondez un pique. L'intervention de votre adversaire n'a eu aucune influence sur votre réponse.

2. UN PIQUE   Vous ne pouvez soutenir la majeure de votre partenaire et vous ne possédez pas une main faible. Pouvez-vous annoncer une nouvelle couleur au niveau de un? Oui. Répondez un pique. Sans l'intervention, vous auriez annoncé un cœur.

3. UN SA   Vous ne pouvez soutenir la majeure de votre partenaire vous ne disposez pas d'une main faible et ne pouvez annoncer une nouvelle couleur au niveau de un. Votre main est-elle minimale (de 6 à 10 points)? Oui, car vous détenez 8 points. Dans ce cas, annoncez un SA.

Voici d'autres cas où une intervention est déclarée au niveau de deux.

NORD	EST	SUD	OUEST
(votre partenaire)		(vous-même)	
un pique	deux carreaux		

Vous détenez l'une de ces mains:

1.	♠ R V 7 3	2.	♠ D 4 3	3.	♠ A D 9	4.	♠ 3
	♥ A 9 6 2		♥ R V 4		♥ 9 7 6 2		♥ A 5 4
	♦ 5 4		♦ R V 5 3		♦ 8 3		♦ R V 10 9 7
	♣ R 8 6		♣ V 8 7		♣ D 7 6 4		♣ A 8 6 3

1. TROIS PIQUES Pouvez-vous soutenir la majeure de votre partenaire? Oui, car vous détenez un soutien quatrième. Disposant de 12 points du mort (11 PH plus un point pour le doubleton à carreau), répondez par une enchère invitative à trois piques.

2. DEUX SA Vous n'avez pas de soutien quatrième dans la majeure de votre partenaire ni une main faible, et vous ne pouvez annoncer une nouvelle couleur au niveau de un. Vous ne possédez pas une main minimale, car vous avez 11 points. Puisque vous ne pouvez déclarer une nouvelle couleur au niveau de deux, annoncez deux SA; cela indique que vous détenez 11 ou 12 points. Cette réponse vaut mieux que de soutenir votre partenaire au niveau de trois, alors que vous ne disposez que d'un soutien troisième.

3. DEUX PIQUES Pouvez-vous soutenir la majeure de votre partenaire? Au cours des enchères de compétition, vous n'avez besoin, pour ce faire, que d'un soutien troisième. Puisqu'aucune nouvelle couleur ne semble avoir d'attrait, annoncez deux piques.

4. CONTRE Vous ne pouvez soutenir la majeure de votre partenaire, car vous ne disposez pas d'une main faible; vous ne pouvez annoncer une nouvelle couleur au niveau de un et vous n'avez pas de main minimale, car vous comptez 13 points. En vous préparant à annoncer une nouvelle couleur au niveau de deux, vous constatez qu'elle a déjà été déclarée par votre adversaire. Optez pour une contre-mesure efficace: le contre de pénalités.

Le partenaire ouvre les enchères et l'adversaire de flanc droit fait un contre d'appel

Si les enchères se déroulent ainsi:

NORD	EST	SUD	OUEST
(votre partenaire)		(vous-même)	
un cœur	contre	?	

quel est l'impact du contre d'appel de votre adversaire sur votre propre enchère? Il n'a aucunement entravé votre liberté d'annoncer. Par contre, cette réponse vous a révélé qu'il possède au moins la force d'une annonce d'ouverture et qu'il a l'intention de lutter pour le contrat définitif.

Puisque rien ne vous en empêche, répondez tout comme si votre adversaire avait passé, c'est-à-dire en utilisant les quatre questions du répondant. Par exemple:

NORD	EST	SUD	OUEST
(votre partenaire)		(vous-même)	
un cœur	contre	?	

et vous avez en main:

♠ A 8
♥ V 10 8 3
♦ D 6 3
♣ 8 6 5 3

Soutenez à deux cœurs pour indiquer un soutien quatrième dans la majeure de votre partenaire et un acquis de 8 points du mort.

Voici un autre exemple:

NORD	EST	SUD	OUEST
(votre partenaire)		(vous-même)	
un cœur	contre	?	

que faites-vous avec cette main?

♠ A D 8 7 4
♥ V 4
♦ A 5 3
♣ 8 7 3

Vous ne pouvez soutenir la majeure de votre partenaire et vous n'avez pas une main faible. Annoncez une nouvelle couleur au niveau de un. Répondez un pique.

Étudions maintenant les cas où vos adversaires ouvrent les enchères et où votre partenaire annonce.

L'adversaire de flanc gauche ouvre les enchères, votre partenaire intervient et l'adversaire de flanc droit annonce

Si les enchères se déroulent ainsi:

NORD	EST	SUD	OUEST
	(votre partenaire)		(vous-même)
un cœur	un pique	deux cœurs	?

quel impact aura l'annonce de votre adversaire de flanc droit? Il a entravé quelque peu votre liberté d'annoncer. Vous ne pouvez plus annoncer un SA, deux trèfles ou deux carreaux. Par contre, vous n'avez pas à répondre si vous ne détenez pas 11 points, car votre partenaire a, lui, une autre possibilité d'annoncer. Autrement, vous avez encore le loisir d'utiliser les quatre questions du répondant.

LES RÉPONSES POSSIBLES SUR UNE INTERVENTION DE VOTRE PARTENAIRE ET UNE ANNONCE DE VOTRE ADVERSAIRE DE FLANC DROIT

1. Puis-je soutenir la majeure de mon partenaire?
   - L'annonce de votre adversaire de flanc droit ne devrait pas entraver votre réponse. Il vous est possible de soutenir en n'ayant qu'un soutien troisième, puisque votre partenaire devrait avoir en main une couleur cinquième.

2. Ai-je une main faible (de 0 à 5 points)?
   - Passez.

3. Puis-je annoncer une nouvelle couleur au niveau de un?
   - Si la réponse de votre adversaire de flanc droit contrarie vos plans, déclarez si possible une nouvelle couleur au niveau de un.

4. Ai-je une main minimale (de 6 à 10 points)?
   - N'ayant que de 6 à 10 points, trouvez si possible une annonce de rechange:
     — soutenez la couleur de votre partenaire si vous avez un soutien troisième ou plus;
     — annoncez un SA.
   - Avec 11 points ou plus, répondez, si nécessaire, par une annonce de rechange acceptable:
     — soit une nouvelle couleur au niveau de deux, ou plus;
     — soit deux SA si vous avez 11 ou 12 points.

Voici quelques exemples:

NORD	EST	SUD	OUEST
	(votre partenaire)		(vous-même)
un cœur	un pique	deux cœurs	?

Que faites-vous avec chacune de ces mains?

1.	♠ R 7 3	2.	♠ R V 7 4	3.	♠ V 4	4.	♠ A 9
	♥ 10 2		♥ 9 8		♥ 10 5 4		♥ 6 2
	♦ A 9 8 5 4		♦ A 10 5 3		♦ R 9 8 3		♦ A R V 8 5 4
	♣ V 8 6		♣ R 9 6		♣ D 8 6 3		♣ 9 8 6

1. DEUX PIQUES Puisque votre partenaire détient au moins 5 piques, votre soutien est suffisant dans sa couleur. Avec 9 points du mort, soutenez à deux piques.

2. TROIS PIQUES Ici encore, votre soutien d'atout est suffisant. Dans ce cas-ci, sautez à trois piques; cela indique une main de 11 ou 12 points.

3. PASSEZ N'ayant que 6 points et dépourvu de toute annonce convenable, il vaut mieux que vous passiez. Votre partenaire vous reviendra et vous fera connaître la force de sa main.

4. TROIS CARREAUX Vous ne pouvez soutenir la majeure de votre partenaire ni annoncer une nouvelle couleur au niveau de un. Avec 14 points, vous avez assez de force pour annoncer une nouvelle couleur au niveau de deux ou plus haut. Déclarez trois carreaux.

L'adversaire de flanc gauche ouvre les enchères, votre partenaire contre et l'adversaire de flanc droit fait une annonce

Les enchères se déroulent ainsi:

NORD	EST	SUD	OUEST
	(votre partenaire)		(vous-même)
un cœur	contre	deux cœurs	?

Quelle influence a l'annonce de votre adversaire de flanc droit sur votre propre enchère?

Le contre d'appel de votre partenaire est une enchère impérative; si votre adversaire de flanc droit passe, cela vous oblige à annoncer. **Comment votre adversaire de flanc droit a annoncé, vous ne devez**

pas déclarer d'enchère. Votre partenaire le fera plus tard s'il détient une main intermédiaire ou maximale. Par exemple:

NORD	EST	SUD	OUEST
	(votre partenaire)		(vous-même)
un cœur	contre	deux cœurs	?

et vous avez en main:

♠ 8 6 5 4
♥ 8 6 4
♦ 7 5
♣ 10 7 4 2

Vous répondez un pique si votre adversaire de flanc droit passe, mais à présent et en toute sécurité, c'est à vous de passer.

Cela signifie-t-il que vous devez toujours passer? Certes non. Le contre d'appel de votre partenaire est une invitation à votre camp de continuer la lutte pour le contrat. Supposons que les enchères commencent ainsi:

NORD	EST	SUD	OUEST
	(votre partenaire)		(vous-même)
un cœur	contre	deux cœurs	?

et que vous ayez en main:

♠ A V 8 6 5
♥ 6 4
♦ 10 8 6
♣ D 5 2

Répondez deux piques. Ce n'est pas réellement une nouvelle couleur au niveau de deux puisque le contre d'appel de votre partenaire vous réclame un soutien dans l'une de ses couleurs. Vos 8 points combinés avec l'annonce d'ouverture de votre partenaire devraient vous renforcer suffisamment pour continuer la lutte en vue du contrat. Vous avez une bonne occasion de réaliser votre contrat et, en outre, si vos adversaires ont l'intention de combattre, ils doivent annoncer trois cœurs que vous pourrez vraisemblablement faire chuter. En règle générale, si vous avez de 6 à 10 points, annoncez une couleur quatrième ou plus non déclarée. Si vous avez de 0 à 5 points, passez.

Avec 11 ou 12 points, sautez dans votre couleur, comme vous le feriez si votre adversaire de flanc droit avait passé.

Par exemple:

NORD	EST	SUD	OUEST
	(votre partenaire)		(vous-même)
un cœur	contre	deux cœurs	?

Vous avez en main:

♠ A V 8 6 5
♥ 7 5
♦ R 6 5
♣ D 8 6

Annoncez trois piques. C'est une enchère invitative signalant 11 ou 12 points. Comme il n'a que 13 ou 14 points, votre partenaire peut passer. Sinon, il poursuit les enchères jusqu'à la manche.

Si vous avez 13 points ou plus, annoncez la manche. Les possibilités sont connues: quatre piques ou quatre cœurs dans la majeure quatrième ou plus longue; sinon, trois SA. Par exemple:

NORD	EST	SUD	OUEST
	(votre partenaire)		(vous-même)
un cœur	contre	deux cœurs	?

Votre main est:

♠ A V 8 6 5
♥ 7 5
♦ R 6 5
♣ A 8 6

Annoncez quatre piques. Les forces combinées sont suffisantes pour la manche et vous savez qu'il existe un fit magique dans la majeure puisque votre partenaire a signalé au moins un support troisième à pique.

En résumé:

LA RÉPONSE SUR UN CONTRE D'APPEL SI VOTRE ADVERSAIRE DE FLANC DROIT ANNONCE

0 à 5 points:	passez.
6 à 10 points:	annoncez une couleur non déclarée ou, plus rarement, signalez un SA;
11 ou 12 points:	sautez dans une couleur non déclarée ou, plus rarement, annoncez deux SA;
13 points ou plus:	annoncez la manche.

La compétition pour la manche partielle

Quand les deux camps sont en rivalité pour le contrat, vous avez deux options:

- Passez avec l'intention de vous défendre contre leur contrat.
- Annoncez plus haut en espérant ainsi remporter le contrat. Il se peut que vos adversaires veuillent continuer la lutte; espérez dans ce cas qu'ils s'engagent à un niveau «trop haut» pour leur force!

Les options comme celles que nous venons de voir rendent le bridge fascinant et plein de défis. Choisissez votre stratégie en fonction de ce qu'elle peut apporter de mieux à votre camp. Si vous commettez des erreurs, sachez que même les joueurs chevronnés font quelquefois fausse route.

Par exemple, si les enchères se déroulent ainsi:

NORD	EST	SUD	OUEST
(votre partenaire)		(vous-même)	
un cœur	un pique	deux cœurs	deux piques
passe	passe	?	

Si vos adversaires n'avaient pas poursuivi la lutte, votre partenaire et vous auriez limité le combat à deux cœurs. Mais vous avez choisi de passer et de défendre deux piques, ou encore d'annoncer trois cœurs si vous jouez votre couleur comme atout.

Il est possible que vous déteniez la main suivante, dans les enchères décrites plus haut:

♠ 7
♥ A 9 6 5
♦ D V 8 5 4
♣ 7 5 4

Vous disposez de 10 points du mort (7 PH plus trois points pour le singleton à pique). Comme vous avez le maximum de force dans votre zone de points, un bon fit dans la couleur de votre partenaire et une faible défense contre le contrat de vos adversaires, continuez la lutte à trois cœurs. Cette décision a trois avantages: a) vous pouvez compléter trois cœurs; b) vous pouvez entraîner vos adversaires à trois piques, contrat que vous ferez probablement chuter; c) vous pouvez chuter d'une levée, mais vos adversaires auraient réalisé leur contrat et marqueraient une manche partielle.

Par contre, si vous avez en main:

♠ R 8 5
♥ D 6 4
♦ 7 5
♣ D 6 4 3 2

vous devez passer. Vous avez fait un «effort» pour soutenir votre partenaire, car vous n'aviez qu'un soutien troisième, ne comptiez que 8 points et possédiez quelque défense contre deux piques.

En général, quand les deux camps rivalisent pour la manche partielle:

- servez-vous de votre jugeotte;
- en cas de doute, annoncez au niveau de deux, mais passez au niveau de trois.

Résumé

Si votre partenaire ouvre les enchères et que votre adversaire de flanc droit intervient, utilisez le questionnaire du répondant.

LES QUATRE QUESTIONS DU RÉPONDANT

1. PUIS-JE SOUTENIR LA MAJEURE DE MON PARTENAIRE?
2. AI-JE UNE MAIN FAIBLE (DE 0 À 5 POINTS)?
3. PUIS-JE ANNONCER UNE NOUVELLE COULEUR AU NIVEAU DE UN?
4. AI-JE UNE MAIN MINIMALE (DE 6 À 10 POINTS)?

Si l'annonce de votre adversaire contrecarre votre réponse normale, cherchez une alternative acceptable. Ne disposant que de 6 à 10 points, vous passez si vous n'avez aucune enchère convenable. Avec 11 points ou plus, annoncez quelque chose.

Si votre partenaire intervient et que votre adversaire de flanc droit annonce, servez-vous du même questionnaire.

Lorsqu'un de vos adversaires annonce sur un contre d'appel de votre partenaire:

0 à 5 points:	passez.
6 à 10 points:	annoncez une couleur non déclarée ou, plus rarement, répondez un SA;
11 ou 12 points:	sautez dans une couleur non déclarée ou, plus rarement, annoncez deux SA;
13 points ou plus:	annoncez la manche.

Lorsqu'un adversaire intervient par un contre d'appel sur l'ouverture de votre partenaire, annoncez exactement comme si votre adversaire avait passé.

Quand les deux camps rivalisent pour la manche partielle:

- servez-vous de votre jugeotte;
- dans le doute, annoncez au niveau de deux, mais passez au niveau de trois.

Exercices

1.

NORD	EST	SUD	OUEST
(votre partenaire)		(vous-même)	
un carreau	un cœur	?	

Qu'annoncez-vous avec chacune de ces mains?

a) ♠ R 8 7 3   b) ♠ D 7 4   c) ♠ D 8 3   d) ♠ A R
   ♥ 9 6 2   ♥ R V 4   ♥ V 2   ♥ 9 5 4
   ♦ V 5 4   ♦ 5 3   ♦ D V 8 3 2   ♦ 5 3 2
   ♣ D 10 9   ♣ R 9 7 5 3   ♣ 7 6 4   ♣ A D 9 7 3

2.

NORD	EST	SUD	OUEST
(votre partenaire)		(vous-même)	
un cœur	deux carreaux	?	

Comment répondez-vous avec chacune de ces mains?

a) ♠ R 8 7 3   b) ♠ D V 6 4 2   c) ♠ A 8 3   d) ♠ D 6 3
   ♥ A 9 6 2   ♥ V 6 4   ♥ R 9 2   ♥ 4
   ♦ A 5 4   ♦ A 9 7   ♦ D V 8 3   ♦ A D 10 9 7
   ♣ D 9   ♣ R 3   ♣ D 10 4   ♣ A 9 7 3

3. | NORD | EST | SUD | OUEST
(votre partenaire) | (vous-même)
un trèfle | contre | ?

Que faites-vous avec chacune de ces mains?

a) ♠ 7 5 3
♥ V 9 7 6 2
♦ V 7 5 4
♣ 9

b) ♠ D 7 6 4
♥ V 8 6 4
♦ A 7 5
♣ 3 2

c) ♠ 8 3
♥ R V 2
♦ 9 8 3
♣ R 9 7 6 4

d) ♠ A D 3
♥ R D 4
♦ D 5 3
♣ V 7 3 2

4. | NORD | EST | SUD | OUEST
| | (votre partenaire) | | (vous-même)
un trèfle | un pique | deux trèfles | ?

Comment répondez-vous avec chacune de ces mains?

a) ♠ A 2
♥ V 7 3
♦ R 5 4 3 2
♣ 10 9 3

b) ♠ D 7 6 4
♥ A R 8 6 4
♦ 7 5
♣ 9 3

c) ♠ R V 3 2
♥ 8 3
♦ A 9 8 3
♣ R D V

d) ♠ 7 4 3
♥ R V 5
♦ A D V 2
♣ V 7 5

5. | NORD | EST | SUD | OUEST
| | (votre partenaire) | | (vous-même)
un trèfle | contre | un SA | ?

Comment répondez-vous avec chacune de ces mains?

a) ♠ 7 3
♥ 9 6 2
♦ V 5 4 3 2
♣ D 10 9

b) ♠ D 7 6 4
♥ R V 8 6 4
♦ 7 5
♣ 9 3

c) ♠ D V 8 3
♥ R V 2
♦ A 9 8 3
♣ 7 4

d) ♠ 7 3
♥ 9 5
♦ A D V 8 3 2
♣ R 9 7

Pour les « fureteurs »

Quand un adversaire décide d'un contre d'appel, il vous laisse envisager une autre enchère, le surcontre. Le surcontre n'est pas obligatoire et nous ne vous conseillons pas de l'utiliser. Certains joueurs ont cependant recours au surcontre pour signaler:

- « Partenaire, je compte 10 PH ou plus. »
- « Je projette de décrire ma main dans le détail à la prochaine occasion. »

Nous signalons ce point pour que vous sachiez quels joueurs ont étudié une autre méthode et ce qu'ils se proposent de faire en utilisant le surcontre.

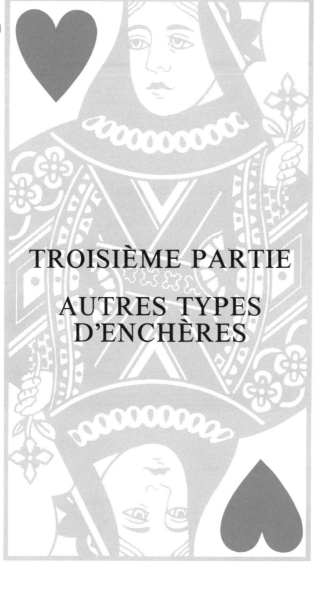

TROISIÈME PARTIE

AUTRES TYPES D'ENCHÈRES

XX

La convention Stayman

Si votre partenaire ouvre de un SA, il indique:

- une main équilibrée et
- 16, 17 ou 18 points.

Le chapitre 5 nous a expliqué comment le répondant, à titre de capitaine, fixait le NIVEAU et la COULEUR du contrat sur une ouverture de un SA. Deux problèmes étaient alors mis en suspens:

- savoir si l'ouvreur de un SA possède une majeure **quatrième**;
- savoir si l'ouvreur possède une main minimale ou maximale quand le répondant détient 8 ou 9 points et cherche un fit magique dans une majeure.

Nous avions aussi repoussé plus loin l'étude de la réponse deux trèfles.

Sur une ouverture d'enchère de un SA, le répondant peut user de la convention Stayman. À l'aide de la réponse deux trèfles, cette stratégie permet de découvrir si oui ou non l'ouvreur détient une majeure quatrième. Voyons comment appliquer cette réponse dans les cas suivants.

La réponse deux trèfles

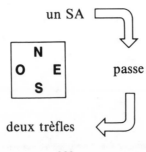

Si votre partenaire ouvre de un SA, après entente avec lui, servez-vous de la réponse deux trèfles pour poser la question:

AVEZ-VOUS UNE COULEUR QUATRIÈME
DANS LA MAJEURE?

Employée de cette façon, la réponse deux trèfles est une enchère **artificielle** ou *conventionnelle*. Elle est appelée *convention Stayman*. On ne l'utilise que si le répondant a au moins 8 points et désire jouer la manche.

Par exemple, quand l'ouvreur ouvre de un SA, le répondant peut avoir la main suivante:

♠ A 8 6 4
♥ R 9 7 6
♦ 6 3
♣ A 10 5

Cette distribution convient à la réponse Stayman deux trèfles.

Les deuxièmes enchères de l'ouvreur

Comment l'ouvreur renchérit-il sur une réponse deux trèfles (Stayman) de son partenaire? Si l'ouvreur a une couleur quatrième ou plus dans la majeure, il l'annonce. Sinon, il annonce deux carreaux. À l'instar de la réponse deux trèfles, l'annonce deux carreaux est une enchère artificielle ou conventionnelle. L'ouvreur a la possibilité de trois deuxièmes enchères.

LA DEUXIÈME ENCHÈRE DE L'OUVREUR SUR UNE
RÉPONSE DE DEUX TRÈFLES (STAYMAN)

- Deux cœurs: avec une couleur quatrième ou plus à cœur;
- Deux piques: avec une couleur quatrième ou plus à pique;
- Deux carreaux: sans aucune majeure quatrième

Que faire si l'ouvreur détient une couleur quatrième à cœur et une couleur quatrième à pique? L'ouvreur applique en ce cas la règle

classique: annoncer la couleur la moins chère de deux couleurs quatrièmes; il annonce deux cœurs.

Examinons quelques exemples. Vous êtes le Nord et les enchères se
déroulent ainsi:

NORD	EST	SUD	OUEST
(vous-même)		(votre partenaire)	
un SA	passe	**deux trèfles**	passe
?			

Quelle est votre deuxième enchère avec chacune de ces mains?

1.	♠ R 8 7 3	2.	♠ A V	3.	♠ A D 3	4.	♠ A D 7 3
	♥ A 6 2		♥ V 9 8 3		♥ A V 2		♥ D 9 5 4
	♦ A 5 4		♦ A R 5 3		♦ V 2		♦ R V 2
	♣ R D 9		♣ R V 3		♣ R D 7 6 4		♣ A 10

1. DEUX PIQUES   La réponse deux trèfles vous demande d'annoncer
   une couleur quatrième dans la majeure si vous en détenez une.
   Avec une couleur quatrième à pique, annoncez deux piques.

2. DEUX CŒURS   Avec une couleur quatrième à cœur, votre
   deuxième enchère est deux cœurs si votre partenaire utilise la
   convention Stayman.

3. DEUX CARREAUX   Le répondant vous a demandé si vous avez
   une couleur quatrième dans la majeure. Vous n'en avez pas.
   Annoncez deux carreaux. Cette réponse est factice et n'a aucun
   rapport avec le nombre de carreaux que vous avez. Elle signifie
   simplement: «Je n'ai pas de couleur quatrième dans la majeure.»

4. DEUX CŒURS   Lorsque vous avez un choix de couleurs quatrièmes dans une majeure, annoncez la moins chère: deux cœurs.

Utiliser la convention Stayman avec 10 points ou plus

Quand votre partenaire ouvre de un SA et que vous comptez
10 points ou plus, vous connaissez le NIVEAU: c'est la manche. Afin
de préciser la COULEUR, vous devez savoir s'il existe un fit magique
dans la majeure. Si oui, jouez la manche dans la majeure. Sinon, la
manche doit être à trois SA.

Le seul cas où le répondant se sert de la convention Stayman quand il a 10 points ou plus, c'est quand il possède une majeure quatrième et qu'il doit savoir si l'ouvreur peut lui fournir un soutien quatrième. Par exemple, si l'ouvreur annonce un SA et que le répondant a en main:

♠ A 8 6 4
♥ R 9 7 6
♦ 6 3
♣ A 10 5

ce dernier, avec 11 points, sait qu'il y a assez de forces combinées pour la manche. Pour déterminer la COULEUR, le répondant utilise la convention Stayman et annonce deux trèfles. Si l'ouvreur déclare deux cœurs, le répondant sait alors qu'il existe un fit magique dans la majeure et peut annoncer quatre cœurs. D'une façon analogue, si l'ouvreur signale deux piques, le répondant déclare quatre piques. Par contre, si l'ouvreur ne possède pas une majeure quatrième et déclare deux carreaux, le répondant constate qu'il n'existe pas de fit magique dans la majeure et annonce trois SA.

Autre exemple: l'ouvreur annonce un SA et le répondant a en main:

♠ V 6 4 3
♥ 6 3
♦ R D 8 5 3
♣ R 4

Possédant 10 points, le répondant sait qu'il y a suffisamment de force pour la manche. Comme il est possible qu'un fit magique existe dans la majeure à pique, le répondant déclare deux trèfles. Si l'ouvreur annonce deux piques, le répondant soutient à quatre piques. Par contre, si l'ouvreur déclare deux carreaux, il se peut que le répondant annonce trois SA, sachant qu'il n'y a pas de fit magique dans une majeure. Qu'arrive-t-il si l'ouvreur annonce deux coeurs? De nouveau, le répondant devrait annoncer trois SA.

Voici d'autres exemples:

NORD (votre partenaire)	EST	SUD (vous-même)	OUEST
un SA	passe	?	

Que répondez-vous avec chacune de ces mains?

1. ♠ V 8 7 3   2. ♠ R D 8 6 4 3. ♠ A 9 3
   ♥ V 9 6 2   ♥ 8 3   ♥ R 7 4 2
   ♦ A 5 4   ♦ V 5 3   ♦ A 6 4
   ♣ A 9   ♣ A 8 3   ♣ 7 6 4

1. DEUX TRÈFLES   Avec 10 points, votre camp a suffisamment de forces combinées pour la manche. À QUEL NIVEAU? Si votre partenaire dispose d'une majeure quatrième, il doit exister un fit magique dans la majeure. Pour le savoir, annoncez deux trèfles. Si l'ouvreur déclare deux cœurs, soutenez à quatre cœurs et s'il déclare deux piques, sautez à quatre piques. Par contre, s'il déclare deux carreaux, annoncez trois SA, avec la certitude qu'il n'y a pas de fit magique dans la majeure.

2. TROIS PIQUES   Avec 11 points, visez la manche. Ici, il n'est pas nécessaire de recourir à la convention Stayman. Disposant d'une majeure cinquième, il ne vous faut qu'un soutien troisième de l'ouvreur. Trois piques est l'annonce qui vous permet de savoir si l'ouvreur possède ou non un soutien troisième ou plus. L'ouvreur répond quatre piques s'il a trois piques ou plus; sinon, il annonce trois SA.

3. DEUX TRÈFLES   Ici encore, avec 11 points, vous aspirez à la manche. Comme il se peut qu'il y ait un fit magique dans la majeure à cœur, annoncez deux trèfles. Si l'ouvreur déclare deux cœurs, soutenez à quatre cœurs. Par contre, s'il déclare deux carreaux ou deux piques, annoncez trois SA.

Utiliser la convention Stayman avec 8 ou 9 points

Supposons que l'ouvreur annonce un SA et que le répondant ait la main suivante:

   ♠ A 7 5 3
   ♥ R 6 5 2
   ♦ V 4 2
   ♣ 6 3

Avec 8 points, alors que le répondant se pose la question À QUEL NIVEAU?, la réponse est «Peut-être la manche». Le répondant désire lancer une enchère invitative. Bien que la réponse à deux SA soit une incitation à la manche, ce recours ne permet pas au répondant de s'assurer s'il existe un fit magique dans la majeure. En ce cas, le répondant annonce d'abord deux trèfles.

Si l'ouvreur annonce deux cœurs, le répondant soutient à trois cœurs à titre d'enchère invitative. Avec 16 ou 17 points, l'ouvreur passe, mais annoncera quatre cœurs s'il possède 18 points. D'une façon analogue, si l'ouvreur déclare deux piques, le répondant exhorte à la manche en soutenant à trois piques. Que se passe-t-il si l'ouvreur annonce deux carreaux? À ce moment, le répondant sait qu'il n'y a pas de fit magique dans la majeure et il annonce deux SA, une enchère invitative signalant 8 ou 9 points.

Voici d'autres cas. Votre partenaire ouvre de un SA. Que faites-vous avec chacune de ces mains?

1.	♠ A V 2	2.	♠ A 7 2
	♥ V 9 8		♥ 10 9 7 2
	♦ 7 6 5 3		♦ V 2
	♣ R 8 3		♣ R 6 5 4

1. DEUX SA   Il n'existe probablement pas de fit magique dans la majeure; répondez deux SA pour inciter l'ouvreur à la manche.

2. DEUX TRÈFLES   Vous avez 8 points et désirez savoir s'il y a un fit magique dans la majeure: annoncez deux trèfles. Si l'ouvreur répond deux cœurs, exhortez à la manche en soutenant à trois cœurs. Si l'ouvreur annonce deux carreaux ou deux piques, incitez-le à la manche par un deux SA.

Lorsque vous avez 8 ou 9 points, vous pouvez recourir d'une autre façon à la convention Stayman. Si votre partenaire ouvre les enchères de un SA et que vous avez en main:

> ♠ R 9 5 4 2
> ♥ 7 5
> ♦ D 7 5
> ♣ D 6 3

Vous avez alors huit points. Vous désirez faire une enchère invitative mais, en même temps, vous ne voulez pas risquer de perdre un fit magique dans la majeure si vous en détenez un. Vous ne pouvez déclarer deux piques, car cette annonce indique un avoir de 0 à 7 points et constitue une enchère d'arrêt. Même s'il a 18 points, votre partenaire passe. Vous n'annoncez pas trois piques, car cette déclaration dénote de 10 à 14 points, une annonce impérative. Votre partenaire doit continuer jusqu'à quatre piques ou trois SA, même s'il ne compte que 16 points. Que faire en ce cas?

Pour contourner cet obstacle, il faut commencer les enchères à deux trèfles. Si votre partenaire annonce deux piques, faites un soutien à trois piques. Vous savez que vous détenez un fit magique dans la majeure. Que se produit-il si votre partenaire annonce deux carreaux ou deux cœurs? Vous pouvez alors déclarer deux piques:

NORD	EST	SUD	OUEST
(votre partenaire)		(vous-même)	
un SA	passe	deux trèfles	passe
deux carreaux	passe	**deux piques**	

Cette annonce signale à votre partenaire que vous détenez une main invitative (8 ou 9 points) et un minimum de cinq piques. Pourquoi? Avec une main faible (de 0 à 7 points) vous auriez dès le début annoncé deux piques, une enchère d'arrêt. Avec une main forte (de 10 à 14 points), vous auriez déclaré trois piques avec une couleur cinquième ou quatre piques avec une couleur sixième ou plus. Par conséquent, vous devez posséder une main chiffrant à 8 ou 9 points. Si vous n'avez qu'une couleur quatrième à pique, votre redemande est deux SA. Donc, s'il est minimum (16 ou 17 points), votre partenaire passe, ou il annonce trois SA, ou encore quatre piques s'il est maximum (18 points).

Voici un autre exemple: votre partenaire ouvre de un SA et vous détenez la main suivante:

♠ R 7
♥ D 9 7 5 4 2
♦ V 5 3
♣ 6 3

Disposant de 8 points et cherchant à profiter de la majeure, annoncez deux trèfles. Si votre partenaire annonce deux cœurs, soutenez à trois cœurs et incitez-le à poursuivre les enchères jusqu'à la manche. Si, par contre, il déclare deux carreaux, annoncez deux cœurs signalant une main invitative comprenant cinq cœurs ou plus. D'une façon analogue, s'il annonce deux piques, déclarez trois cœurs, indiquant ainsi une main cinquième ou plus à cœur.

Autres cas: votre partenaire ouvre de un SA: que répondez-vous avec chacune de ces mains?

	1.	2.	3.
♠	10 8 7 3 2	V 2	D 7 2
♥	D 5 2	V 9 8 6 4	D 7 2
♦	5 4	7 6 5 3	V 2
♣	R D 3	8 3	R 6 5 4 3

1. DEUX TRÈFLES   Comme vous avez 8 points (7 PH plus un point pour votre couleur cinquième à pique) et que vous désirez explo-

rer la possibilité d'un fit magique dans une majeure, déclarez deux trèfles. Si votre partenaire annonce deux piques, exhortez-le à la manche en annonçant trois piques. S'il dit deux carreaux ou deux cœurs, annoncez deux piques, lui indiquant ainsi une main invitative de cinq piques au minimum.

2. DEUX CŒURS   Vos 3 points sont insuffisants pour une déclaration de deux trèfles; faites plutôt une annonce à cœur qui révélera une main invitative. Faites tout simplement une enchère d'arrêt à deux cœurs. Votre partenaire passera.

3. DEUX SA   Comme vous avez 9 points et aucun intérêt dans la majeure, faites une enchère invitative à deux SA.

Ne pas utiliser la convention Stayman avec de 0 à 7 points

Supposons que votre partenaire ouvre de un SA et que vous disposiez de la main suivante:

$$\spadesuit \text{ V 7 5 4}$$
$$\heartsuit \text{ D 9 7 5}$$
$$\blacklozenge \text{ 6 3}$$
$$\clubsuit \text{ 8 6 3}$$

Puisque vous n'avez que 3 points, visez la manche partielle. Devez-vous déclarer deux trèfles dans le but de découvrir un fit magique dans la majeure? De prime abord, cette manœuvre paraît rationnelle. Si votre partenaire annonce deux cœurs, vous pouvez passer et jouer le fit magique. D'une façon analogue, si votre partenaire déclare deux piques, vous pouvez passer. Mais que se passe-t-il s'il annonce deux carreaux? Comme deux carreaux est une réponse artificielle, votre partenaire peut n'en posséder en réalité que deux. Abandonner votre partenaire dans cette impasse vous tracasse. Alors pourquoi ne pas déclarer deux SA? Comme nous l'avons vu précédemment, votre partenaire se doutera peut-être qu'il s'agit d'une enchère invitative et il sera porté à continuer jusqu'à trois SA s'il détient 18 points.

Par conséquent, vous ne pouvez utiliser la convention Stayman avec une main de 0 à 7 points. Si vous possédez une ou deux majeures quatrièmes, passez. Déclarez une enchère d'arrêt à deux carreaux, deux cœurs ou deux piques si vous disposez d'une couleur cinquième ou plus.

Résumé

Lorsque votre partenaire ouvre de un SA, vous pouvez déclarer deux trèfles (*convention Stayman*) si vous comptez 8 points ou plus et désirez savoir si votre partenaire dispose d'une majeure quatrième ou plus. La deuxième enchère de l'ouvreur sera ainsi:

**LA DEUXIÈME ENCHÈRE DE L'OUVREUR
SUR UNE RÉPONSE DE DEUX TRÈFLES (STAYMAN)**

- Deux cœurs: avec une couleur quatrième ou plus à cœur;

- Deux piques: avec une couleur quatrième ou plus à pique;

- Deux carreaux: sans aucune majeure quatrième

Vous pouvez également vous servir de la convention Stayman comme enchère invitative (8 ou 9 points), avec une majeure cinquième ou plus.

Exercices

1. Vous ouvrez de un SA et votre partenaire annonce deux trèfles (convention Stayman). Quelle est votre deuxième enchère avec chacune de ces mains?

a) ♠ R 7 3 2   b) ♠ A R D   c) ♠ A R V 3   d) ♠ D V 3
   ♥ A D   ♥ V 8 6 4   ♥ V 8 7 2   ♥ A V 2
   ♦ A 9 5 4   ♦ R 5 3   ♦ D 9   ♦ V 9 6
   ♣ A 7 3   ♣ R 8 3   ♣ A R 3   ♣ A R 7 4

2. Votre partenaire ouvre de un SA. Quelle est votre réponse avec chacune de ces mains?

a) ♠ R 7 3 2   b) ♠ R 8 6 5 3   c) ♠ A 10 7   d) ♠ D 9 8 3
   ♥ 5 2   ♥ 6 4   ♥ 7 2   ♥ 4 2
   ♦ D 9 5 4   ♦ V 5 3   ♦ D 9 6 2   ♦ A 9 6
   ♣ 9 7 3   ♣ V 8 3   ♣ D 6 5 3   ♣ A 10 7 4

e) ♠ R 7 3 2   f) ♠ R 8   g) ♠ 7 2   h) ♠ R V 9 8 3
   ♥ 5 2   ♥ R 9 8 6 4   ♥ 2   ♥ 2
   ♦ A 9 5 4   ♦ D 5 3   ♦ A D V 9 6 2   ♦ A V 9 6
   ♣ V 7 3   ♣ 9 8 3   ♣ V 6 5 3   ♣ 10 7 4

i) ♠ R 7 3   j) ♠ R 8 6 5   k) ♠ V 10 7 6 3
    ♥ A V 9 7 5 2   ♥ D 8 6 4   ♥ 7 2
    ♦ 4   ♦ R 5 3   ♦ D 9 6 2
    ♣ V 7 3   ♣ 8 3   ♣ A 3

Pour les « fureteurs »

L'ouvreur peut-il signaler ses deux majeures?

Supposons que vous ouvriez de un SA et que vous ayez la main suivante:

♠ A V 9 8
♥ R V 8 6
♦ A 7
♣ A 8 6

Votre partenaire annonce deux trèfles et votre deuxième enchère est deux cœurs, la couleur la moins chère de vos deux majeures quatrièmes. Votre partenaire annonce ensuite trois SA. Que faites-vous?

Annoncer quatre piques! Pourquoi? Pour pouvoir utiliser la convention Stayman, le répondant doit posséder une majeure quatrième. Ce ne peut être à cœur parce que le répondant n'a pas soutenu votre déclaration deux cœurs. Donc le répondant est tenu de posséder une couleur quatrième à pique. Comme vous savez qu'il existe un fit magique dans la majeure, vous «rajustez» le contrat définitif à quatre piques.

Pouvez-vous recourir à la convention Stayman si votre partenaire fait une intervention à un SA?

Supposons que les enchères se déroulent ainsi:

NORD	EST	SUD	OUEST
(l'ouvreur)	(votre partenaire)		(vous-même)
un carreau	un SA	passe	?

Ici, votre partenaire est intervenu à un SA. Répondez comme s'il avait ouvert de un SA.

- Deux trèfles (convention Stayman).
- Deux cœurs et deux piques sont des enchères d'arrêt 🛑 lorsque vous détenez une couleur cinquième ou plus et avez de 0 à 7 points.
- Deux SA est une annonce invitative ▼ lorsque vous avez 8 ou 9 points.

- Trois cœurs et trois piques sont des annonces impératives pour la manche ⚡AVANCEZ⚡, lorsque vous possédez une couleur cinquième et comptez de 10 à 14 points.

- Quatre cœurs et quatre piques sont des enchères d'arrêt 🛑ARRÊT , lorsque vous disposez d'une couleur sixième ou plus et de 10 à 14 points.

- Trois SA est une enchère d'arrêt 🛑ARRÊT , lorsque vous comptez de 10 à 14 points.

À la réponse deux carreaux, on n'utilise généralement pas la couleur de l'adversaire. Vous n'avez nullement l'intention de vous servir de leur couleur comme atout.

XXI

Les mains fortes

Étant l'ouvreur, votre main peut, à l'occasion, ressembler à celle-ci:

Si vous ouvrez de un pique, les enchères s'arrêteront peut-être subitement parce que le répondant passera s'il a moins de 6 points. Avec une main de 24 points (22 PH plus un point pour chacune des couleurs cinquièmes), vous avez assez de force pour réaliser la manche, même si votre partenaire n'a que 2 points.

Si vous ouvrez de quatre piques, vous obtiendrez un contrat de manche, mais votre partenaire n'aura qu'une marge de manœuvre fort restreinte s'il recherche la meilleure manche ou même un éventuel chelem. Vous verrez dans le chapitre XXII que les enchères pour un contrat de chelem exigent un échange préalable de renseignements.

Quelle est donc la réponse? Une main forte de 22 points ou plus est déclarée au niveau de deux. Une ouverture d'enchères au niveau de deux à la couleur est appelée le «*deux forts*». Cette enchère signale au répondant que l'ouvreur a une main très forte et, en même temps, lui assure une confortable marge de manœuvre destinée à découvrir la meilleure manche ou même à poursuivre jusqu'au chelem. Voyons ensemble ces stratégies.

Le choix de l'ouverture forte

Doté d'une main équilibrée (sans chicanes ni singleton et pas plus d'un doubleton) de 22 points ou plus, vous ouvrez les enchères à SA au niveau pertinent:

LA RÈGLE POUR UNE OUVERTURE DE DEUX SA

Pour ouvrir les enchères de deux SA,
vous devez posséder:

- une main équilibrée et
- 22, 23 ou 24 points

LA RÈGLE POUR UNE OUVERTURE DE TROIS SA

Pour ouvrir les enchères de trois SA,
vous devez posséder:

- une main équilibrée et
- 25, 26 ou 27 points*

* Une main équilibrée de 28 points ou plus est très rare.

Examinons quelques exemples:

Vous êtes l'ouvreur. Que faites-vous avec chacune de ces mains?

1. ♠ A R 7 3   2. ♠ R 7
   ♥ A V 3   ♥ A R D
   ♦ R V 3   ♦ R D V 9 3
   ♣ R D V   ♣ A D V

1. DEUX SA   Une main équilibrée de 22 points vous permet d'ouvrir les enchères de deux SA (de 22 à 24 points). C'est une enchère invitative. Votre partenaire sait que vous avez au maximum 24 points; il passe s'il n'y a pas assez de forces combinées pour la manche.

2. TROIS SA   Une main équilibrée et 26 points vous permettent d'ouvrir les enchères de trois SA. Même si vous avez déjà atteint la manche, cette enchère en est une d'invitation. Votre partenaire vise la manche dans la majeure ou annonce le chelem.

Vous ouvrez d'une couleur au niveau de deux si votre main est non équilibrée et compte 22 points ou plus.

LA RÈGLE POUR UNE OUVERTURE DE DEUX À LA COULEUR (DEUX FORTS)

Si votre main est non équilibrée et compte 22 points ou plus, ouvrez au niveau de deux dans votre couleur la plus longue.

Si votre main détient deux couleurs cinquièmes ou sixièmes, ouvrez de la couleur la plus chère.

Si votre main détient trois couleurs quatrièmes, ouvrez de la couleur médiane.

Si vous n'avez que deux couleurs quatrièmes et une main équilibrée, ouvrez de deux SA ou de trois SA, non à la couleur.

Une ouverture de deux signale au moins 22 points; cela permet à votre partenaire de clore à la manche, même si le répondant n'a que peu ou pas de force. Par le fait qu'une enchère de deux n'a aucune limite supérieure de force, elle est impérative pour la manche. Dans ce cas, **le répondant doit poursuivre les enchères jusqu'à la manche, même s'il ne possède pas de points.**

UNE OUVERTURE DE DEUX À LA COULEUR EST IMPÉRATIVE POUR LA MANCHE

Analysons quelques cas:

Vous avez l'occasion d'ouvrir. Qu'annoncez-vous avec chacune de ces mains?

1.	2.	3.	4.
♠ A 8 7	♠ 3	♠ A R 2	♠ A R V 7 3
♥ A R	♥ A D 9 6 4	♥ A 2	♥ —
♦ 4	♦ A R D V 10	♦ R D V 9 8 4	♦ A R 9 3
♣ A R D V 8 7 3	♣ A 4	♣ V 3	♣ A R 10 8

1. DEUX TRÈFLES Vous avez 24 points (21 PH plus trois points pour la couleur septième) et assez de force pour ouvrir de deux trèfles. Cela engage votre camp à la manche même si votre partenaire n'a aucun point, mais, certain d'avoir 10 levées avec votre main, vous ne pouvez risquer de jouer la manche partielle.

2. DEUX CŒURS Ici, vous avez 22 points (20 PH plus un point pour chacune des deux couleurs cinquièmes). Détenant deux couleurs cinquièmes, annoncez la plus chère: deux cœurs.

3. UN CARREAU Votre main chiffre 20 points (18 PH plus deux
   points pour la couleur sixième à carreau); c'est insuffisant pour
   ouvrir de deux. Ouvrez donc au niveau de un: un carreau. Si
   votre partenaire n'a pas suffisamment de points pour répondre
   (c'est-à-dire moins de 6), il serait étonnant que votre camp puisse
   sceller un contrat de manche. Si, par contre, votre partenaire
   répond, vous lui signalerez votre force lors de votre deuxième
   enchère.

4. DEUX PIQUES Possédant 23 points, vous avez suffisamment de
   force pour ouvrir au niveau de deux. Annoncez votre couleur la
   plus longue, deux piques.

La réponse sur des ouvertures de deux et de trois SA

Si votre partenaire ouvre de deux SA, il signale

- une main équilibrée et
- 22, 23 ou 24 points.

À titre de répondant, évaluez vos points pour déterminer le NIVEAU:

- vous passez si vous avez de 0 à 2 points
- vous visez la manche si vous avez 3 points ou plus

Les réponses sur l'ouverture de deux SA sont presque identiques à
celles de un SA:

- quatre cœurs ou quatre piques sont des enchères d'arrêt ⬢ ARRÊT indiquant des couleurs sixièmes ou plus
- trois SA est une enchère d'arrêt ⬢ ARRÊT
- trois cœurs et trois piques sont des enchères impératives ⬥AVANCEZ⬥
  pour la manche indiquant une couleur cinquième
- trois trèfles signale la convention Stayman*

Sur une ouverture de trois SA indiquant une main équilibrée de 25 à
27 points, il n'existe qu'une étroite marge de manœuvre pour explorer
d'autres possibilités. En règle générale, annoncez quatre dans la
majeure si vous disposez d'une couleur sixième ou plus. Sinon vous
devez passer, à moins de viser le chelem.

Voyons ces exemples. Avec chacune de ces mains, que répondez-vous
si votre partenaire ouvre de deux SA?

1.	♠ 7 3 2	2.	♠ 5 3	3.	♠ V 10 7 6 3 2
	♥ 7 5 2		♥ 6 4		♥ 7 2
	♦ V 9 5 4		♦ R 5 3 2		♦ D 6 2
	♣ 8 7 3		♣ 9 8 7 5 4		♣ 5 3

4. ♠ 7 3   5.   ♠ 3 2
   ♥ A D 8 7 3   ♥ D 10 5 2
   ♦ V 9 6   ♦ V 6 5 4
   ♣ 10 7 4   ♣ A 7 5

1. PASSEZ Vous n'avez qu'un point; même si votre partenaire en a 24, vous n'avez pas suffisamment de forces combinées pour la manche. Passez et souhaitez bonne chance à votre partenaire!

2. TROIS SA Vous avez 4 points mais nullement l'intention de chercher s'il existe un fit magique dans la majeure. Soutenez votre partenaire à trois SA. S'il n'a que 22 points, vous détenez cependant assez de forces combinées pour la manche.

3. QUATRE PIQUES Possédant 5 points (3 PH plus deux points pour la couleur sixième à pique), vous savez que vous avez suffisamment de forces combinées pour la manche. Puisque l'ouvreur a signalé une main équilibrée, il doit certainement posséder au moins deux piques. Vous savez qu'il y a un fit magique dans la majeure; dans ce cas, annoncez quatre piques.

4. TROIS CŒURS Avec 8 points, visez la manche. Détenant une majeure cinquième, vous pouvez chercher à savoir s'il y a un fit magique dans la majeure en annonçant trois cœurs. Cette déclaration est analogue à une réponse trois cœurs quand l'ouvreur annonce un SA. L'ouvreur annonce quatre cœurs s'il détient un soutien troisième ou plus. N'ayant que deux cœurs, l'ouvreur doit déclarer trois SA.

* Vous pouvez recourir à la convention Stayman sur une ouverture de deux SA. La seule différence: vous débutez à un niveau supérieur.

5. TROIS TRÈFLES Vous avez 7 points; c'est suffisant pour la manche. Comme il est possible qu'il y ait un fit magique dans la majeure à cœur, servez-vous de la convention Stayman pour savoir si l'ouvreur détient une couleur quatrième à cœur. Sur une ouverture de deux SA, une réponse trois trèfles est Stayman et demande à l'ouvreur s'il possède une majeure quatrième. Si celui-ci annonce trois cœurs, soutenez à quatre cœurs. Si, par contre, l'ouvreur déclare trois carreaux (aucune majeure quatrième) ou trois piques, annoncez trois SA.

La réponse sur une ouverture de deux à la couleur

L'ouverture de deux à la couleur est impérative pour la manche et le répondant ne peut passer tant que la manche n'est pas atteinte.

N'utilisez que les deux premières questions du questionnaire du répondant lorsque vous répondez à une ouverture au niveau de deux.

LES QUESTIONS DU RÉPONDANT
SUR UNE OUVERTURE DE DEUX

1. PUIS-JE SOUTENIR LA MAJEURE DE MON PARTENAIRE?
2. AI-JE UNE MAIN FAIBLE (DE 0 À 5 POINTS)?

Passons en revue ces questions:

Première question

Puisque vous tentez de trouver un fit magique dans la majeure, demandez-vous:

PUIS-JE SOUTENIR LA MAJEURE
DE MON PARTENAIRE?

L'ouvreur détient presque toujours une majeure cinquième s'il ouvre au niveau de deux (voir: Pour les «fureteurs»). Si vous disposez d'un soutien troisième ou plus, évaluez votre main avec les points du mort.

SOUTENIR L'OUVERTURE DE DEUX
DANS LA MAJEURE DE VOTRE PARTENAIRE

- Si vous avez 6 points ou plus, soutenez la majeure de votre partenaire au niveau de trois (AVANCEZ).

Pourquoi ne soutenir qu'au niveau de trois alors que vous savez qu'il y a assez de forces combinées pour la manche? Comme vous le verrez au chapitre suivant, les chances d'avoir un contrat de chelem sont très bonnes quand l'ouvreur annonce au niveau de deux et que vous possédez 6 points ou plus. Puisque l'ouvreur s'est déjà réservé une marge de manœuvre sur l'échelle des enchères en ouvrant au niveau de deux, vous n'avez nulle envie de réduire encore une liberté d'action indispensable à la recherche d'un éventuel contrat de chelem. Souvenez-vous que l'annonce d'enchère de deux de l'ouvreur est

impérative pour la manche. Aucun de vous ne peut passer tant que la manche au moins n'est pas atteinte.

Que se passe-t-il si vous avez un soutien troisième ou plus dans la majeure de votre partenaire et moins de 6 points? En ce cas, passez à la deuxième question.

Analysons quelques exemples portant sur la première question:

Votre partenaire ouvre de deux cœurs. Que répondez-vous avec chacune de ces mains?

1. ♠ 7 3   2. ♠ 3   3. ♠ 7 6 2
   ♥ D 10 6 3   ♥ A 7 6   ♥ 8 2
   ♦ 9 7 6   ♦ R 5 4 3   ♦ R 9 7 5 4
   ♣ R 8 7 2   ♣ R V 10 7 6   ♣ 10 9 4

1. TROIS CŒURS   Pouvez-vous soutenir la majeure de votre partenaire? Oui, car vous détenez un soutien quatrième. Avec les points du mort, vous avez 6 points (5 PH plus un point pour le doubleton à pique). Soutenez au niveau de trois, c'est-à-dire trois cœurs, signalant ainsi à votre partenaire un fit magique dans la majeure.

2. TROIS CŒURS   Vous pouvez soutenir la majeure de votre partenaire et vous avez 14 points du mort (11 PH plus trois points pour le singleton à pique). Soutenez à trois cœurs même si vous savez que les forces combinées sont suffisantes pour la manche. Au chapitre suivant, vous apprendrez que le chelem exige suffisamment de forces combinées et votre priorité est d'établir la COULEUR du contrat définitif. Essayez ensuite de découvrir si vous atteignez le niveau de six ou de sept.

3. Dans ce cas-ci, vous ne pouvez soutenir la majeure de votre partenaire. Le moment est venu de vous poser la deuxième question:

Deuxième question

Elle a pour but de prévenir l'ouvreur quand vous détenez une main faible:

AI-JE UNE MAIN FAIBLE (DE 0 À 5 POINTS)?

Même si votre réponse est affirmative, vous ne pouvez passer, car l'annonce de l'ouvreur est impérative pour la manche. Faites une autre déclaration qui signalera ce message et vous permettra de poursuivre les enchères. La réponse classique est: **deux SA**.

Cette déclaration n'a aucun rapport avec le fait que vous désirez ou non jouer un contrat à SA. En pareil cas, une annonce semblable est artificielle ou conventionnelle. Elle revêt un sens particulier pour vous et votre partenaire: c'est une entente conventionnelle.

LA RÉPONSE SUR UNE OUVERTURE DE DEUX AVEC UNE MAIN FAIBLE

• Si vous avez de 0 à 5 points, répondez deux SA

Ces quelques exemples associent les deux premières questions:

Votre partenaire ouvre de deux piques. Que répondez-vous avec chacune de ces mains?

1.	2.	3.	4.
♠ 10 7 3 2	♠ 7 2	♠ 7 6 2	♠ 9
♥ A 6 3	♥ 7 6 4	♥ 8 2	♥ V 9 7
♦ 9 7 3	♦ 8 5 4	♦ R 9 7 5 4	♦ R D 7 5 3
♣ A 8 5	♣ D 9 8 7 4	♣ V 3 2	♣ D 6 4 3

1. TROIS PIQUES Pouvez-vous soutenir la majeure de votre partenaire? Oui, car vous possédez un soutien quatrième. Avec les 8 points du mort, soutenez à trois piques.

2. DEUX SA Pouvez-vous soutenir la majeure de votre partenaire? Non. Votre main est-elle faible? Oui, car vous n'avez que 3 points (2 PH plus un point pour la couleur cinquième à trèfle). Répondez deux SA. Ce message révèle à votre partenaire que vous évoluez dans la zone de 0 à 5 points. Souvenez-vous que l'ouvreur peut détenir 26 points ou plus.

3. DEUX SA Pouvez-vous soutenir la majeure de votre partenaire? Oui. Cependant, après calcul des points du mort, vous n'en avez que 5. Agissez comme dans le cas de toute autre main inférieure à 6 points et répondez deux SA. Puisque votre camp doit aller à la manche, vous pourrez révéler votre soutien à votre partenaire lorsqu'il aura exprimé sa deuxième enchère. Par le fait même, vous n'avez pas incité outre mesure votre partenaire à envisager le chelem.

1. Pouvez-vous soutenir la majeure de votre partenaire? Non. Avez-vous moins de six points? Non. Que s'ensuit-il?

Le choix définitif

Si vous avez répondu par la négative aux deux dernières questions:

- vous ne pouvez soutenir la majeure de l'ouvreur;
- vous avez 6 points ou plus.

Comme vous vous êtes déjà engagé à atteindre la manche, vous n'avez pas à vous préoccuper du niveau de votre réponse. Il vous reste les options suivantes:

- annoncer une nouvelle couleur au niveau de deux ou plus;
- soutenir la mineure de l'ouvreur avec un soutien quatrième ou plus.

Par exemple: votre partenaire ouvre les enchères de deux trèfles. Que répondez-vous avec chacune de ces mains?

1.	♠ 8 7 3	2.	♠ A V 7 5 2	3.	♠ V 9 7 6 2	4.	♠ V 8 4
	♥ 8 6 3		♥ 7 6 4		♥ 2		♥ A 9 7
	♦ 9 7 6 3		♦ 8 5		♦ R V 7 5 4		♦ D 5 3
	♣ 9 8 5		♣ D 9 4		♣ 3 2		♣ D 6 4 3

1. DEUX SA   Pouvez-vous soutenir la majeure de votre partenaire? Non, car il ne l'a pas annoncée. Votre main est-elle faible? Oui. Répondez deux SA, signalant ainsi à l'ouvreur que vous avez de 0 à 5 points.

2. DEUX PIQUES   Vous ne pouvez soutenir la majeure de votre partenaire puisqu'il ne l'a pas annoncée. Votre main n'est pas faible, car vous avez 8 points (7 PH plus un point pour la couleur cinquième à pique). Puisque vous avez aussi une couleur cinquième, répondez deux piques.

3. DEUX PIQUES   Vous ne pouvez soutenir la majeure de votre partenaire et, avec 7 points, votre main n'est pas faible. Comme vous avez deux couleurs cinquièmes, annoncez la plus chère: deux piques.

4. TROIS TRÈFLES   Vous ne pouvez soutenir la majeure de votre partenaire et votre main n'est pas faible. Puisque vous pouvez soutenir la mineure de votre partenaire avec une couleur quatrième, il vous est possible de la soutenir au niveau de trois: trois trèfles.

Les deuxièmes enchères de l'ouvreur et du répondant

Comme l'enchère de deux est impérative pour la manche, l'ouvreur consacre ce qui reste des enchères à aider le répondant à déterminer la

COULEUR et le NIVEAU (manche ou chelem). Pour conserver une marge de manoeuvre suffisante, l'un et l'autre doivent se conformer à la consigne suivante:

SUR UNE OUVERTURE DE DEUX, TOUTE RÉPONSE
AU-DESSOUS DU NIVEAU DE LA MANCHE
EST IMPÉRATIVE POUR LA MANCHE

Même si les enchères de chelem sont étudiées plus loin, voyons dès maintenant quelques cas de développement d'enchères sur une ouverture de deux.

L'OUVREUR	LE RÉPONDANT
♠ A R D 8 5	♠ 6 4
♥ A R V 5	♥ 9 6 4 3
♦ A R 6	♦ 8 7 5 4
♣ 8	♣ 6 3 2
deux piques	deux SA
trois cœurs	quatre cœurs
passe	

Détenant 25 points et une main non équilibrée, l'ouvreur déclare deux dans sa couleur la plus longue. Le répondant, sans aucun point, annonce deux SA: réponse conventionnelle qui permet de poursuivre les enchères tout en signalant à l'ouvreur que le répondant a de 0 à 5 points. Maintenant, l'ouvreur peut indiquer sa nouvelle couleur, cœur, au niveau de trois. Il n'est pas nécessaire de sauter à la manche. Puisque le niveau de la manche n'est pas atteint, le répondant doit annoncer à nouveau. Comme il sait maintenant qu'un fit majeur à cœur existe dans la majeure, il indique à l'ouvreur la COULEUR en soutenant à quatre cœurs. L'ouvreur sait que le répondant n'a tout au plus que 5 points, il n'a aucune visée sur le chelem et se contente de passer.

L'OUVREUR	LE RÉPONDANT
♠ A 7 5	♠ R 9 8 6 4
♥ A R 3	♥ 6 4 2
♦ A R D 7 6 3	♦ 6
♣ 6	♣ 9 8 3 2
deux carreaux	deux SA
trois carreaux	trois piques
quatre piques	passe

Avec 22 points et une main non équilibrée, l'ouvreur annonce deux dans sa couleur la plus longue, deux carreaux. Le répondant, ne possédant que 4 points, annonce deux SA. L'ouvreur, privé d'une deuxième couleur à signaler, répète sa couleur: trois carreaux. Encore ici, il n'est pas urgent d'atteindre la manche. Le répondant, ne sachant à quelle COULEUR jouer le contrat, a maintenant la possibilité d'indiquer sa couleur et annonce trois piques. Comme l'ouvreur n'a pas de couleur quatrième à pique qu'il puisse ensuite annoncer, cela sous-entend que le répondant possède au moins une couleur cinquième, puisqu'il est toujours à la recherche d'un fit magique. À présent, l'ouvreur sait qu'il y a un fit magique dans la majeure à pique et il soutient la majeure du répondant au niveau de quatre. Comme ni l'un ni l'autre n'ont de forces de réserve, les enchères sont closes à quatre piques.

L'OUVREUR	LE RÉPONDANT
♠ 5	♠ R D 9 6
♥ A R D 7 5	♥ 4 3
♦ A R V 9 6	♦ 10 4 3
♣ A 4	♣ R 6 3 2
deux cœurs	deux piques
trois carreaux	trois SA
passe	

Puisqu'il a 23 points (21 PH plus un point pour chacune des couleurs cinquièmes), l'ouvreur déclare deux dans la plus chère de ses deux couleurs cinquièmes. N'ayant que 8 points, le répondant ne peut soutenir la majeure de son partenaire et annonce une de ses deux couleurs quatrièmes au niveau le plus économique: deux piques. L'ouvreur peut alors indiquer sa seconde couleur cinquième en annonçant trois carreaux. Comme le répondant ne peut soutenir la majeure de l'ouvreur et que ce dernier ne peut soutenir sa propre majeure, le répondant sait qu'un fit magique dans la majeure est peu probable; il décide alors d'un contrat probable de manche: trois SA. L'ouvreur, ayant décrit sa main, n'a aucune raison de récuser la décision du répondant et le contrat définitif est conclu à trois SA.

Résumé

Les enchères d'ouverture au niveau de deux signalent des mains fortes de 22 points ou plus:

LA RÈGLE POUR UNE OUVERTURE
DE DEUX SA

Pour ouvrir les enchères de deux SA, vous devez posséder:

- une main équilibrée et
- 22, 23 ou 24 points

LA RÈGLE POUR UNE OUVERTURE
DE TROIS SA

Pour ouvrir les enchères de trois SA, vous devez posséder:

- une main équilibrée et
- 25, 26 ou 27 points

LA RÈGLE POUR UNE OUVERTURE DE
DEUX À LA COULEUR

Si votre main est non équilibrée et compte 22 points ou plus, ouvrez au niveau de deux dans votre couleur la plus longue.

Si votre main détient deux couleurs cinquièmes ou sixièmes, ouvrez de la couleur la plus chère.

Si votre main détient trois couleurs quatrièmes, ouvrez de la couleur médiane.

Si votre partenaire ouvre de deux SA, recherchez la réponse correcte:

LES RÉPONSES SUR UNE ENCHÈRE D'OUVERTURE
DE DEUX SA

de 0 à 2 points:	passez;
de 3 à 8 points:	— déclarez quatre cœurs ou quatre piques si vous possédez une majeure sixième ou plus;

> — déclarez trois cœurs ou trois piques si vous possédez une majeure cinquième;
> — déclarez trois trèfles (convention Stayman) si vous possédez une majeure quatrième;
> — sinon, déclarez trois SA.

Si votre partenaire ouvre de deux à la couleur, cherchez la réponse en vous posant les questions suivantes:

Première question: PUIS-JE SOUTENIR LA MAJEURE DE MON PARTENAIRE? (Vous n'avez besoin que d'un soutien troisième.)

Si votre réponse est POSITIVE, évaluez votre main avec les points du mort.
> — Possédant de 0 à 5 points, posez-vous la deuxième question.
> — Possédant 6 points ou plus, soutenez au niveau de trois.

Si votre réponse est NÉGATIVE, posez-vous la deuxième question:

Deuxième question: AI-JE MOINS DE SIX POINTS?

Si votre réponse est POSITIVE, répondez deux SA (réponse conventionnelle).

Si votre réponse est NÉGATIVE,
> — annoncez une nouvelle couleur au niveau de deux ou plus;
> — soutenez la mineure de l'ouvreur au niveau de trois si vous possédez un soutien quatrième ou plus.

Exercices

1. Vous avez la possibilité d'ouvrir. Quelle est votre annonce avec chacune de ces mains?

a) ♠ A R 3　　b) ♠ A R V 5 2　c) ♠ A　　　　d) ♠ D 4
　　♥ R D 2　　　　♥ A R 4　　　　♥ A R D V　　　♥ A R V
　　♦ A R D 3　　　♦ —　　　　　♦ A 4　　　　♦ A R D 5 3
　　♣ D 9 5　　　　♣ A R D V 4　　♣ R D 9 7 3 2　♣ R D V

e) ♠ A D V 7 3　f) ♠ A 2　　　g) ♠ A R D V　h) ♠ R 8 4
　　♥ A D 3　　　　♥ R 4　　　　♥ 2　　　　　♥ A R 7
　　♦ A R 6 3　　　♦ A D V 9 6 4 3　♦ R D 5 4　　♦ D V 3
　　♣ 5　　　　　　♣ A D　　　　♣ A R V 2　　♣ A D V 3

2. Votre partenaire ouvre de deux cœurs. Quelle est votre réponse avec chacune de ces mains?

a) ♠ V 7 6 3　b) ♠ V 7 5　　c) ♠ 9 7 4　　d) ♠ R 10 7 2
　　♥ 6 3　　　　♥ A 10 6 4　　♥ R 2　　　　♥ 10 9 7
　　♦ 7 6 3　　　♦ 8 5　　　　♦ 7 5 4　　　♦ R D 3
　　♣ V 9 8 5　　♣ D 9 7 4　　♣ R D 7 3 2　♣ V 4 3

e) ♠ 3　　　　f) ♠ 7 5　　　g) ♠ —　　　　h) ♠ A R
　　♥ 6 3　　　　♥ 4　　　　　♥ 9 6 4 2　　♥ 9 7
　　♦ D 9 7 6 3　♦ R D 9 8 5　　♦ D 5 4 3　　♦ 9 7 4
　　♣ V 9 8 6 5　♣ D V 9 7 4　　♣ V 9 7 3 2　♣ D V 8 6 4 3

3. Votre partenaire ouvre de deux SA. Que faites-vous avec chacune de ces mains?

a) ♠ R 7 3 2　b) ♠ 9 8　　　c) ♠ 7 6 3　　d) ♠ R 8 3
　　♥ 9 8 5 2　　♥ D 8 6 4 3　♥ 4 2　　　　♥ D 7 4
　　♦ 4　　　　　♦ R 5 3　　　♦ 9 5 4 2　　♦ V 9 6
　　♣ V 7 3 2　　♣ 8 3 2　　　♣ 9 6 4 3　　♣ 6 5 4 3

Pour les «fureteurs»

Les mains 4-4-4-1

Il n'existe qu'une possibilité d'ouvrir de deux à la couleur sans promettre une couleur cinquième. Avec une distribution 4-4-4-1 et 22 points ou plus, la main de l'ouvreur n'est pas équilibrée et il ne possède pas de couleur cinquième. En ce cas, l'ouvreur doit déclarer une de ses couleurs quatrièmes. Cependant, comme ce cas est l'exception plutôt que la règle, le répondant doit présumer que l'ouvreur détient une couleur cinquième.

Par exemple:

♠ A R 7 3
♥ 3
♦ A R V 3
♣ A R V 8

Même si vous n'avez pas de couleur cinquième, vous comptez 23 points. Comme votre main n'est pas équilibrée, vous ne pouvez ouvrir les enchères à SA. Ouvrez de la couleur de rang médian parmi vos trois couleurs quatrièmes: deux carreaux.

Le répondant peut supposer que l'ouvreur détient une couleur cinquième et la soutenir, fort de son soutien troisième. Cette manoeuvre facilite très souvent le problème de la COULEUR du contrat à jouer.

Comme l'ouvreur annonce sa couleur de **rang médian** lorsqu'il possède trois couleurs quatrièmes, notez ceci:

- une annonce d'ouverture de deux trèfles ou de deux piques promet toujours une couleur cinquième ou plus;
- une annonce d'ouverture de deux carreaux ou de deux cœurs peut être faite avec une couleur quatrième. (Les carreaux et les cœurs sont des couleurs de rang médian.)

XXII

Les enchères de chelem

Jusqu'à présent, notre analyse de la question À QUEL NIVEAU? a été volontairement simplifiée: faut-il jouer la manche partielle ou la manche? Cependant, comme vous l'avez constaté en regardant l'échelle des enchères, rien ne peut arrêter un camp ni l'empêcher d'annoncer au niveau de six ou même de sept.

Les points de prime

Outre les points de prime de manche, on peut gagner un grand nombre de points de prime de petit chelem (contrat au niveau de six) ou de grand chelem (contrat au niveau de sept).

		Points de levées	Points de prime de manche	Points de prime de chelem	Total
Non vulnérable Le petit chelem	six SA	190	300	**500**	990
	six piques	180	300	500	980
	six cœurs	180	300	500	980
	six carreaux	120	300	500	920
	six trèfles	120	300	500	920
Non vulnérable Le grand chelem	sept SA	220	300	**1000**	1520
	sept piques	210	300	1000	1510
	sept cœurs	210	300	1000	1510
	sept carreaux	140	300	1000	1440
	sept trèfles	140	300	1000	1440
Vulnérable Le petit chelem	six SA	190	500	**750**	1440
	six piques	180	500	750	1430
	six cœurs	180	500	750	1430
	six carreaux	120	500	750	1370
	six trèfles	120	500	750	1370

	sept SA	220	500	**1500**	2220
Vulnérable	sept piques	210	500	1500	2210
Le grand	sept cœurs	210	500	1500	2210
chelem	sept carreaux	140	500	1500	2140
	sept trèfles	140	500	1500	2140

À ces avantages se greffe toutefois le risque d'outrepasser le niveau de manche si l'on recherche la prime importante associée au contrat de *chelem*. Si votre contrat chute, vous perdez évidemment les points de prime rattachés au contrat réalisé de chelem, mais aussi les points que vous auriez gagnés en déclarant et en réussissant un contrat de manche. De plus, le camp adverse se voit attribuer des points pour avoir fait chuter votre contrat.

Comment réduire les risques inhérents à la déclaration d'un contrat de chelem et, en même temps, en profiter pour gagner une belle prime? Utilisez vos questions de routine: À QUEL NIVEAU?, À QUELLE COULEUR?

LES DÉCISIONS À PRENDRE POUR UN CONTRAT DE CHELEM

1. À QUEL NIVEAU? AVONS-NOUS ASSEZ DE FORCES COMBINÉES?
2. À QUELLE COULEUR? AVONS-NOUS UN QUELCONQUE FIT MAGIQUE?

À QUEL NIVEAU? Avons-nous assez de forces combinées

Les discussions précédentes sur le NIVEAU ont surtout démontré qu'un total de 26 points combinés permet un contrat acceptable de manche à cœur, à pique ou à SA. Pour les chelems, l'expérience démontre que:

---

33 POINTS COMBINÉS OU PLUS PERMETTENT DE JOUER UN CONTRAT ACCEPTABLE DE PETIT CHELEM
37 POINTS COMBINÉS OU PLUS PERMETTENT DE JOUER UN CONTRAT ACCEPTABLE DE GRAND CHELEM

En tenant compte des enchères de chelem, nous modifions la question clé relative au NIVEAU.

LES QUESTIONS CLÉS RELATIVES AU NIVEAU

Avons-nous 26 points combinés?
Avons-nous 33 points combinés?
Avons-nous 37 points combinés?

Pour convenir du NIVEAU, le capitaine additionne les points combinés. Si la somme est inférieure à 26 points, il décide de la manche partielle. Si le total se situe entre 26 et 32 points, il opte pour la manche. Quand les points oscillent entre 33 et 36, il vise le petit chelem. Avec 37 points ou plus, il envisage le grand chelem.

Dans certains cas, le capitaine connaît la réponse à la question À QUEL NIVEAU?. Dans d'autres, il lui faut des renseignements supplémentaires.

Par exemple, votre partenaire ouvre de un SA. À QUEL NIVEAU devez-vous jouer chacune de ces mains?

1.	♠ 6	2.	♠ A R 8 4 3 2	3.	♠ A D 8 6 4 3
	♥ D V 8 5 4 2		♥ A 8 5		♥ R 9 7
	♦ A R V 3		♦ V 3		♦ 4
	♣ A 5		♣ 8 4		♣ A V 6

1. À QUEL NIVEAU? C'est le petit chelem. Vous comptez 17 points et votre partenaire en signale de 16 à 18. Vous disposez au moins de 33 points combinés (16 + 17) et peut-être de 35 (18 + 17).

2. À QUEL NIVEAU? C'est la manche. Avec 14 points, vous donnez à votre camp un total entre 30 (16 + 14) et 32 (18 + 14) points. C'est suffisant pour la manche, mais non pour le chelem.

3. À QUEL NIVEAU? Probablement le chelem. Vous avez 16 points et vous savez que vos points combinés oscillent entre 32 (16 + 16) et 34 (18 + 16). Vous avez peut-être assez de forces combinées pour le chelem, mais l'ouvreur désire plus de renseignements. Ce cas s'apparente à celui où votre partenaire ouvre de un SA quand vous avez 8 ou 9 points. Vous savez que la manche est possible, mais que d'autres indices sont requis.

À QUELLE COULEUR? Avons-nous un quelconque fit magique?

Si vous avez un fit magique, jouez le chelem dans ce fit. Sinon, annoncez le chelem à SA. Au niveau du chelem, vous devez emporter le même nombre de levées que si vous jouiez à une couleur mineure, une couleur majeure ou un SA. Cette ligne de conduite n'est pas la même qu'au niveau de la manche. S'il existe un fit magique, vous ne devez pas écarter l'éventualité de jouer une couleur mineure.

> QUEL QUE SOIT LE FIT MAGIQUE, JOUEZ LE CHELEM

Par exemple: votre partenaire ouvre de un cœur et vous détenez la main suivante:

♠ A R 8 6
♥ A 9 5
♦ A D 6 4
♣ R 5

Votre partenaire ouvre alors qu'il dispose au moins de 13 points et que vous en détenez 20; il y a donc assez de forces combinées pour le chelem. Toutefois, avant de l'annoncer, examinez attentivement la COULEUR dans laquelle votre camp se propose de jouer la main.

Avec la main décrite plus haut, vous pouvez jouer le chelem à pique, à cœur ou à carreau, pourvu que vous trouviez un fit magique. Vous pourriez également réaliser le chelem à SA, si vous ne trouvez pas de fit magique. Devant un tel choix, votre premier souci doit être de trouver la dénomination ad hoc pour le contrat. Utilisez d'abord les questions habituelles du répondant et annoncez la nouvelle couleur au niveau de un: un pique. Il se peut que l'ouvreur soutienne votre couleur, ou qu'il annonce une séquence à carreau, ou encore qu'il répète sa couleur à cœur, signalant ce faisant l'existence d'un fit magique à cœur. Étant le capitaine, vous décidez de la COULEUR du chelem sur la deuxième enchère de l'ouvreur.

L'annonce du chelem quand le capitaine connaît le NIVEAU et la COULEUR

Quand le capitaine vérifie s'il y a suffisamment de points combinés pour le chelem **et** trouve un fit magique, il peut directement sauter au contrat définitif.

Par exemple: votre partenaire ouvre les enchères de un cœur et vous avez en main:

♠ —
♥ A R 8 7 6 4
♦ A D 8 6 5
♣ D 4

À QUEL NIVEAU? C'est le petit chelem. Votre partenaire a au moins 13 points et vous avez 21 points du mort (15 PH plus 5 points pour la chicane à pique et un point pour le doubleton à trèfle), soit un total d'au moins 34 points.

À QUELLE COULEUR? C'est à cœur. Les deux mains combinées ont au moins dix cœurs. Sachant le NIVEAU et la COULEUR, annoncez six cœurs.

Autre exemple: votre partenaire ouvre de un trèfle et vous détenez la main suivante:

♠ A 9 8
♥ A
♦ A R 8 7
♣ A R 8 5 4

À QUEL NIVEAU?   C'est le grand chelem. Votre partenaire a au moins 13 points et vous avez 25 points du mort (22 PH plus 3 points pour le singleton à coeur), soit une combinaison totale d'au moins 37 points. Notez que le répondant évalue les points du mort lorsqu'il envisage **le chelem dans une couleur mineure** parce que les couleurs courtes ont leur importance.

À QUELLE COULEUR?   C'est à trèfle. Puisque votre partenaire a au moins quatre trèfles, vous avez trouvé un fit magique. Sachant le NIVEAU et la COULEUR, annoncez sept trèfles.

Vous êtes le Sud, les enchères commencent ainsi:

NORD (votre partenaire)	EST	SUD (vous-même)	OUEST
un carreau	passe	un pique	passe
trois piques	passe	?	

et vous avez:

♠ A D 8 5 3
♥ 6
♦ A R 3
♣ D 8 4 2

À QUEL NIVEAU?   C'est le petit chelem. Votre partenaire a 17 ou 18 points et vous en comptez 16. La somme totale se monte à 33 ou 34; c'est suffisant pour le petit chelem, mais non pour le grand chelem.

À QUELLE COULEUR?   C'est à pique. Le soutien de votre partenaire trahit l'existence d'un fit magique. Vous redemandez six piques.

L'annonce du chelem quand le capitaine connaît le NIVEAU, mais non la COULEUR

Lorsque le capitaine détient une main forte, mais n'est pas certain de la COULEUR, il annonce une enchère impérative, réclamant à son partenaire plus de renseignements. Une nouvelle couleur du répondant, au deuxième tour, est impérative pour la manche.

L'OUVREUR	LE RÉPONDANT		L'OUVREUR	LE RÉPONDANT
un trèfle	un cœur	OU	un carreau	un pique
un pique	**deux carreaux**		un SA	**deux cœurs**

Toute annonce du répondant est impérative si l'ouvreur a déclaré une enchère impérative pour la manche.

L'OUVREUR	LE RÉPONDANT		L'OUVREUR	LE RÉPONDANT
un trèfle	un pique	OU	deux piques	**trois trèfles**
deux SA	**trois piques**			

L'exemple suivant montre comment le répondant réussit à préciser la COULEUR. Vous êtes le Sud, les enchères débutent ainsi:

NORD	EST	SUD	OUEST
(votre partenaire)		(vous-même)	
un carreau	passe	un pique	passe
un SA	passe	?	

et vous avez en main:

♠ A R D 4 3
♥ A 6 5
♦ A 2
♣ R 5 4

À QUEL NIVEAU? C'est le petit chelem. Votre partenaire a de 13 à 15 points et vous, 21. La somme de vos points est d'au moins 34; cela suffit pour le petit chelem.

À QUELLE COULEUR? Il se peut qu'il y ait un fit magique à pique si votre partenaire en a trois. Sinon, vous jouez à SA. Annoncez deux trèfles. C'est une enchère impérative pour la manche. Si l'ouvreur déclare deux piques, signalant ainsi qu'il détient trois piques, déclarez six piques. Mais si l'ouvreur dit deux carreaux, indiquant une couleur cinquième à carreau, annoncez six SA parce qu'il n'y a pas de fit magique.

Vous êtes le Sud, les enchères se déroulent ainsi:

NORD	EST	SUD	OUEST
(votre partenaire)		(vous-même)	
un carreau	passe	un cœur	passe
deux SA	passe	?	

et vous avez en main:

♠ 8 6 2
♥ A D V 8 3
♦ A 8
♣ D 4 3

À QUEL NIVEAU?   C'est le petit chelem. Votre partenaire compte de 19 à 21 points et vous en avez 14. Le total des points oscille entre 33 et 35; cela suffit pour le petit chelem.

À QUELLE COULEUR?   Il existe peut-être un fit magique à cœur si votre partenaire en détient trois. Sinon, jouez à SA. Annoncez trois cœurs. La deuxième enchère de votre partenaire est impérative pour la manche, vous n'êtes donc pas tenu de déclarer une nouvelle couleur. Si l'ouvreur soutient à quatre cœurs, annoncez six cœurs. Mais s'il déclare trois SA, il n'existe pas de fit magique; annoncez alors six SA.

L'invitation au chelem quand le capitaine connaît la COULEUR, mais non le NIVEAU

Lorsque le capitaine sait qu'il y a au moins 31 points et peut-être 33 ou plus, il désire signaler: «Partenaire, un chelem est possible.» Comme il déclarera une enchère d'arrêt à la manche s'il n'a pas le chelem en vue, le capitaine peut inciter son partenaire à annoncer le chelem en déclarant au-delà du niveau de la manche.

> ANNONCER UN NIVEAU AU-DELÀ DE LA MANCHE EST UNE INVITATION AU CHELEM

Supposons que votre partenaire ouvre de un cœur et que vous déteniez la main suivante:

♠ R 7 3
♥ A D 8 4
♦ A 8 7 5
♣ A 3

À QUEL NIVEAU?   Le chelem est probable. Vous avez 18 points du mort et votre partenaire en a au moins 13. Si l'ouvreur n'a que 13 ou 14 points, les forces combinées sont insuffisantes pour le chelem. Si l'ouvreur en a 15 ou plus, cela suffit pour le chelem.

À QUELLE COULEUR? C'est à cœur. L'enchère d'ouverture de l'ouvreur signale l'existence d'un fit magique. Annoncez cinq cœurs. Cette déclaration indique à votre partenaire que vous connaissez la COULEUR: à cœur. En annonçant un niveau au-delà de la manche, vous invitez votre partenaire à annoncer le chelem. Comme vous le verrez à la section suivante, votre partenaire annonce six cœurs s'il a 15 points ou plus, mais avec 13 ou 14 points, il passe.

Vous êtes le Sud, les enchères débutent ainsi:

NORD	EST	SUD	OUEST
(votre partenaire)		(vous-même)	
un trèfle	passe	un pique	passe
deux piques	passe	?	

et vous avez en main:

♠ A D 8 7 4
♥ A 10
♦ R D
♣ D 8 6 3

À QUEL NIVEAU? Le chelem est probable. L'ouvreur possède de 13 à 16 points et vous en avez 18. Votre camp dispose au moins de 31 points combinés et peut-être de 34.

À QUELLE COULEUR? C'est à pique. Annoncez cinq piques. Cette déclaration incite votre partenaire à annoncer six piques s'il a 15 ou 16 points. S'il n'en a que 13 ou 14, l'ouvreur passe.

En ce cas-ci, votre partenaire ouvre de un SA et vous avez en main:

♠ A 4 3
♥ R 7 2
♦ A R 8 4
♣ V 10 9

À QUEL NIVEAU? C'est probablement le chelem. L'ouvreur a de 16 à 18 points et vous, 15. À deux, vous disposez de 31 à 33 points.

À QUELLE COULEUR? C'est à SA. Il n'y a probablement pas de fit magique; le contrat doit alors être joué à SA. Annoncez un niveau au-delà de la manche: quatre SA. Comme vous le verrez plus loin, votre partenaire déclare six SA s'il chiffre à 18 points; sinon, il passe.

L'exemple suivant illustre la façon d'inviter au chelem dans une mineure. Supposons que votre partenaire ouvre de un carreau et que vous disposiez de la main suivante:

♠ 8 5 4
♥ A R 9
♦ A D 8 5 4
♣ A 3

À QUEL NIVEAU? C'est peut-être le chelem. Votre partenaire a au moins 13 points et vous, 18. S'il en a 15 ou plus, cela suffit pour le chelem. Sinon, visez la manche.

À QUELLE COULEUR? C'est à carreau ou à SA. Si vous avez l'intention de jouer le chelem, faites-le dans votre fit magique à carreau. Par contre, si vous visez la manche, jouez à SA. Et si votre partenaire ouvre d'une mineure et que vous-même déteniez suffisamment de points pour la manche (de 13 à 16), mais ne disposiez pas d'une couleur quatrième ou plus dans une autre couleur que celle de votre partenaire, soutenez à la manche à trois SA. Une invitation au chelem exige une annonce d'un niveau supérieur à la manche. Par conséquent, avec la main ci-dessus, annoncez quatre SA. Détenant 15 points ou plus, l'ouvreur déclare six carreaux. N'ayant que 13 ou 14 points, il joue la manche en passant à quatre SA s'il opte pour un contrat à SA. Par contre, s'il choisit une couleur d'atout, il déclare cinq carreaux.

Voici une invitation au chelem sur une annonce impérative pour la manche. Vous êtes le Sud, les enchères se poursuivent ainsi:

NORD (votre partenaire)	EST	SUD (vous-même)	OUEST
un carreau	passe	un cœur	passe
un SA	passe	deux trèfles	passe
deux cœurs	passe	?	

et vous avez en main:

♠ 5 2
♥ A R V 9 7
♦ A D 5
♣ R 9 3

À QUEL NIVEAU? C'est probablement le chelem. Vous avez 18 points et votre partenaire peut-être 15.

À QUELLE COULEUR? C'est à cœur. À l'aide d'une enchère impérative pour la manche, vous déclarez deux trèfles, une nouvelle couleur du répondant, car vous avez trouvé un fit magique. Annoncez cinq cœurs. Cette déclaration invite votre partenaire à annoncer le chelem.

L'exemple suivant montre de quelle manière l'ouvreur invite au chelem. Avec la main ci-dessous, vous ouvrez les enchères de un pique et votre partenaire soutient à quatre piques:

♠ R D 7 6 4
♥ A D
♦ R V 6 3
♣ D 2

À QUEL NIVEAU? C'est peut-être le chelem. Votre partenaire a de 13 à 16 points et vous, 18. Le total est suffisant pour le chelem.

À QUELLE COULEUR? C'est à pique. L'annonce de votre partenaire indique un soutien quatrième ou plus. Déclarez cinq piques. Comme vous le verrez plus loin, votre partenaire continue à six piques s'il a 15 ou 16 points, mais passe s'il n'a que 13 ou 14 points.

La réponse sur une invitation au chelem

Si votre partenaire fait une invitation au chelem, il signale que votre camp totalise au moins 31 points, à condition que vous ayez le nombre minimal de points annoncés par vos déclarations précédentes. Si vous avez un «surplus», cela peut être suffisant pour le chelem. Donc:

LA RÉPONSE SUR UNE INVITATION AU CHELEM

- Si vous avez 2 points de «surplus» ou plus, **acceptez** l'invitation et annoncez le petit chelem dans la couleur d'atout acceptée mutuellement.
- Si vous n'avez pas ou n'avez qu'1 point de «surplus», **rejetez** l'invitation et limitez-vous à la manche dans la couleur d'atout acceptée mutuellement.

Par exemple: supposons que vous ouvrez de un pique et que votre partenaire soutienne à cinq piques. Que faites-vous avec la main suivante?

♠ R V 9 4 3
♥ A V
♦ R 8 7
♣ 6 5 2

Avec 13 points seulement, vous n'avez pas de «surplus». Passez et rejetez l'invitation de votre partenaire.

Par contre, supposons que les enchères se déroulent de la même manière et que vous avez en main:

♠ A D 8 6 5
♥ A R 7 5
♦ D 4
♣ 7 3

Vous avez 16 points (3 points de «surplus»). Acceptez l'invitation de votre partenaire et annoncez le petit chelem dans la couleur d'atout acceptée: six piques.

Voici un autre exemple: vous ouvrez de un SA et votre partenaire annonce quatre SA. Que faites-vous avec chacune de ces mains?

1. ♠ D 8   2. ♠ R 9 6
   ♥ A V 7 4   ♥ A R 8
   ♦ R V 8 4   ♦ R D 7 4
   ♣ R D 7   ♣ D V 10

1. PASSEZ À l'annonce d'ouverture de un SA, vous indiquez une main de 16 à 18 points. En déclarant un niveau au-delà de la manche, votre partenaire vous invite au chelem. Puisque vous n'avez que 16 points, vous n'avez aucun «surplus»; passez et rejetez l'invitation.

2. SIX SA Cette fois-ci, vous avez deux points en «surplus». Acceptez l'invitation de votre partenaire et annoncez le petit chelem à SA.

Résumé

En annonçant un contrat de chelem et en le réalisant, vous gagnez de substantiels points de prime. Si vous avez l'intention de déclarer un contrat de chelem, servez-vous des questions À QUEL NIVEAU? et À QUELLE COULEUR?

LE CHOIX DU CHELEM	
À QUEL NIVEAU?	Un contrat de petit chelem exige un total de 33 points ou plus. Un contrat de grand chelem exige un total de 37 points ou plus.
À QUELLE COULEUR?	Lorsqu'il y a un quelconque fit magique, jouez le chelem. Sinon, jouez à SA.

Si vous connaissez le NIVEAU et la COULEUR, vous pouvez déterminer le contrat définitif.

Si vous savez qu'il y a au moins 31 points et peut-être 33 points ou plus, **invitez au chelem en annonçant un niveau au-delà de la manche.** Votre partenaire acceptera l'invitation s'il a deux points de «surplus» ou plus. Sinon, il la rejettera.

Si vous n'êtes pas certain de la COULEUR, **faites une enchère impérative pour la manche** afin d'obtenir plus de renseignements.

Exercices

1. Vous êtes le Sud et les enchères se déroulent ainsi:

NORD	EST	SUD	OUEST
(votre partenaire)		(vous-même)	
un carreau	passe	un cœur	passe
quatre cœurs	passe	?	

Qu'annoncez-vous avec chacune de ces mains?

a) ♠ 8 3
♥ R 7 3 2
♦ R 7 6 5
♣ D V 3

b) ♠ R 3
♥ R V 7 6
♦ A 7
♣ D 9 6 5 2

c) ♠ A 9 6
♥ R 9 5 4 2
♦ A 7 6
♣ A D

d) ♠ A 6
♥ A D 7 5
♦ 9 5 4 2
♣ D 7 5

2. Votre partenaire ouvre de un SA. À QUEL NIVEAU et À QUELLE COULEUR sera votre réponse avec chacune de ces mains?

a) ♠ R 8 3
♥ V 3 2
♦ R 7 5
♣ R V 3 2

b) ♠ A D 5
♥ A V 3
♦ R V 8 3
♣ 9 3 2

c) ♠ R D V
♥ R D 2
♦ R 10 9 7
♣ A 9 3

d) ♠ R 6
♥ R D 5
♦ A V 10 3
♣ A R V 3

e) ♠ 8 3
♥ R V 7 6 3 2
♦ R 7 5
♣ A 2

f) ♠ A D 9 8 6 5
♥ A V 3
♦ 3
♣ D 3 2

g) ♠ D V 8 7 4 3
♥ A
♦ R V 6 4
♣ A 3

h) ♠ —
♥ R D 5
♦ V 10 3
♣ A R V 9 6 4 3

3. Vous ouvrez de un cœur et votre partenaire soutient à cinq cœurs. Quelle sera votre prochaine annonce avec chacune de ces mains?

a) ♠ A 8
♥ R D V 9 6
♦ D 8 6 3
♣ 9 3

b) ♠ R 6
♥ A D 9 5 3 2
♦ A D
♣ 5 4 3

Pour les «fureteurs»

La convention Blackwood et Gerber

Concernant les annonces de chelem, il existe quelques stratagèmes assez connus des joueurs de bridge expérimentés. Les débutants et les joueurs de force moyenne les trouvent, quant à eux, relativement compliqués. Aussi, nous vous conseillons de ne pas les expérimenter trop tôt. Les conventions citées plus haut sont utilisées pour découvrir le nombre d'as que possède un camp. L'objectif ultime est d'empêcher la conclusion d'un contrat de chelem quand les adversaires peuvent ramasser la première ou les deux premières levées.

La *convention Blackwood*, du nom de son inventeur, Easley Blackwood, d'Indianapolis, utilise l'annonce **quatre SA** signifiant: «Partenaire, combien d'as avez-vous?» Les réponses sont artificielles et indiquent en réalité le nombre d'as:

Cinq trèfles: Aucun as (ou les quatre)
Cinq carreaux: un as
Cinq cœurs   deux as
Cinq piques: trois as

Cette technique relativement simple tend plus d'un piège au joueur non averti. Ainsi, on confond fréquemment quatre SA étant une enchère naturelle (invitation au chelem) avec quatre SA (convention Blackwood).

La *convention Gerber* est l'invention de John Gerber, de Houston. Pour connaître le nombre d'as, il utilise l'annonce **quatre trèfles** par analogie avec la convention Blackwood. Ne recourez à la convention Gerber que lorsque vous connaîtrez bien les fondements du jeu de bridge. Les méthodes vues dans ce chapitre vous permettent amplement d'annoncer avec succès les contrats de chelem avec la plupart des mains.

XXIII

Les ouvertures de barrage

Désorganiser la succession normale des enchères de l'adversaire entraîne certains avantages. Lorsqu'au cours d'échanges de renseignements, les adversaires n'ont qu'une marge restreinte de manœuvre sur l'échelle des enchères, ils courent le risque:

- de conclure un contrat définitif erroné *ou*
- de vous permettre de jouer un contrat alors qu'ils pourraient conclure le leur *ou*
- d'annoncer à un palier trop élevé dans le but de vous empêcher de vous emparer de leur contrat.

En outre, l'échange de plusieurs renseignements entre vous et votre partenaire au cours des enchères peut les empêcher de conclure leur contrat.

Cependant, l'intervention faite dans le but d'embarrasser les adversaires n'est pas sans danger pour vous. Ils peuvent à leur tour:

- contrer votre contrat et obtenir des points de pénalité qui pourraient compenser la perte de leur propre contrat *ou*
- se servir des renseignements que vous échangez avec votre partenaire au cours des enchères ou durant le jeu de la carte.

Vous courez aussi le risque, si vous tentez de perturber les enchères de vos adversaires, de dérégler votre propre méthode d'échanges de renseignements et de conclure un contrat inférieur. Quoi qu'il en soit, il est généralement plus avantageux pour vous de poursuivre l'attaque.

L'un des meilleurs moyens d'entraver les projets de vos adversaires consiste à ouvrir les premiers. Quand vous ouvrez au niveau de un, avec de 13 à 21 points, et au niveau de deux, avec 22 points ou plus, rien ne s'oppose à ce que vous ouvriez les enchères dans une couleur au niveau de trois ou plus.

L'ouverture d'une couleur au niveau de trois ou plus est dite *enchère de barrage*. On l'utilise pour indiquer une main **trop faible**, incapable d'ouvrir au niveau de un (c'est-à-dire possédant moins de 13 points); c'est une tactique de défense destinée à gêner les enchères des adversaires.

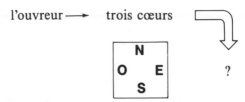

Il est clair qu'une ouverture au niveau de trois limite la marge de manœuvre de vos adversaires; quelle main, toutefois permet-t-elle d'ouvrir d'un niveau aussi élevé sans inclure les hautes cartes justifiant une telle ouverture?

Les conditions préalables à une ouverture de barrage

Pour ouvrir d'une couleur au niveau de trois ou plus, votre main doit avoir les propriétés suivantes:

LES CONDITIONS PRÉALABLES À UNE OUVERTURE DE BARRAGE	
• UNE BONNE COULEUR	Avoir au moins trois des cinq cartes les plus hautes dans la couleur.
• UNE COULEUR LONGUE	Avoir au moins une couleur septième: — avec une couleur septième, ouvrir au niveau de trois; — avec une couleur huitième, ouvrir au niveau de quatre; — avec une couleur neuvième ou plus, ouvrir au niveau de la manche dans la couleur (quatre cœurs, quatre piques, cinq trèfles ou cinq carreaux).
• UNE MAIN FAIBLE	Avoir de 9 à 12 points (insuffisants pour une ouverture au niveau de un)

Lorsque vous remplissez les conditions nécessaires à l'obtention d'une bonne ou d'une longue couleur, vous minimisez le risque d'encourir une lourde pénalité. Si vous êtes contré et que votre contrat chute, le fait d'avoir une main faible empêche vos adversaires de décrocher autant de points, ou même parfois plus de points, que s'ils avaient honoré leur propre contrat.

Voyons quelques exemples:

Vous êtes l'ouvreur. Quelle annonce faites-vous avec chacune de ces mains?

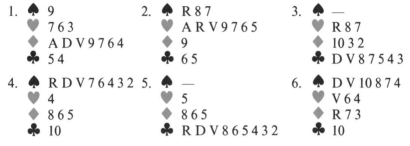

1. ♠ 9
   ♥ 7 6 3
   ♦ A D V 9 7 6 4
   ♣ 5 4

2. ♠ R 8 7
   ♥ A R V 9 7 6 5
   ♦ 9
   ♣ 6 5

3. ♠ —
   ♥ R 8 7
   ♦ 10 3 2
   ♣ D V 8 7 5 4 3

4. ♠ R D V 7 6 4 3 2
   ♥ 4
   ♦ 8 6 5
   ♣ 10

5. ♠ —
   ♥ 5
   ♦ 8 6 5
   ♣ R D V 8 6 5 4 3 2

6. ♠ D V 10 8 7 4
   ♥ V 6 4
   ♦ R 7 3
   ♣ 10

1. TROIS CARREAUX Vous détenez une couleur septième incluant trois des cinq plus hautes cartes, mais 10 points seulement. Ouvrez de trois carreaux.

2. UN CŒUR Bien que vous possédiez une couleur septième incluant trois des cinq plus hautes cartes, vous avez 14 points; c'est suffisant pour ouvrir au niveau de un. Si vous annoncez une ouverture de barrage, vous induisez votre partenaire en erreur sur la force de votre main.

3. PASSEZ Dans ce cas-ci, vous disposez d'une couleur septième avec 9 points seulement. Cependant, vous ne détenez, dans votre couleur, que deux des cinq plus hautes cartes. Avec une couleur faible, vous risquez de lourdes pénalités si vous êtes contré. Passez.

4. QUATRE PIQUES Vous possédez une bonne et longue couleur, mais 10 points seulement. Avec une couleur huitième, ouvrez au niveau de quatre: quatre piques.

5. CINQ TRÈFLES Cette main vous donne 11 points, une bonne et longue couleur. Avec une couleur neuvième, ouvrez au niveau de la manche dans votre couleur: cinq trèfles.

6. PASSEZ Vous n'avez que 9 points et ne disposez pas d'une couleur septième; vous êtes dans l'impossibilité de déclarer une ouverture de barrage.

La réponse sur une ouverture de barrage au niveau de trois

Que faire si votre partenaire ouvre les enchères au niveau de trois?

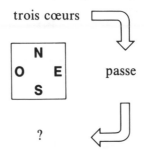

trois cœurs

passe

?

Pour fixer le contrat définitif, le répondant se pose les questions À QUEL NIVEAU? et À QUELLE COULEUR?

- **À QUELLE COULEUR?**   L'ouvreur indique une BONNE et une LONGUE couleur septième; jouez alors normalement dans cette couleur.

- **À QUEL NIVEAU?**   L'ouvreur signale une main FAIBLE de 9 à 12 points; jouez alors normalement la manche partielle.

Vous présumez que l'ouvreur a environ 10 points et vous formulez votre réponse en conséquence:

LA RÉPONSE SUR UNE OUVERTURE DE BARRAGE AU NIVEAU DE TROIS

0 à 15 points: passez (ARRÊT) ; la manche est peu probable.

16 points ou plus:
- soutenez à la manche la majeure de votre partenaire (même avec un singleton) (ARRÊT) ;
- annoncez quatre cœurs ou quatre piques si vous détenez une couleur septième ou plus (ARRÊT) ;
- annoncez trois cœurs ou trois piques si vous détenez une couleur cinquième ou sixième (AVANCEZ) ;
- annoncez trois SA (ARRÊT) .

Voici des exemples:

Votre partenaire ouvre de trois carreaux. Quelle est votre réponse avec chacune de ces mains?

	1.	2.	3.	4.
♠	A V 8 7 3	A R V 8 7 3	A D 3	A R V 8
♥	R 10 8 4	A R 10 3	R D V 9 7 6 3	R V 8 7
♦	8	8 6	D 3	10 3 2
♣	R V 6	V	9	A D

1. PASSEZ Vous avez 13 points. Si votre partenaire ouvre les enchères au niveau de un, vous amenez votre camp jusqu'à la manche. Cependant, en ouvrant au niveau de trois, votre partenaire vous signale une main faible: possédant aussi peu que 9 points. Avec 16 points seulement, passez.

2. TROIS PIQUES Avec 18 points, vous en avez suffisamment pour répondre. Puisque votre partenaire n'a pas annoncé une majeure, continuez malgré tout à chercher un fit magique dans une majeure si vous avez vous-même 5 ou 6 cartes majeures. Déclarez trois piques. Votre partenaire décidera soit de soutenir votre majeure, soit d'annoncer trois SA.

3. QUATRE CŒURS Une telle main vous vaut 17 points. Détenant vous-même une majeure septième, annoncez quatre cœurs. Tant que votre partenaire possède un ou deux cœurs, vous jouissez d'un fit magique dans une majeure.

4. TROIS SA Vous avez 16 points. Votre partenaire n'a pas annoncé de majeure et vous ne détenez pas vous-même une majeure cinquième ou plus. Déclarez trois SA. Vous êtes le capitaine et l'ouvreur se rangera à votre décision: il passera.

La réponse sur une ouverture de barrage au niveau de quatre ou plus

Les couleurs huitièmes ou plus sont rares et vous n'aurez pas souvent à faire face à un barrage au niveau de quatre ou plus.

- Si votre partenaire ouvre au niveau de la manche, passez [ARRÊT].
- Si votre partenaire ouvre de quatre trèfles ou de quatre carreaux:
  — et que vous avez de 0 à 15 points: passez. La manche est peu probable [ARRÊT].
  — et que vous avez 16 points ou plus: annoncez quatre cœurs ou quatre piques ayant une couleur septième ou plus [ARRÊT];

soutenez à cinq trèfles ou à cinq
carreaux 🛑 (trois SA n'est plus
disponible).

Les deuxièmes enchères sur un barrage de l'ouvreur

L'ouvreur ayant décrit sa main, le répondant devient le capitaine:

- Si le répondant annonce au niveau de la marche, passez.
- Si le répondant annonce une nouvelle couleur au niveau de
  trois:
    — soutenez si vous avez un soutien troisième;
    — sinon, annoncez trois SA.

Par exemple, vous ouvrez de trois carreaux et votre partenaire répond
trois piques: que faites-vous avec chacune de ces mains?

1.	♠ 10 7 3	2.	♠ 6
	♥ 4		♥ 10 3
	♦ R D 10 9 7 5 3		♦ A R V 8 7 5 2
	♣ V 6		♣ 9 7 3

1. QUATRE PIQUES   Si vous détenez un soutien troisième, soutenez
   à la manche: quatre piques.

2. TROIS SA   N'ayant qu'un singleton dans la couleur de votre
   partenaire, vous ne pouvez soutenir. Annoncez trois SA.

Que faire si l'adversaire ouvre d'un barrage?

Que faites-vous quand votre adversaire de flanc droit ouvre les
enchères au niveau de trois ou plus? Cette annonce a pour but de
vous créer un problème et c'est souvent ce qui se produit. Il vous est
toujours permis de recourir à tout l'appareil technique des enchères de
compétition: l'intervention et le contre d'appel. Comme les enchères
ont déjà atteint le niveau de trois, il vous faudra être prudent.

Voici des exemples:

Votre adversaire de flanc droit ouvre de trois carreaux. Que faites-
vous avec chacune de ces mains?

1.	♠ R 9 3	2.	♠ A R V 8 6 3	3.	♠ R D 6 4	4.	♠ R 10 2
	♥ A 8		♥ 5 2		♥ A 10 8 5		♥ R V 2
	♦ D 7 5 2		♦ 6		♦ 3		♦ A D
	♣ R D 4 3		♣ A D 3 2		♣ A V 6 4		♣ A 10 5 3 2

5. ♠ A R 9
   ♥ A R V 8
   ♦ 7
   ♣ A R D V 8

L'ANNONCE SUR UNE OUVERTURE DE BARRAGE DE VOTRE ADVERSAIRE

0 à 15 points:	passez; votre force ne vous permet pas d'annoncer au niveau de trois.
16 à 21 points:	intervenez si vous avez une couleur cinquième ou plus ♥ ; contrez si vous avez un soutien dans les couleurs non déclarées (AVANCEZ) ; intervenez à trois SA si vous possédez un arrêt dans la couleur de votre adversaire ♥ .
22 points ou plus:	annoncez dans la couleur de votre adversaire (enchère impérative pour la manche) (AVANCEZ) ; la déclaration dans la couleur de votre adversaire se nomme un *cue-bid*.

---

1. PASSEZ Vous n'avez que 14 points; c'est trop peu pour faire concurrence au niveau de trois. Le barrage de votre adversaire vous a rendu la vie difficile. S'il a une main similaire à la vôtre, vous risquez de rater la manche.

2. TROIS PIQUES Avec 16 points et une couleur sixième, vous êtes assez fort pour intervenir à trois piques.

3. CONTREZ Avec cette main, vous avez 17 points du mort et un soutien dans les couleurs non annoncées. Déclarez un contre d'appel et laissez votre partenaire choisir la couleur.

4. TROIS SA Avec 18 points et une main équilibrée, faites une intervention à SA. Cela vous conduit à la manche, mais vous devez prendre certains risques pour contrebalancer votre marge restreinte d'enchères. Votre adversaire de flanc droit fait montre d'une main trop faible pour ouvrir au niveau de un. Si la chance favorise votre partenaire, il aura suffisamment de points manquants pour vous permettre de réaliser la manche. Alors qu'une intervention à SA au niveau de un laisse supposer de 16 à 18 points, au niveau de trois, il se peut que la limite supérieure soit

plus haute. Par exemple, vous n'avez guère la possibilité de réaliser beaucoup plus, même si vous avez 20 points et une main équilibrée.

5. QUATRE CARREAUX Avec 26 points, vous auriez souhaité ouvrir au niveau de deux, soit deux trèfles, afin de pouvoir signaler une main de 22 points ou plus. Le barrage de l'adversaire vous en a empêché. Afin de faire savoir à votre partenaire que vous jouissez d'une main assez forte pour la manche, même si la sienne est presque nulle, annoncez dans sa couleur: quatre carreaux. Le **cuebid** dans la couleur de votre adversaire est une enchère impérative pour la manche. Votre partenaire ne peut passer tant que le niveau de la manche n'est pas atteint. Une telle main laisse à coup sûr entrevoir le chelem si votre partenaire en détient lui-même une bonne.

La réponse sur une intervention de votre partenaire à une ouverture de barrage

L'enchère de barrage de votre adversaire a dressé de sérieux obstacles à votre recherche du meilleur contrat. Mais avec les questions À QUEL NIVEAU? et À QUELLE COULEUR?, vous devriez pouvoir trouver une solution adéquate. L'intervention de votre partenaire indique:

- une couleur cinquième ou plus;
- de 16 à 21 points.

N'ayant que de 0 à 8 points, la manche est peu probable, car il est fort possible que votre partenaire n'ait que 16 ou 17 points au lieu de 18 ou plus; alors, passez. Avec 9 points ou plus, retenez la meilleure enchère quand vous visez la manche. Si vous pouvez soutenir la majeure de votre partenaire, réévaluez votre main avec les points du mort.

Discutons de certains exemples:

Votre adversaire de flanc gauche ouvre de trois trèfles. Votre partenaire intervient à trois cœurs. Que faites-vous avec chacune de ces mains?

1.	♠ R 10	2.	♠ 8	3.	♠ R D 9 7 6 4
	♥ 9 7		♥ D 8 6		♥ 8 5
	♦ D V 8 6 5		♦ A 10 6 5 4		♦ A V 9
	♣ 7 6 5 4		♣ V 8 5 4		♣ 10 3

4. ♠ A V 8 6
   ♥ 2
   ♦ R V 8 6 5
   ♣ D V 3

LES RÉPONSES SUR UNE INTERVENTION DE VOTRE PARTENAIRE À UNE ENCHÈRE DE BARRAGE DU CAMP ADVERSE

0 à 8 points: passez;

9 points ou plus:
- soutenez la majeure de votre partenaire à la manche si vous avez un soutien troisième ou plus;
- annoncez une nouvelle couleur au niveau de trois si vous avez une couleur quatrième ou plus;
- annoncez trois SA*.

---

* Vous le pouvez même si vous avez une couleur quatrième. Votre marge de manœuvre d'enchères est très limitée et vous serez contraint de vous livrer à certaines conjectures.

1. PASSEZ Vous n'avez que 7 points. La manche est hypothétique, à moins que votre partenaire ait 19 points ou plus. Pour éviter que votre camp n'atteigne un palier trop élevé lorsque votre partenaire n'a que 16 ou 17 points, vous devez passer.

2. QUATRE CŒURS Vous détenez un soutien troisième dans la majeure de votre partenaire; réévaluez alors votre main à l'aide des points du mort. Dans ce cas-ci, vous avez 10 points (7 PH plus 3 points pour le singleton à pique). Soutenez à la manche: quatre cœurs. Même si la main de votre partenaire est minimale quand il intervient, vous devriez avoir suffisamment de forces combinées pour la manche.

3. TROIS PIQUES Avec 12 points et deux cartes seulement dans la couleur de votre partenaire, annoncez une nouvelle couleur au niveau de trois: trois piques. Il se peut que votre partenaire puisse soutenir votre couleur; vous atteindrez alors quatre piques. Si votre partenaire redemande trois SA ou quatre cœurs, passez, car vous avez déployé tous les efforts possibles en vue d'obtenir le meilleur contrat.

4. TROIS SA   Vous avez le choix d'annoncer trois piques ou trois SA. Trois SA est vraisemblablement le meilleur, mais trois piques est également acceptable.

La réponse sur un contre du partenaire à une ouverture de barrage

Puisqu'un contre de votre partenaire dans un contrat de manche partielle est un contre d'appel, vous ne pouvez que passer si votre partenaire a contré un barrage au niveau de la manche, ou bien vous vous empressez de vous défendre en utilisant la couleur de votre adversaire comme atout. Sinon, vous devez annoncer même si vous n'avez aucun point. Souvenez-vous qu'un contre de votre partenaire à une ouverture de barrage indique:

• un soutien dans les couleurs non déclarées;
• un avoir de 16 à 21 points.

Vous répondrez ainsi:

LES RÉPONSES SUR UN CONTRE DE VOTRE PARTENAIRE À UNE OUVERTURE DE BARRAGE DU CAMP ADVERSE

0 à 8 points:	annoncez une majeure quatrième ou plus non déclarée au niveau le moins cher possible ▼ ;
	annoncez une mineure quatrième ou plus non déclarée au niveau le moins cher possible ▼ .
9 points ou plus:	annoncez quatre cœurs ou quatre piques si vous détenez une majeure quatrième ou plus (ARRÊT) ;
	annoncez trois SA (ARRÊT) .

Par exemple, si votre adversaire de flanc gauche ouvre de trois cœurs et que votre partenaire contre. Quelle est votre réponse avec chacune de ces mains?

1.	♠ 9765	2.	♠ RV82	3.	♠ AV84	4.	♠ 1042
	♥ 86		♥ 104		♥ 9		♥ A8
	♦ 10654		♦ V9763		♦ 1075		♦ D97
	♣ V43		♣ 54		♣ AV963		♣ R10654

5. ♠ 6 2
   ♥ D V 9 7 6
   ♦ R 8 4
   ♣ 7 5 4

1. TROIS PIQUES Même si vous n'avez qu'un point, vous ne pouvez passer. Annoncez votre majeure quatrième au niveau le moins cher possible: trois piques.

2. TROIS PIQUES Cette fois, vous avez 6 points. C'est insuffisant pour la manche. Par conséquent, annoncez votre majeure quatrième au niveau de trois: trois piques. Même si vous avez une couleur cinquième à carreau, déclarez votre majeure quatrième, car cette annonce maintient les enchères à un niveau plus bas, et si votre partenaire a une main forte, il peut soutenir à quatre piques, contrat plus facile à réaliser qu'un contrat à cinq carreaux.

3. QUATRE PIQUES Votre main a 11 points. Comme votre partenaire dispose d'au moins 16 points, visez la manche. À l'aide de votre majeure quatrième, déclarez la manche dans la majeure: quatre piques. C'est un choix meilleur que la manche dans votre mineure (cinq trèfles).

4. TROIS SA Avec 10 points et sans majeure quatrième, déclarez trois SA. Encore une fois, cette option est préférable à une manche dans la mineure (cinq trèfles).

5. PASSEZ Avec une telle main, vous constatez que votre adversaire a annoncé votre meilleure couleur. Passez et convertissez le contre d'appel de votre partenaire en un contre de pénalité. Votre avoir en atout ajouté aux 16 points ou plus de votre partenaire devraient suffire à faire chuter le contrat de vos adversaires.

La réponse sur une intervention à trois SA du partenaire

Si votre partenaire intervient à trois SA sur un barrage de l'adversaire, passez, à moins de détenir une majeure sixième ou plus. Souvenez-vous que les possibilités de manœuvre de votre partenaire étaient fort limitées et que sa main était peut-être non équilibrée.

Par exemple, si votre adversaire de flanc gauche ouvre de trois cœurs et que votre partenaire intervienne à trois SA, quelle sera votre réponse avec chacune de ces mains?

1. ♠ R V 8 6 3   2. ♠ D V 8 6 5 4
    ♥ 10   ♥ 8 7
    ♦ 9 6 5   ♦ D 7 5 2
    ♣ V 8 4 2   ♣ V

1. PASSEZ   Votre partenaire n'a pas déclaré de contre d'appel; il est peu probable qu'il soit séduit par un contrat à pique. Vos adversaires vous ont rendu la tâche passablement compliquée. Passez en souhaitant que trois SA soit le meilleur contrat.

2. QUATRE PIQUES   Dans ce cas-ci, signalez votre couleur sixième à pique en annonçant quatre piques. Souhaitez que votre partenaire ait au moins deux piques...

La réponse sur un *cue-bid* du partenaire

Si votre partenaire annonce dans la couleur de vos adversaires, il veut indiquer qu'il a 22 points ou plus. C'est donc une enchère impérative pour la manche, analogue à une annonce de deux à la couleur. Vous ne pouvez passer. Annoncez votre couleur la plus longue, de préférence la majeure, et poursuivez les enchères jusqu'à la manche.

Si votre adversaire de flanc gauche ouvre de trois trèfles et que votre partenaire déclare un *cue-bid* à quatre trèfles, quelle sera votre réponse avec chacune de ces mains?

1. ♠ 6 5   2. ♠ 9 7 6 5 4   3. ♠ 10 4
    ♥ R 9 7 6   ♥ R D 7 3   ♥ V 10 6
    ♦ V 8 4   ♦ 10 7   ♦ V 8 7 4 2
    ♣ 10 7 4 3   ♣ D 8   ♣ 9 6 3

1. QUATRE CŒURS   Le *cue-bid* de votre partenaire vous oblige à annoncer. Déclarez votre majeure quatrième: quatre cœurs.

2. QUATRE PIQUES   Dans ce cas-ci, vous avez le choix de la couleur. Annoncez quatre piques, votre couleur la plus longue.

3. QUATRE CARREAUX   Sans aucune majeure quatrième, déclarez quatre carreaux. Si votre partenaire redemande quatre cœurs ou quatre piques, passez. Passez aussi s'il soutient votre couleur à la manche, soit cinq carreaux.

Examinons ensuite d'autres utilisations des enchères de barrage quand les adversaires ouvrent les enchères:

L'intervention à saut de barrage

Que faire si le camp adverse ouvre alors que vous avez une couleur longue, mais trop peu de points pour une enchère d'ouverture? Puisque votre force ne vous permet pas une intervention, déclarez une *intervention à saut* de barrage; elle renseignera votre partenaire et perturbera les enchères de vos adversaires. L'intervention à saut de barrage est analogue au barrage d'ouverture:

LES CONDITIONS PRÉALABLES À UNE INTERVENTION À SAUT DE BARRAGE

- **UNE BONNE COULEUR:** Avoir au moins trois des cinq cartes les plus hautes dans la couleur.
- **UNE COULEUR LONGUE:** Avoir au moins une couleur sixième:
  — avec une couleur sixième, sauter au niveau de deux*;
  — avec une couleur septième, sauter au niveau de trois;
  — avec une couleur huitième, sauter au niveau de quatre;
  — avec une couleur neuvième ou plus, sauter au niveau de la manche dans la couleur (quatre cœurs, quatre piques, cinq trèfles ou cinq carreaux).
- **UNE MAIN FAIBLE:** Avoir de 9 à 12 points (insuffisants pour une intervention simple).

---

* Si vous ne pouvez **sauter** au niveau de deux, passez.

Voici quelques exemples. Quelle est votre déclaration avec chacune de ces mains quand votre adversaire de flanc droit ouvre les enchères de un carreau?

1.	♠ A 7 3	2.	♠ 8 7 3	3.	♠ 4	4.	♠ V 9 2
	♥ A R V 8 6 3		♥ A R V 8 6 3		♥ R D V 10 8 7 6		♥ R 9 7 6 5
	♦ 9 2		♦ 9 2		♦ 7 3		♦ D 10
	♣ 4 3		♣ 4 3		♣ 10 6 4		♣ D 7 4

1. UN CŒUR   Avec une couleur sixième et 14 points, annoncez une intervention simple au niveau de un: un cœur.

2. DEUX CŒURS   Ici, vous avez une couleur sixième, trois des cinq cartes les plus hautes et 10 points seulement. Sautez à deux cœurs. C'est une intervention à saut de barrage.

3. TROIS CŒURS   Cette fois-ci, vous avez une couleur septième, quatre des cinq cartes les plus hautes et 9 points seulement. Sautez à trois cœurs, la même annonce que vous feriez si vous pouviez ouvrir les enchères.

4. PASSEZ   N'ayant pas de couleurs longues et ne pouvant faire une annonce d'ouverture, vous passez. Vous ne remplissez pas les conditions indispensables à une intervention simple ou à une intervention à saut.

Résumé

Une ouverture dans la couleur au niveau de trois ou plus se nomme *ouverture de barrage*. Elle a pour objectif principal de perturber les enchères du camp adverse. Elle fournit en outre à votre partenaire une bonne description de votre main si votre propre camp décide d'entrer en action.

LES CONDITIONS PRÉALABLES À UNE OUVERTURE DE BARRAGE ▼	
• UNE BONNE COULEUR	Avoir au moins trois des cinq cartes les plus hautes dans la couleur.
• UNE COULEUR LONGUE	Avoir au moins une couleur septième: — avec une couleur septième, ouvrir au niveau de trois; — avec une couleur huitième, ouvrir au niveau de quatre; — avec une couleur neuvième ou plus, ouvrir au niveau de la manche dans la couleur (quatre cœurs, quatre piques, cinq trèfles ou cinq carreaux).
• UNE MAIN FAIBLE	Avoir de 9 à 12 points (insuffisants pour une ouverture au niveau de un)

LA RÉPONSE SUR UNE OUVERTURE DE BARRAGE AU NIVEAU DE TROIS

0 à 15 points: passez ⬡ ; la manche est peu probable.

16 points ou plus:
- soutenez à la manche la majeure de votre partenaire (même avec un singleton) ⬡ ;
- annoncez quatre cœurs ou quatre piques si vous détenez une couleur septième ou plus ⬡ ;
- annoncez trois cœurs ou trois piques si vous détenez une couleur cinquième ou sixième ⬡ ;
- annoncez trois SA ⬡ .

LA RÉPONSE SUR UNE OUVERTURE DE BARRAGE AU NIVEAU DE QUATRE

- Si votre partenaire ouvre de quatre cœurs ou de quatre piques, passez.
- Si votre partenaire ouvre de quatre trèfles ou de quatre carreaux:
  - si vous avez de 0 à 15 points: passez; la manche est hypothétique.
  - si vous avez 16 points ou plus: annoncez quatre cœurs ou quatre piques, avec une couleur septième ou plus. Soutenez à cinq trèfles ou à cinq carreaux.

LES DEUXIÈMES ENCHÈRES SUR UN BARRAGE DE L'OUVREUR

- Si le répondant annonce au niveau de la manche, passez.
- Si le répondant annonce une nouvelle couleur au niveau de trois:
  - soutenez si vous avez un soutien troisième;
  - sinon, annoncez trois SA.

L'ANNONCE SUR UNE OUVERTURE DE BARRAGE DE VOTRE ADVERSAIRE

0 à 15 points: passez; votre force ne vous permet pas d'annoncer au niveau de trois.

16 à 21 points: intervenez si vous avez une couleur cinquième ou plus;
                          contrez si vous avez un soutien dans les couleurs non déclarées;
                          intervenez à trois SA si vous possédez un arrêt dans la couleur de votre adversaire.

22 points ou plus: annoncez dans la couleur de votre adversaire (enchère impérative pour la manche);   la déclaration dans la couleur de votre adversaire se nomme un *cue-bid*.

LES RÉPONSES SUR UNE INTERVENTION DE VOTRE PARTENAIRE À UNE ENCHÈRE DE BARRAGE DU CAMP ADVERSE

0 à 8 points: passez; la manche est peu probable. Il se peut que votre partenaire n'ait que 16 ou 17 points plutôt que 18 ou plus.

9 points ou plus: — soutenez la majeure de votre partenaire à la manche si vous avez un soutien troisième ou plus;
                          — annoncez une nouvelle couleur au niveau de trois si vous avez une couleur quatrième ou plus;
                          — annoncez trois SA.

LES RÉPONSES SUR UN CONTRE DE VOTRE PARTENAIRE À UNE OUVERTURE DE BARRAGE DU CAMP ADVERSE

0 à 8 points: annoncez une majeure quatrième ou plus non déclarée au niveau le moins cher possible;
annoncez une mineure quatrième ou plus non déclarée au niveau le moins cher possible.

9 points ou plus: annoncez quatre cœurs ou quatre piques si vous détenez une majeure quatrième ou plus;
annoncez trois SA.

Si le camp adverse ouvre, vous pouvez encore faire obstruction en annonçant une *intervention à saut de barrage*.

LES CONDITIONS PRÉALABLES À UNE INTERVENTION À SAUT DE BARRAGE

• UNE BONNE COULEUR   Avoir au moins trois des cinq cartes les plus hautes dans la couleur.

• UNE COULEUR LONGUE   Avoir au moins une couleur sixième:
— avec une couleur sixième, sauter au niveau de deux;
— avec une couleur septième, sauter au niveau de trois;
— avec une couleur huitième, sauter au niveau de quatre;
— avec une couleur neuvième ou plus, sauter au niveau de la manche dans la couleur.

• UNE MAIN FAIBLE   Avoir de 9 à 12 points (insuffisants pour une intervention simple).

Exercices

1. Vous êtes le donneur. Quelle est votre annonce avec chacune de ces mains?

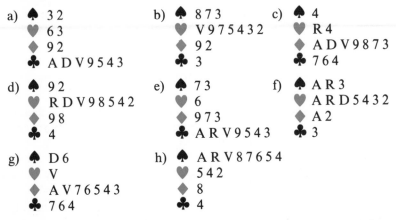

a) ♠ 3 2
   ♥ 6 3
   ♦ 9 2
   ♣ A D V 9 5 4 3

b) ♠ 8 7 3
   ♥ V 9 7 5 4 3 2
   ♦ 9 2
   ♣ 3

c) ♠ 4
   ♥ R 4
   ♦ A D V 9 8 7 3
   ♣ 7 6 4

d) ♠ 9 2
   ♥ R D V 9 8 5 4 2
   ♦ 9 8
   ♣ 4

e) ♠ 7 3
   ♥ 6
   ♦ 9 7 3
   ♣ A R V 9 5 4 3

f) ♠ A R 3
   ♥ A R D 5 4 3 2
   ♦ A 2
   ♣ 3

g) ♠ D 6
   ♥ V
   ♦ A V 7 6 5 4 3
   ♣ 7 6 4

h) ♠ A R V 8 7 6 5 4
   ♥ 5 4 2
   ♦ 8
   ♣ 4

2. Votre partenaire ouvre de trois piques. Quelle est votre réponse avec chacune de ces mains?

a) ♠ 7 3
   ♥ R V 9 6 3
   ♦ 9 2
   ♣ A R V 3

b) ♠ D 3 2
   ♥ A 9 7 5
   ♦ 2
   ♣ A R 7 6 3

c) ♠ 4
   ♥ R 4
   ♦ 8 7 3
   ♣ A D V 7 5 4 2

d) ♠ 2
   ♥ A R 8
   ♦ A D 9 7 6 4
   ♣ V 10 4

3. Votre adversaire de flanc droit ouvre de trois cœurs. Quelle est votre réponse avec chacune de ces mains?

a) ♠ 7 3
   ♥ 3
   ♦ A V 2
   ♣ A R V 8 7 5 3

b) ♠ A 8 7 5
   ♥ 7
   ♦ A R D 2
   ♣ R 8 6 3

c) ♠ R 5
   ♥ A V 10
   ♦ A R D 7 3
   ♣ D 6 4

d) ♠ 9 2
   ♥ V 9 8 5
   ♦ A R D 9
   ♣ R V 4

4. Votre adversaire de flanc droit ouvre de un cœur. Quelle est votre réponse avec chacune de ces mains?

a) ♠ A D V 7 3
   ♥ 6 3
   ♦ 2
   ♣ A V 8 6 3

b) ♠ R D V 10 9 3
   ♥ 8 6
   ♦ V 7 2
   ♣ 6 3

c) ♠ 4
   ♥ 9 4
   ♦ 8 7 3
   ♣ A D V 7 5 4 2

d) ♠ D 9 7 4 2
   ♥ R 8 4
   ♦ A 7 6 4
   ♣ 4

QUATRIÈME PARTIE

LE JEU DE LA MAIN

XXIV

Le jeu de la carte

Quand vous étudiez le jeu de la carte, souvenez-vous de ces deux points:

- L'expérience est le meilleur maître surtout si l'objet de votre étude vous intéresse. Votre technique s'affinera au fur et à mesure que vous jouerez au bridge.
- Ayez de la patience... le jeu de la carte peut vous fasciner votre vie durant. La compréhension s'acquiert peu à peu; vous ou votre partenaire ne devez pas vous attendre à des succès aussi foudroyants qu'extraordinaires.

Les concepts de base

Au cours d'une partie, le déclarant a pour objectif de réaliser son contrat en ramassant au moins les levées promises par son camp. Pour sa part, le camp défensif doit remporter suffisamment de levées pour faire chuter le contrat du déclarant.

Les levées sont de deux natures:

- les levées sûres
- les levées probables

Les *levées sûres* sont celles que vous remportez sans perdre le contrôle de la main. Les levées toutes faites, comme les as, se font n'importe quand. Les *levées probables*, avant de devenir sûres, exigent une certaine tactique. Il existe plusieurs façons de transformer les levées probables en levées sûres. Oublions pour l'instant le facteur atout et examinons quelques exemples de levées.

Les levées sûres

Comment déceler le nombre de levées sûres que vous possédez dans une couleur? Voici un certain nombre d'exemples sur la façon de dénombrer les levées sûres dans une couleur lorsque l'on considère les deux mains de la paire:

1. LE MORT: 4 3
    LE DÉCLARANT: A 2
    (vous-même)

Cette combinaison de cartes dans une couleur ne vous donnera qu'une levée sûre: l'as. Le camp adverse détient les autres cartes hautes et remportera les levées restantes.

2. LE MORT: 6 5 3
    LE DÉCLARANT: A R 2
    (vous-même)

Dans ce cas-ci, vous remportez deux levées: l'une avec l'as et l'autre avec le roi.

3. LE MORT: 7 6 3
    LE DÉCLARANT: A R D
    (vous-même)

L'as, le roi et la dame vous accordent trois levées sûres.

4. LE MORT: R 6 3
    LE DÉCLARANT: A D 7
    (vous-même)

Ce cas ressemble au précédent, mais l'une des hautes cartes appartient au mort. L'ordre des levées n'a pas d'importance. Par exemple: servez-vous de l'as au début, puis lâchez votre 7 et gagnez le pli avec le roi du mort; enfin, jouez la dernière carte du mort et enlevez le pli avec votre dame. Ou bien, emportez le premier pli avec votre dame, le second avec votre as et le troisième avec le roi du mort.

5. LE MORT: R D
    LE DÉCLARANT: A 3
    (vous-même)

Ici, vous ne remporterez que deux levées sûres même si vous avez l'as, le roi et la dame. Pourquoi? Parce que lorsque vous jouez l'as, vous devez également lâcher la dame du mort, car celui-ci n'a pas de petites cartes. Ensuite, il ne vous reste que le roi pour remporter votre deuxième levée.

6. LE MORT: A R D V 10
    LE DÉCLARANT: 7 6 5
    (vous-même)

Avec l'as, le roi, la dame, le valet et le dix, vous remportez cinq levées sûres.

7. LE MORT: D 3
    LE DÉCLARANT: A R 4
    (vous-même)

Parfois, comme dans cet exemple, la distribution des cartes entre les deux mains influence l'ordre de jeu des hautes cartes. Si, en premier lieu, vous gagnez des plis avec l'as et le roi, vous devrez jouer la dame lors de l'une de ces levées. Cela survient parce que la couleur n'est pas distribuée également entre les deux mains. Ayez recours à la consigne suivante:

> ## REMPORTEZ VOS LEVÉES D'ABORD
> ## AVEC VOTRE MAIN COURTE

Dans l'exemple ci-dessus, remportez d'abord la levée avec la dame du mort. Lâchez ensuite le trois du mort et gagnez deux autres plis avec l'as et le roi.

Les entrées

Quand vous avez le choix d'emporter une levée soit avec la main du mort, soit avec votre propre main, l'une peut parfois être plus avantageuse que l'autre. Il vous est possible de mener le jeu à partir du mort ou à partir de votre main. Ainsi utilisées, les levées sûres deviennent des *entrées* d'une main à l'autre. L'évaluation des entrées sera étudiée lorsque nous examinerons la planification du jeu.

La transformation de levées probables en levées sûres par le biais des cartes de promotion

L'un des procédés de transformation des levées consiste à utiliser les cartes de *promotion*. On se base sur le fait qu'une carte peut devenir une levée sûre quand toutes les fortes cartes d'une couleur ont été jouées. En voici des exemples:

1. LE MORT: 4 3 2
    LE DÉCLARANT: R D V
    (vous-même)

Jouez le roi pour obliger vos adversaires à jeter leur as s'ils veulent enlever le pli. Vous possédez maintenant deux levées sûres, car vous avez promu la dame et le valet. Ces deux cartes sont actuellement les plus hautes cartes restantes dans la couleur.

2. LE MORT: V 3

    LE DÉCLARANT: R D 2
    (vous-même)

Dans cet exemple, les hautes cartes n'appartiennent pas toutes à la même main. Vous pouvez encore promouvoir deux levées en faisant sortir l'as de vos adversaires. Mais la longueur de la couleur, inégale dans les deux mains, vous oblige à faire attention à l'ordre dans lequel vous jouerez les hautes cartes. Commencez par le valet pour faire sortir l'as; vous respectez, ce faisant, le principe établi de jouer d'abord les hautes cartes de la main la plus courte.

3. LE MORT: 6 5 4

    LE DÉCLARANT: D V 10
    (vous-même)

Ici, vous n'avez ni as ni roi. En réfléchissant à votre stratégie, vous pouvez promouvoir une levée. Jouez la dame pour faire sortir l'as ou le roi de vos adversaires. À la prochaine occasion, conduisez le jeu avec le valet pour faire tomber la dernière carte haute de l'adversaire. Comme vous tenez le dix, vous avez maintenant développé une levée dans la couleur.

4. LE MORT: 5 4 3 2

    LE DÉCLARANT: V 10 9 8
    (vous-même)

Cette fois-ci, ayez de la patience. Le camp adverse détient l'as, le roi et la dame. À l'aide du valet, éliminez l'une de leurs hautes cartes; avec votre 10, une autre tombera et votre 9 fera sortir la dernière. En fin de compte, votre 8 deviendra la plus haute carte restante dans la couleur.

La transformation de levées probables en levées sûres par le biais de couleurs longues

On peut utiliser les couleurs longues pour *affranchir* certaines cartes:

1. LE MORT: 6 5 4 3

    LE DÉCLARANT: A R 7 2
    (vous-même)

D'entrée de jeu, avec l'as et le roi, vous emportez deux levées sûres dans la couleur. Vous avez également huit cartes dans la couleur et vos adversaires se partagent les cinq cartes restantes (13 - 8 = 5). Normalement, ces cinq cartes sont partagées entre vos opposants: trois dans une main et deux dans l'autre. Comment cette situation vous aide-t-elle? Lorsque vous remportez les deux levées avec votre as et votre roi, il ne reste à vos adversaires qu'une seule carte haute. Si, de nouveau, vous attaquez de deux cartes faibles, une de chaque main, vous perdez la levée. Toutefois, quand vous reprendrez la maîtrise de la main, vous pourrez emporter le pli avec votre carte restante parce que le camp adverse aura épuisé sa couleur. Vous aurez en effet valorisé vos cartes faibles en éliminant toutes les cartes dans la couleur de vos adversaires.

Pour que cette stratégie soit fructueuse, les cinq cartes de vos adversaires doivent être distribuées en trois et deux, et cela, vous pouvez le savoir. Quand vos deux adversaires fournissent dans la couleur, alors que vous jouez l'as et le roi, vous savez qu'il ne reste qu'une carte dans cette couleur. Par contre, si seul l'un d'eux jette une carte dans cette couleur quand vous jouez l'as et le roi, vous constatez que les cinq cartes du camp adverse ne sont pas distribuées en trois et deux. Par conséquent, cette stratégie tournera court.

2.   LE MORT: 7 5 6 3
      LE DÉCLARANT: A 8 6 2
      (vous-même)

Vous détenez une levée sûre, l'as. Vous possédez aussi huit cartes dans la couleur. Si les cinq cartes restantes sont distribuées en trois et deux, vous pouvez encore transformer une levée probable dans la couleur. Enlevez le pli avec l'as et accordez un pli à l'adversaire. Dès que vous aurez l'occasion de maîtriser la main, attaquez la même couleur et laissez vos adversaires gagner un autre pli. Si vous avez encore la maîtrise de la main une quatrième fois, le camp adverse aura épuisé ses cartes dans la couleur et vous remporterez ainsi une deuxième levée.

3.   LE MORT: 7 5 4 3
      LE DÉCLARANT: 9 8 6 2
      (vous-même)

De prime abord, cette couleur semble incapable de produire des levées puisque vous n'avez aucune haute carte. Vous jouissez cependant d'une certaine longueur. Soyez patient. Après avoir maîtrisé la main trois fois, vous devriez emporter une levée, à condition que les cartes du camp adverse soient distribuées en trois et deux.

4. LE MORT: 5 4 3
    LE DÉCLARANT: A R 7 6 2
    (vous-même)

Ici encore, vous avez huit cartes dans une couleur, alors que le camp adverse n'en détient que cinq. Cette fois, vous pouvez transformer deux levées probables dans la couleur. Si les cinq cartes restantes sont distribuées en trois et deux, il ne reste aux adversaires qu'une carte dans la couleur lorsque vous enlevez les deux premiers plis avec l'as et le roi. Vous pouvez maîtriser la couleur une troisième fois et faire sortir la carte restante du camp opposé. La prochaine fois que vous aurez la maîtrise, vous aurez encore deux cartes dans la couleur et chacune d'elles pourra emporter une levée.

Même si les cartes restantes sont distribuées en quatre et une, vous pouvez encore transformer une levée probable. Après avoir utilisé l'as et le roi, vous avez à perdre deux levées en faveur de votre adversaire qui a commencé avec quatre cartes; mais par la suite, votre cinquième carte dans la couleur produira une levée gagnante.

5. LE MORT: R 4
    LE DÉCLARANT: A 7 6 5 2
    (vous-même)

Ce cas-ci ressemble au précédent quoique vos mains combinées ne détiennent que sept cartes. Le camp adverse en compte six (13 - 7 = 6). Ici, également, il existe une forte possibilité de pouvoir transformer des levées probables. Vous gagnez la première levée avec le roi du mort, puis le 4 du mort vous conduit vers votre as. Maintenant, notez ce qui se passe quand vous reprenez la main une troisième fois. Si les six cartes restantes sont distribuées en trois et trois, les cartes hautes de chaque membre du camp adverse tomberont simultanément quand ce camp emportera cette levée. Avec le résultat que vos deux cartes restantes vous permettront deux levées sûres.

Comme il est très possible que l'un de vos opposants détienne, au début, quatre cartes dans la couleur, et l'autre seulement deux, vous devrez vous résigner à perdre une autre levée pour, finalement, ne recueillir qu'une levée sûre additionnelle. Malgré cela, cette tactique se révèle meilleure que le fait de ne gagner que deux levées sûres au début. Si l'un de vos adversaires détient cinq ou six autres cartes dans la couleur, vous devez vous limiter à vos deux levées sûres initiales.

Sachez qu'il est important d'enlever le premier pli avec la main courte dans la couleur. Si vous le faites avec votre as, puis ouvrez d'une petite carte vers le roi, vous ne pourrez reprendre immédiatement la maîtrise de la couleur une troisième fois. Vous avez certainement l'intention de compléter le jeu avec votre main longue.

6.   LE MORT: R 7 5 2
        LE DÉCLARANT: A 4 3
        (vous-même)

Vous avez sept cartes dans la couleur, le camp adverse en a six. Essayez de transformer une levée probable en enlevant deux levées sûres et gardez la maîtrise de la couleur une troisième fois. Si les cartes restantes sont distribuées en trois et trois, vous pouvez transformer la dernière carte du mort dans la couleur en une levée gagnante. Bien entendu, si l'un de vos adversaires a quatre des cartes restantes dans la couleur, ou plus, vous ne pourrez avoir recours à cette stratégie.

Lorsque vous projetez de transformer des levées probables basées sur la longueur, il est utile d'avoir une certaine perception du type de distribution des cartes restantes dans la couleur entre vos adversaires. En règle générale, sachez que *si vos adversaires détiennent un nombre impair de cartes, elles seront distribuées également; s'ils possèdent un nombre pair de cartes, elles seront distribuées inégalement*.

NOMBRE DE CARTES RESTANTES	DISTRIBUTION PROBABLE
3	2-1
4	3-1
5	3-2
6	4-2
7	4-3
8	5-3

La transformation de levées probables en levées sûres par le biais des impasses des cartes hautes des adversaires — La finesse

Vous pouvez aussi transformer des levées probables en prenant en *impasse* les cartes hautes de vos adversaires. C'est à la fois une question de technique et une question de chance.

Voici quelques exemples:

1.   LE MORT: R 5
        LE DÉCLARANT: 4 2
        (vous-même)

Si vous attaquez du roi, l'adversaire joue l'as et vous perdez le pli. Comme vous n'avez pas la dame, vous ne ferez aucune levée dans la couleur. Il existe toutefois une possibilité de gagner un pli avec votre roi.

Au lieu d'attaquer du roi, jouez une petite carte **vers** le roi, vous aurez ainsi 50% de probabilité d'enlever le pli. Si vous attaquez d'abord du deux de votre main, votre adversaire de flanc gauche doit lâcher sa carte avant que vous ne choisissiez celle du mort. Si votre adversaire de flanc gauche détient l'as et le joue, vous pouvez jouer le cinq du mort et conserver le roi pour une levée ultérieure. Si, par contre, votre opposant de flanc gauche possède l'as et ne le lâche pas, vous pouvez jouer le roi du mort sur cette levée. Cette manœuvre vous permettra d'enlever le pli puisque votre adversaire de flanc droit n'a pas de carte haute. Cette stratégie se nomme une *finesse*. Lors d'une finesse, vous jouez presque toujours **vers** les cartes hautes.

Que se passe-t-il lorsque votre opposant de flanc droit détient l'as? Quand vous attaquez du deux avec l'intention d'enlever le pli à l'aide du roi, votre adversaire de flanc droit joue son as et vous perdez la levée. Cela explique pourquoi vous n'avez que 50% de chance d'emporter le pli avec votre roi. Tantôt ce sera votre adversaire de flanc gauche qui possèdera l'as, tantôt celui de flanc droit. Qu'importe! 50% de probabilité valent mieux que rien.

2.   LE MORT: 5 4 2
      LE DÉCLARANT: R D 3
      (vous-même)

Disposant du roi et de la dame, vous pouvez préparer une levée de promotion. En attaquant de votre roi ou de votre dame, vous faites sortir l'as de vos adversaires, assuré que vous êtes d'une levée sûre avec l'autre carte haute. Toutefois, il vous est possible de profiter de l'occasion pour gagner deux levées en attaquant **vers** vos cartes hautes. Laissez tomber une petite carte du mort. Si votre opposant de flanc droit détient l'as et le joue, jetez la petite carte de votre main et vous êtes certain d'enlever par la suite deux levées sûres avec le roi et la dame. Si votre adversaire de flanc droit ne joue pas l'as, jetez le roi ou la dame et enlevez le pli. À ce moment, la situation est analogue au premier exemple. Retournez au mort à l'aide d'une autre couleur et dirigez le jeu vers votre carte haute restante. Encore une fois, votre adversaire de flanc droit doit jouer le premier. Évidemment, si votre adversaire de flanc gauche détient l'as, il peut l'opposer à votre roi ou à votre dame en ne vous laissant la possibilité que d'une seule levée.

3.   LE MORT: A D
        LE DÉCLARANT: 4 3
        (vous-même)

Dans cet exemple, vous avez l'as et la dame, mais non le roi. Si vous jouez l'as, puis ensuite la dame, le camp adverse emporte le deuxième pli avec son roi. Pouvez-vous espérer gagner deux levées avec votre as et votre dame? Ouvrez du trois de votre main vers le mort. Votre adversaire de flanc gauche joue avant que vous ne choisissiez la carte du mort. S'il a le roi et le jette, vous gagnez le pli avec votre as et votre dame est alors certaine de remporter la deuxième levée. Si, par contre, votre opposant de flanc gauche, ayant le roi, ne le joue pas mais jette une petite carte, vous enlevez le pli en jouant la dame du mort et vous gardez l'as en réserve pour une deuxième levée.

Bien entendu, si votre adversaire de flanc droit a le roi, il emporte la levée quand vous jouez la dame du mort et ne vous laisse qu'une seule levée. En dépit de cela, comme votre opposant de flanc gauche détient le roi, dans la moitié des cas, il est avantageux à la longue d'ouvrir vers cette combinaison plutôt que d'emporter une levée unique avec l'as.

4.   LE MORT: A D V
        LE DÉCLARANT: 7 3 2
        (vous-même)

Ici, vous pouvez gagner deux levées en attaquant de la dame, obligeant ainsi votre adversaire à jeter son roi. Votre valet emportera la deuxième levée. Qui plus est, vous pouvez même gagner trois plis si vous attaquez deux fois vers vos hautes cartes. Attaquez du deux de votre main et si votre opposant de flanc gauche jette une petite carte, jouez de **finesse** avec le valet du mort. Si votre adversaire de flanc droit ne détient pas le roi, le valet remporte le pli. Revenez ensuite à votre main en utilisant une autre couleur et attaquez d'une autre petite carte vers le mort. En laissant votre opposant de flanc gauche jouer avant vous, vous remporterez trois levées chaque fois qu'il détiendra le roi. Bien entendu, si votre adversaire de flanc droit dispose du roi, vous ne réussirez que les deux levées sûres du début.

5.   LE MORT: A 7 5
        LE DÉCLARANT: D V 10
        (vous-même)

Qu'allez-vous faire de cette combinaison de cartes? Transformez une levée probable en jouant l'as, puis ensuite la dame ou le valet pour en faire sortir le roi. Cette tactique vous rapporte deux plis. Existe-t-il une possibilité d'en gagner trois?

Supposons que vous ouvriez de la dame **de votre main vers** l'as du mort. Si votre adversaire de flanc gauche détient le roi et ne le lâche pas, vous jouez une petite carte du mort et votre dame remporte le pli. S'il jette le roi, jouez l'as. Vous venez de faire impasse à son roi.

Si votre opposant de flanc droit a le roi, la finesse n'est pas possible. Quand vous attaquez de la dame, lâchez une petite carte du mort; votre adversaire de flanc droit remportera le pli avec son roi et vous n'aurez que deux levées. Cependant, si vous jouez de cette façon, vous avez 50% de probabilité d'enlever trois plis.

6.   LE MORT: A 7 5
     LE DÉCLARANT: D 3 2
     (vous-même)

Ce cas semble être analogue au précédent. Observez ce qui se passe quand vous attaquez de la dame vers l'as du mort. Si votre adversaire de flanc gauche détient le roi, il peut l'abattre sur votre dame et vous gagnez le pli avec l'as. Il ne vous reste alors que des cartes faibles. Si, par contre, votre opposant de flanc droit a le roi, il s'en servira pour s'emparer de votre dame et vous n'emporterez qu'une seule levée dans la couleur.

En quoi cet exemple diffère-t-il du précédent? Dans ce dernier, vous aviez la dame, le valet et le dix. Vous pouviez vous permettre de laisser votre adversaire de flanc gauche lâcher son roi quand vous jouiez la dame, parce que vous vous livriez à un essai de promotion en faveur de votre camp. Cet exemple-ci ne vous permet pas de laisser votre opposant de flanc gauche *couvrir* votre dame avec son roi, car cela aurait pour effet de préparer d'autres plis en faveur de vos adversaires et non en faveur de votre camp.

Tentez plutôt de gagner le premier pli avec votre as, puis attaquez **vers** la dame. Si votre adversaire de flanc droit a le roi, il le jouera avant et vous emporterez une levée avec votre dame. Évidemment, si votre adversaire de flanc gauche a le roi, cette manœuvre est sans effet. Comme vous le voyez, attaquez de la dame en premier lieu ne vous avantage jamais.

En général, dans ces types de situation:

ATTAQUEZ D'UNE CARTE HAUTE SI VOUS POUVEZ VOUS PERMETTRE QU'UN ADVERSAIRE LA COUVRE D'UNE CARTE PLUS HAUTE. AUTREMENT, ATTAQUEZ VERS UNE CARTE HAUTE.

La transformation de levées probables en levées sûres en coupant les perdantes

Les tactiques vues précédemment sont très efficaces dans les contrats à SA. Elles le sont aussi dans les contrats à la couleur, mais si vous jouez à la couleur, vous risquez de voir vos adversaires enlever des plis en coupant vos cartes hautes. Au chapitre suivant, nous verrons comment parer à ce danger. Essayons, pour l'instant, de transformer des levées probables en **coupant des perdantes**. Une *perdante* est une levée que vos adversaires peuvent gagner. Supposons que pique soit la couleur d'atout et que vous déteniez les piques et les cœurs suivants:

    LE MORT: ♠ 8 7 6
                      ♥ 6 3
    LE DÉCLARANT: ♠ A R D V 10 3
    (vous-même)   ♥ 4 2

Dans la couleur à cœur, vous avez deux perdantes. Vos adversaires ont la possibilité de remporter les deux premières levées à cœur. S'ils tentent de gagner d'autres levées à cœur, vous pouvez enlever le pli en coupant. C'est la prérogative d'un contrat à la couleur.

Notez bien que dans l'exemple précédent vous avez **cinq** levées sûres à pique. Il est parfois possible de transformer des levées probables à l'aide de la couleur d'atout. Modifions quelque peu l'exemple précédent:

    LE MORT: ♠ 8 7 6
                      ♥ 3
    LE DÉCLARANT: ♠ A R D V 10
    (vous-même)   ♥ 4 2

Vous détenez encore deux perdantes possibles à cœur. Toutefois, à cause du singleton à cœur du mort, vos adversaires ne peuvent emporter plus d'une levée dans la couleur. S'ils reprennent la maîtrise de la couleur, vous pouvez couper à l'aide d'un pique du mort. Vous gagnez alors **six** levées à pique: l'une à l'aide de la coupe du mort et les cinq autres comme levées sûres à pique.

VOUS POUVEZ TRANSFORMER DES LEVÉES PROBABLES EN COUPANT VOS PERDANTES AVEC LES ATOUTS DU MORT

Pourquoi insistons-nous pour que vous coupiez vos perdantes à l'aide des atouts du mort et non à l'aide des atouts du déclarant? Modifions encore l'exemple précédent:

LE MORT: ♠ 8 7 6
♥ 6 3

LE DÉCLARANT: ♠ A R D V 10
(vous-même) ♥ 2

Comme dans le cas vu plus haut, vos adversaires ne peuvent emporter qu'une levée à cœur. S'ils tentent de gagner un deuxième pli, vous coupez avec l'un de vos piques, mais vous n'emporterez que **cinq** levées à pique: l'une, à l'aide de votre coupe, les quatre autres étant des levées sûres.

Pour transformer des levées probables d'atout, il faut couper à l'aide de la main qui détient la couleur d'atout la plus courte. Habituellement, c'est la couleur du mort. En règle générale, **ne commettez pas l'imprudence de couper à partir de la couleur la plus longue**; en agissant ainsi, vous ne transformerez aucune levée probable. Évidemment, dans l'exemple précédent, vous deviez couper, mais c'était pour empêcher vos adversaires d'emporter deux levées à cœur.

Voici quelques autres exemples. Dans chaque cas, pique est l'atout:

1. LE MORT: ♠ V 7 6
♥ 4

LE DÉCLARANT: ♠ A R D 10 9
(vous-même) ♥ A 3

Vous avez une perdante possible à cœur. Si vous enlevez vos cinq levées sûres à pique, puis celle de votre as de cœur, vous vous retrouvez avec six levées. Par ailleurs, si vous prenez d'abord le pli avec votre as de cœur, le mort se trouve en possession d'une chicane (sans carte dans une couleur). C'est alors que vous attaquez de votre perdante à cœur et la coupez d'un atout du mort. De cette façon, vous gagnez sept levées. Il est important de couper la perdante du mort **avant** d'emporter toutes vos levées sûres à pique car autrement le mort risque de se retrouver sans pique et ne pourra couper votre perdante.

2. LE MORT: ♠ 8 7 6
♥ 6 3

LE DÉCLARANT: ♠ A R D V 10
(vous-même) ♥ 5 4 2

Puisque vous avez trois perdantes possibles à cœur, vous pouvez en supprimer une en adoptant cette tactique: sacrifier deux levées à cœur en faveur de vos adversaires; le mort détiendra alors une chicane et vous pourrez ensuite maîtriser la dernière perdante et la transformer en la coupant à l'aide d'un pique du mort.

Résumé

L'objectif du jeu de la carte consiste à gagner des plis. Il y a deux types de levées:

- les *levées sûres* que vous emportez sans perdre la maîtrise de la main;
- les *levées probables* qui réclament une certaine tactique pour devenir des levées sûres:
    - la *promotion* de certaines cartes;
    - l'*élimination* de certaines cartes de couleur longue;
    - l'*impasse* (la finesse à piéger les cartes hautes de l'adversaire);
    - la *coupe* des perdantes.

Lorsque vous détenez des levées probables, souvenez-vous de ceci:

- emportez d'abord vos levées dans la main courte;
- attaquer d'une carte haute si votre jeu permet que votre adversaire la couvre d'une carte plus haute. Sinon, attaquez vers votre carte haute;
- couper vos perdantes de la main qui détient la couleur d'atout courte, habituellement celle du mort. Ne commettez pas l'erreur de couper la main détenant la couleur longue.

Exercices

1. Combien de levées sûres comptez-vous dans chacune de ces combinaisons?

LE MORT: a) R D 8   b) A 9 8 3   c) A D   d) 5 4 2

LE DÉCLARANT: A 6 2   R 4   R V   A R D V 7 3
(vous-même)

2. Quel nombre maximal de levées pouvez-vous enlever avec chacune de ces mains? Comment les jouerez-vous pour tenter de gagner le plus grand nombre de levées possible?

LE MORT:	a) R V 8	b) R 2	c) V 10 9 4 3	d) A 8 3 2
LE DÉCLARANT: (vous-même)	D 7 3	D V 10 9 3	D 6 2	7 6 5 4

LE MORT:	e) 7 4 3	f) 9 7 4	g) R 6 3	h) 5 4 2
LE DÉCLARANT: (vous-même)	A 8 6 5 2	10 8 6 5 3 2	5 4 2	A D 6 3

Le plan de jeu

Supposons que vous ouvriez les enchères de un SA et que tous passent. Vous devenez donc le déclarant d'un contrat à un SA. L'Ouest, votre adversaire de flanc gauche, entame de la dame de pique et votre partenaire, étant le mort, étale sa main.

LE MORT:
- ♠ R 7 5 2
- ♥ D 2
- ♦ 6 5 4
- ♣ 7 6 4 3

♠ D
(l'entame)

```
    N
 O     E
    S
```

LE DÉCLARANT:
(vous-même)
- ♠ A 4 3
- ♥ A R 3
- ♦ R D V
- ♣ 9 8 5 2

Étant le déclarant, comment organisez-vous le jeu pour réaliser votre contrat? Jouer une main au bridge est une entreprise comme n'importe quelle autre. Vous devez établir un plan en vous aidant des quatre questions du déclarant:

LES QUATRE QUESTIONS DU DÉCLARANT

1. COMBIEN DE LEVÉES DOIS-JE GAGNER?
2. COMBIEN AI-JE DE LEVÉES SÛRES?
3. COMMENT PUIS-JE TRANSFORMER LES LEVÉES PROBABLES?
4. COMMENT PUIS-JE ALLIER LES RENSEIGNEMENTS OBTENUS?

Première question

COMBIEN DE LEVÉES DOIS-JE GAGNER?

La réponse est instantanée:

- Ajoutez 6 levées (le livre) au niveau de votre contrat.

Par exemple, si votre contrat est à trois SA, vous devez faire 6 + 3 = 9 levées. S'il est à quatre cœurs, vous devez faire 6 + 4 = 10 levées. Dans l'exemple précédent, votre contrat est à un SA, vous devez faire 6 + 1 = 7 levées.

Deuxième question

Votre objectif étant fixé, vous devez évaluer toutes vos chances:

COMBIEN AI-JE DE LEVÉES SÛRES?

Examinez toutes les couleurs des deux mains combinées dans l'exemple donné, additionnez le nombre de levées sûres dans chaque couleur, puis calculez le nombre de levées sûres du camp:

LE MORT:
- ♠ R 7 5 2
- ♥ D 2
- ♦ 6 5 4
- ♣ 7 6 4 3

```
    N
  O   E
    S
```

LE DÉCLARANT:
(vous-même)
- ♠ A 4 3
- ♥ A R 3
- ♦ R D V
- ♣ 9 8 5 2

Vous avez deux levées à pique, l'as et le roi, et trois levées à cœur, l'as, le roi et la dame. Même si vous possédez le roi, la dame et le valet de carreau, vous n'avez aucune **levée sûre** dans cette couleur, car vos adversaires détiennent l'as. Parallèlement, vous n'avez aucune levée sûre à trèfle, car le camp adverse a l'as, le roi, la dame, le valet et le dix. Si vous additionnez vos levées sûres, vous en obtenez cinq: deux à pique et trois à cœur.

Vous avez donc cinq levées sûres. Devez-vous les prendre tout de suite? Sûrement pas! Considérez d'abord l'objectif que vous vouliez atteindre en répondant à la première question: gagner sept levées pour réaliser un contrat à un SA. Si vous les avez, enlevez-les et complétez votre contrat. Cependant, dans la plupart des cas, vous n'aurez pas suffisamment de levées sûres. Vous devez alors songer à transformer vos levées probables. Si tel est le cas, n'essayez pas d'emporter vos levées sûres, car cela ne vous aidera pas à atteindre votre objectif, au contraire. Vous risquez de faire le jeu du camp adverse qui se propose, lui, de remporter suffisamment de plis pour faire chuter votre contrat.

Dans ce cas-ci, en jouant dès maintenant la dame, le roi et l'as de cœur, vous gagnerez certes, trois levées mais, comme vous venez d'éliminer vos cartes hautes, les adversaires pourront transformer leurs levées probables à cœur en levées sûres. Gardez donc vos levées sûres en attente et posez-vous la question suivante:

Troisième question

La réponse à cette question vous aide à savoir comment éliminer l'écart qui existe entre le nombre de levées exigées (première question) et le nombre de levées sûres que vous possédez (deuxième question).

> ### COMMENT PUIS-JE TRANSFORMER
> ### LES LEVÉES PROBABLES?

Étudiez chacune des couleurs des deux mains combinées et voyez si vous pouvez vous servir d'un subterfuge pour transformer les levées probables. Par exemple:

- la promotion de certaines cartes
- l'affranchissement de certaines cartes de couleur longue
- l'impasse de cartes hautes de vos adversaires
- la coupe de perdantes

Dans le cas suivant, laquelle de ces solutions appliqueriez-vous?

LE MORT:	
♠	R 7 5 2
♥	D 2
♦	6 5 4
♣	7 6 4 3

```
      N
   O     E
      S
```

LE DÉCLARANT:	
(vous-même)	♠ A 4 3
	♥ A R 3
	♦ R D V
	♣ 9 8 5 2

Après analyse de chacune des couleurs combinées, vous concluez qu'il existe trois possibilités de transformer les levées probables. À pique, vous pouvez emporter deux levées sûres, puis reprendre une troisième fois la maîtrise de la couleur. Si les cartes restantes sont distribuées en trois et trois, vous êtes à même de transformer le quatrième pique en une levée de surplus. À cœur, vous comptez actuellement trois levées sûres, sans aucune possibilité d'en recueillir d'autres. À carreau, votre roi peut faire sortir l'as de vos adversaires et vous permettre ainsi de promouvoir votre dame et votre valet. À trèfle, vous éliminez les cartes hautes de vos adversaires à cause de sa longueur et gagnez un pli si vous maîtrisez la main trois fois. Aucune couleur ne vous permet d'utiliser l'impasse envers les cartes hautes adverses et, bien entendu, vous ne pouvez couper vos perdantes parce que vous jouez à SA.

Après avoir passé en revue toutes ces hypothèses, envisageons la dernière question:

Quatrième question

Cette question collige tous les renseignements obtenus et les incorpore dans la planification de votre jeu.

COMMENT PUIS-JE ALLIER LES RENSEIGNEMENTS OBTENUS?

Les deux premières questions ont démontré que, pour réaliser votre contrat, vous devez transformer deux levées probables. La réponse à la troisième question vous aide à choisir le mode de transformation de vos levées probables. La quatrième question sous-entend que vous devez transformer vos levées probables de la façon la plus rentable pour votre camp. Comment le faire avec les mains suivantes?

DUMMY: ♠ R 7 5 2
              ♥ D 2
              ♦ 6 5 4
              ♣ 7 6 4 3

♠ D
(l'entame)

	N	
O		E
	S	

LE DÉCLARANT: ♠ A 4 3
(vous-même)   ♥ A R 3
              ♦ R D V
              ♣ 9 8 5 2

Lorsque vous répondez à la quatrième question, vous choisissez la stratégie qui vous accordera les meiilleurs chances de succès. Tranformer votre levée probable à pique n'est possible que si les cartes de vos adversaires sont distribuées en trois et trois, ce qui est peu probable.

En outre, vous ne pourrez transformer qu'un seul pli. De façon analogue, votre couleur à trèfle ne vous donne qu'un pli supplémentaire, en supposant que les cartes de vos adversaires soient partagées en trois et deux. Les carreaux constituent pour vous la meilleure option, car ils vous gratifient des levées supplémentaires requises et même d'une certitude de succès puisque vous ne dépendez pas d'une hypothétique distribution favorable des cartes de vos opposants.

Cela posé, établissez votre plan. Votre adversaire de flanc gauche entame de la dame de pique. Emportez cette levée avec votre as et préparez-vous à transformer vos levées probables en jouant carreau. Aussitôt que vous aurez fait tomber l'as de vos adversaires, vous aurez transformé suffisamment de levées probables pour honorer votre contrat. Quand vous reprenez la maîtrise, emportez le deuxième pli à pique, les trois levées sûres à cœur et les deux nouvelles levées probables transformées à carreau. Vous venez de faire sept levées.

Ne vous inquiétez pas si vos adversaires emportent une levée avec leur as de carreau. Même s'ils attaquent le jeu à pique, votre roi enlèvera le pli. S'ils attaquent à cœur, vous détenez les trois cartes les plus hautes dans la couleur. S'ils attaquent le jeu à carreau, vous avez transformé deux levées probables. S'ils dirigent à trèfle, ils ne possèdent que cinq cartes restantes. Même si toutes les cartes appartiennent à la même main, ils ne peuvent totaliser que cinq plis. En tout état de cause, ils ne peuvent faire chuter votre contrat. Bien plus, si les trèfles sont distribués en trois et deux et qu'ils enlèvent leurs trois plis, les adversaires auront tranformé en votre faveur une levée probable à trèfle!

Un autre exemple à SA

Ce contrat à trois SA est une application du questionnaire du déclarant.

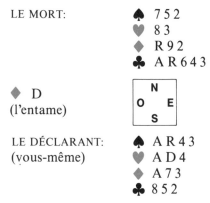

LE MORT:
- ♠ 7 5 2
- ♥ 8 3
- ♦ R 9 2
- ♣ A R 6 4 3

♦ D
(l'entame)

LE DÉCLARANT:
(vous-même)
- ♠ A R 4 3
- ♥ A D 4
- ♦ A 7 3
- ♣ 8 5 2

Première question: COMBIEN DE LEVÉES PUIS-JE GAGNER?

- Un contrat à trois SA exige 6 + 3 = 9 levées.

Deuxième question: COMBIEN AI-JE DE LEVÉES SÛRES?

- Pique: 2 (l'as et le roi)
- Cœur: 1 (l'as)
- Carreau: 2 (l'as et le roi)
- Trèfle: 2 (l'as et le roi)
- **Total:** 7 levées

Troisième question: COMMENT PUIS-JE TRANSFORMER
LES LEVÉES PROBABLES?

- Pique: Si vous jouez l'as et le roi, puis concédez une levée à vos adversaires, la quatrième levée à pique sera transformée en une levée sûre si les piques du camp adverse sont distribués en trois et trois.

- Cœur: Si vous avez la maîtrise à partir du mort et si vous jouez de finesse avec votre dame, vous pouvez transformer une levée en prenant en impasse le roi de votre adversaire de flanc droit.

- Carreau: Il est impossible de tranformer quelque levée que ce soit.

- Trèfle: Si vous jouez l'as et le roi, puis concédez une levée à vos adversaires, vous aurez transformé deux levées probables à condition que les trèfles du camp adverse soient distribués en trois et deux.

Quatrième question: COMMENT PUIS-JE ALLIER
LES RENSEIGNEMENTS OBTENUS?

- Vous devez transformer deux levées probables. Les cœurs et les piques ne peuvent en fournir qu'une chacun. Vous devez parvenir à transformer une levée probable dans les deux couleurs si vous voulez obtenir ces deux plis. La couleur à trèfle semble la plus apte à vous procurer les deux levées nécessaires.

- Puisque votre adversaire entame de la dame de carreau, vous devez enlever le pli et, sans attendre, commencer à transformer vos deux levées à trèfle. Soyez prudent! Si vous gagnez le premier pli à carreau avec le roi du mort après avoir transformé vos deux levées à trèfle, vous serez incapable de retourner au mort pour jouer les trèfles. Emportez la première levée avec votre as. Vous pourrez ensuite utiliser le roi du mort comme **entrée** au mort et gagner vos deux levées à trèfle.

Répondre à la quatrième question n'est pas toujours facile parce que vous faites face à diverses options. Dans le doute, appliquez les directives suivantes:

POUR BIEN JOUER UN CONTRAT À SA

- Emportez vos levées dès que vous en avez assez pour réaliser votre contrat.
- Transformez les levées probables exigées par votre contrat avant d'emporter vos levées sûres.
- Cherchez la plus longue couleur combinée et jouez-la en premier lieu.
- Surveillez vos entrées de façon à vous assurer de pouvoir reprendre la main qui doit servir à attaquer le pli suivant.

Jouer un contrat à la couleur

Pour jouer un contrat à la couleur, utilisez également le questionnaire du déclarant. En voici un exemple:

Vous ouvrez les enchères de un cœur, votre partenaire vous soutient à quatre cœurs suivi de trois passes. Votre adversaire de flanc gauche entame du roi de carreau et votre partenaire, le mort, étale sa main.

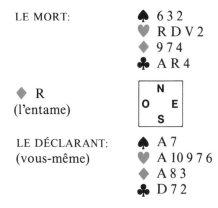

LE MORT:
- ♠ 6 3 2
- ♥ R D V 2
- ♦ 9 7 4
- ♣ A R 4

♦ R
(l'entame)

LE DÉCLARANT:
(vous-même)
- ♠ A 7
- ♥ A 10 9 7 6
- ♦ A 8 3
- ♣ D 7 2

Première question: COMBIEN DE LEVÉES DOIS-JE GAGNER?

- Un contrat à quatre cœurs exige 6 + 4 = 10 levées.

Deuxième question: COMBIEN AI-JE DE LEVÉES SÛRES?

- Pique: 1 (l'as)
- Cœur: 5 (l'as, le roi, la dame, le valet et le dix)
- Carreau: 1 (l'as)
- Trèfle: 3 (l'as, le roi et la dame)
- **Total:** 10

Troisième question: COMMENT PUIS-JE TRANSFORMER
LES LEVÉES PROBABLES?

- Une telle main combinée ne réclame aucune transformation de levées probables, car vous détenez déjà dix levées sûres.

Quatrième question: COMMENT PUIS-JE ALLIER
                             LES RENSEIGNEMENTS OBTENUS?

- Cette mise combinée paraît évidente puisque vous avez déjà les
  dix levées sûres nécessaires à votre contrat. Soyez sur vos
  gardes, toutefois, car un contrat à la couleur est une arme à
  double tranchant. Si vous emportez la première levée avec votre
  as de carreau et qu'ensuite vous tentiez d'emporter vos levées
  sûres à trèfle, vous risquez que l'un de vos adversaires n'ait
  qu'un ou deux trèfles et emporte l'un des plis en coupant d'un
  atout. Dès lors, vous n'aurez plus les dix levées voulues.

- Comment éviter ce piège? Jouez d'abord la couleur d'atout
  jusqu'à ce que vos adversaires en soient dépourvus. Vous
  pouvez alors emporter vos levées à trèfle en toute sécurité. Cette
  tactique est dite *élimination de l'atout.*

- Dans cette mise, vous emportez la première levée avec votre as
  de carreau et, immédiatement, vous enlevez quelques-unes de
  vos levées à cœur. Vous avez neuf cœurs, alors que vos adversaires n'en possèdent que quatre (13 - 9 = 4). Jouez à cœur
  jusqu'à ce que leurs quatre atouts apparaissent. Cela peut
  survenir après deux levées si chacun de vos adversaires possède
  deux atouts au début; ou après trois ou quatre plis si l'un des
  adversaires a débuté avec trois ou quatre atouts. Après avoir
  éliminé les atouts, vous pouvez emporter vos levées sûres en
  toute quiétude et réaliser votre contrat.

L'élimination de l'atout

Dans un contrat à la couleur, décider s'il faut éliminer ou non les
atouts des adversaires est une initiative importante à prendre. Autant
que possible, éliminez les atouts de la ligne opposée; cela vous permet
de réaliser chacune de vos levées gagnantes. Par ailleurs, conservez
assez d'atout dans vos mains combinées pour pouvoir couper vos
perdantes et empêcher vos adversaires d'emporter des levées dans les
autres couleurs.

Analysons un autre exemple. Vous ouvrez les enchères de un pique.
Votre partenaire vous soutient à deux piques et trois passes s'ensui-
vent. Votre adversaire de flanc gauche entame de son roi de carreau
et votre partenaire, le mort, étale son jeu sur la table.

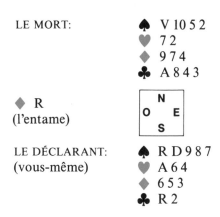

LE MORT:
- ♠ V 10 5 2
- ♥ 7 2
- ♦ 9 7 4
- ♣ A 8 4 3

♦ R
(l'entame)

LE DÉCLARANT:
(vous-même)
- ♠ R D 9 8 7
- ♥ A 6 4
- ♦ 6 5 3
- ♣ R 2

Première question: COMBIEN DE LEVÉES DOIS-JE GAGNER?

- Un contrat à deux piques exige 6 + 2 = 8 levées.

Deuxième question: COMBIEN AI-JE DE LEVÉES SÛRES?

- Pique: 0 (Vos adversaires ont l'as.)
- Cœur: 1 (l'as)
- Carreau: 0 (Vos adversaires ont toutes les cartes hautes.)
- Trèfle: 2 (l'as et le roi)
- **Total:** 3

Troisième question: COMMENT PUIS-JE TRANSFORMER
                       LES LEVÉES PROBABLES?

- Pique: Lorsque vous jetez votre roi de pique pour faire sortir l'as de vos adversaires, vous promouvez vos autres piques en cartes gagnantes. Vous transformez ainsi quatre levées en votre faveur.

- Cœur: Puisque le mort n'a que deux cœurs, vous enlevez un pli avec l'as, en concédez un à vos adversaires et pouvez couper la perdante du mort. Cette manœuvre vous procure une levée sûre supplémentaire.

- Carreau: Il est impossible de transformer des levées probables dans cette couleur.

- Trèfle: Même constatation que ci-dessus.

Quatrième question: COMMENT PUIS-JE ALLIER
                    LES RENSEIGNEMENTS OBTENUS?

- Pour réaliser votre contrat, il vous faut huit levées et vous n'en avez que trois qui soient sûres. Rude labeur en perspective! Si vous vous fiez à la troisième question, vous savez que vous pouvez transformer des levées probables: ici quatre à pique et une en coupant une perdante à cœur. Pour honorer votre contrat, vous devez accomplir les deux manœuvres.

- Vos adversaires ont gagné les trois premières levées à carreau. Supposons qu'ils attaquent d'un cœur et que vous enleviez ce pli avec votre as. Jouez alors un pique pour faire sortir leur as de pique et promouvoir ainsi vos autres cartes dans cette couleur. Lorsque vous reprenez la maîtrise de la main, essayez d'emporter les autres levées d'atout. Utilisez cette manœuvre avant de tenter d'emporter les levées avec vos trèfles; vous éliminerez ainsi la possibilité qu'un de vos opposants ne coupe avec une petite carte d'atout une de vos levées à trèfle.

- Vous devrez sans doute affranchir un de vos cœurs à l'aide d'un pique du mort. Veillez cependant à ne jouer que le nombre nécessaire de piques pour faire tomber les atouts de vos adversaires. Vous avez neuf piques et eux, quatre (13 - 9 = 4). Si chacun en a deux, il vous suffit de jouer deux fois à la couleur. Si l'un des adversaires en a trois et son comparse, un seul, jouez trois fois à la couleur pour faire tomber l'atout.

- Que faire si l'un des adversaires a les quatre cartes d'atout? Méfiez-vous! Si vous jouez quatre fois à pique pour faire tomber toutes les cartes d'atout des adversaires, vous n'aurez plus l'atout requis (pique) dans la main du mort pour affranchir votre cœur. Vous reste-t-il une autre ressource? Oui. Couper le cœur du mort **avant** d'éliminer les atouts. Vous saurez que l'un de vos adversaires a quatre couleurs d'atout si son comparse n'en a plus quand vous faites tomber leur as. À ce moment, arrêtez l'élimination des atouts et entreprenez l'affranchissement des cartes à cœur du mort. Vous avez à sacrifier un pli à cœur en faveur de vos adversaires, ce qui procure une chicane au mort. Après l'affranchissement des cartes à cœur du mort, retournez à pique et continuez à éliminer l'atout de vos opposants.

Ce dernier exemple illustre toute l'importance d'un plan de jeu, l'un des aspects les plus fascinants du bridge. Les directives suivantes vous aideront à planifier un contrat à la couleur:

POUR BIEN JOUER UN CONTRAT À LA COULEUR

- Vérifiez si vous devez couper une perdante du mort avant d'éliminer les atouts.
- Éliminez tous les atouts du camp adverse.
- Transformez les levées probables exigées par votre contrat *avant* d'emporter vos levées sûres.
- Ne faites aucun effort particulier pour couper des levées de votre main.

Résumé

Lorsque vous jouez un contrat, posez-vous les questions suivantes:

Première question: COMBIEN DE LEVÉES DOIS-JE GAGNER?

- Ajoutez six levées au niveau de votre contrat.

Deuxième question: COMBIEN AI-JE DE LEVÉES SÛRES?

- Additionnez le nombre de levées sûres des deux mains dans chaque couleur.

Troisième question: COMMENT PUIS-JE TRANSFORMER LES LEVÉES PROBABLES?

au moyen de:
- la promotion de cartes
- l'affranchissement de cartes de couleurs longues
- la finesse
- la coupe de perdantes (s'il s'agit d'un contrat à la couleur)

Quatrième question: COMMENT PUIS-JE ALLIER LES RENSEIGNEMENTS OBTENUS?

- Parmi les options possibles, choisissez les plus aptes à transformer, avec le plus de sécurité, les levées probables exigées pour la réalisation du contrat.

Les consignes suivantes vous guideront dans la planification de votre jeu:

POUR BIEN JOUER UN CONTRAT À SA

- Emportez vos levées dès que vous en avez assez pour réaliser votre contrat.
- Transformez les levées probables exigées par votre contrat avant d'emporter vos levées sûres.
- Cherchez la plus longue couleur combinée et jouez-la en premier lieu.
- Surveillez vos entrées de façon à vous assurer de pouvoir reprendre la main qui doit servir à attaquer le pli suivant.

POUR BIEN JOUER UN CONTRAT À LA COULEUR

- Vérifiez si vous devez couper une perdante du mort avant d'éliminer les atouts.
- Éliminez tous les atouts du camp adverse.
- Transformez les levées probables exigées par votre contrat *avant* d'emporter vos levées sûres.
- Ne faites aucun effort particulier pour couper des levées de votre main.

Exercices

1. Combien de levées exigent les contrats ci-dessous?

a) un SA	b) deux SA	c) trois SA
d) six SA	e) deux trèfles	f) quatre piques
g) six cœurs	h) sept piques	

2. Votre contrat est à un SA. Servez-vous du questionnaire du déclarant pour jouer la main suivante:

LE MORT:
- ♠ 6 5 2
- ♥ A 3 2
- ♦ 9 7 4
- ♣ R 6 4 3

♠ 7
(l'entame)

```
    N
 O     E
    S
```

LE DÉCLARANT:
(vous-même)
- ♠ A R 4
- ♥ 8 6 4
- ♦ A D 3
- ♣ A 8 5 2

3. Votre contrat est à trois SA. Servez-vous du questionnaire du déclarant pour jouer la main suivante:

LE MORT:
- ♠ 6 5 2
- ♥ A 3 2
- ♦ R 4
- ♣ D V 10 7 3

♥ D
(l'entame)

```
    N
 O     E
    S
```

LE DÉCLARANT:
(vous-même)
- ♠ A 9 7 4
- ♥ R 6 4
- ♦ A D 7 3
- ♣ R 8

4. Votre contrat est à deux cœurs. Servez-vous du questionnaire du déclarant pour jouer la main suivante.

LE MORT:
- ♠ 6 5 2
- ♥ R 9 3 2
- ♦ 9 7
- ♣ R 6 4 3

♠ R
(l'entame)

```
    N
 O     E
    S
```

LE DÉCLARANT:
(vous-même)
- ♠ A 7 4
- ♥ D V 10 7 6
- ♦ A R 3
- ♣ 5 2

5. Votre contrat est à quatre piques. Servez-vous du questionnaire du déclarant pour jouer la main suivante.

LE MORT:
- ♠ 7 6 5 2
- ♥ R D
- ♦ 8 7 6 2
- ♣ A R 3

♦ R
(l'entame)

```
   N
O     E
   S
```

LE DÉCLARANT:
(vous-même)
- ♠ D V 10 8 4 3
- ♥ A 7 6
- ♦ A 9
- ♣ 7 2

XXVI

La défense

Le camp adverse gagne les enchères et conclut un contrat. Que se passe-t-il ensuite? La défense à gauche du déclarant entame, puis le mort étale sa main sur la table et le déclarant joue. Au cours de la partie, l'objectif du camp défensif consiste à essayer d'emporter suffisamment de plis pour faire chuter le contrat.

Théoriquement, chaque défenseur doit se poser une série de questions afin d'établir le meilleur plan de défense. Ce questionnaire est analogue à celui du déclarant:

- Combien de levées devons-nous gagner?
- Combien avons-nous de levées sûres?
- Comment pouvons-nous transformer les levées probables?
- Comment pouvons-nous allier les renseignements obtenus?

Les réponses sont plus complexes, car elles engagent deux personnes au lieu d'une seule. Le déclarant a l'avantage de pouvoir juger, dans chaque couleur, de la force et de la faiblesse des deux mains combinées. Si un as manque, il sait que l'un de ses adversaires l'a en main. Aucun des deux défenseurs n'occupe une position aussi avantageuse. Si l'un des défenseurs ne détient pas l'as dans une couleur et ne le voit pas chez le mort, il ne sait pas nécessairement qui l'a dans son jeu: son partenaire ou le déclarant. Lorsqu'il choisit l'entame, le défenseur n'a même pas le privilège de connaître la distribution de la main du mort.

Mais il jouit d'une certaine compensation: la défense choisit la couleur d'entame, peut-être pour enlever ou pour transformer suffisamment de levées afin de faire chuter le contrat avant que le déclarant ait même l'occasion de transformer ses propres levées. Certaines directives peuvent guider le défenseur lorsqu'il n'est pas certain de la stratégie à suivre. Examinons deux aspects du jeu défensif:

- l'entame;
- les directives générales.

L'entame

Pour fixer l'entame d'un contrat en défense, vous devez répondre à deux questions:

1. De quelle couleur doit-je entamer?
2. De quelle carte dois-je entamer?

Le choix de la couleur d'entame et celui de la carte d'entame dans cette couleur varient selon que vous défendez un contrat à SA ou un contrat à la couleur. Nous allons voir chacun de ces cas.

L'entame en défense d'un contrat à SA

Première question:

DE QUELLE COULEUR DOIS-JE ENTAMER?

En règle générale, c'est votre plus longue couleur **combinée** qui vous servira le plus à gagner des levées et à transformer la plupart de vos levées probables. Le contrat est à SA; si vous transformez vos levées dans la couleur longue, vous pouvez les emporter sans donner au déclarant la possibilité de bloquer vos levées sûres.

Quelle est votre couleur combinée la plus longue? Si votre partenaire ouvre les enchères d'une couleur ou fait une intervention dans cette couleur, vous la connaissez et, à moins que vous n'ayez manifestement une meilleure option, vous ouvrez de cette couleur. Si votre partenaire n'a pas annoncé, choisissez la couleur la plus longue de votre main en espérant qu'elle sera la plus longue de vos mains combinées.

Si vous devez choisir entre deux ou plusieurs couleurs de même longueur, alors rabattez-vous sur la plus forte, c'est-à-dire celle qui compte le plus de cartes hautes. Plus votre couleur est forte, moins vous devrez solliciter l'aide de votre partenaire pour transformer les levées probables dans cette couleur.

LE CHOIX DE LA COULEUR D'ENTAME EN DÉFENSE D'UN CONTRAT À SA

- Si votre partenaire a annoncé une couleur, entamez de cette couleur.
- Sinon, entamez de votre couleur la plus longue. Entre deux couleurs de même longueur, entamez de la plus forte.

Deuxième question:

DE QUELLE CARTE DOIS-JE ENTAMER?

Si vous entamez de la couleur de votre partenaire, ouvrez ainsi:

L'ENTAME DANS LA COULEUR DE VOTRE PARTENAIRE EN DÉFENSE D'UN CONTRAT À SA

- Entamez de la plus forte d'un doubleton (R 4, 7 3);
- Entamez de la plus haute de fortes cartes en séquence (R D 7, V 10 4);
- Entamez de la moins chère de trois cartes ou plus (R 7 3, D 9 5, 8 6 3, R 8 6 5).

Que faire si votre partenaire n'a pas annoncé de couleur et que vous deviez entamer de la vôtre? En règle générale:

L'OUVERTURE EN DÉFENSE DANS VOTRE COULEUR D'UN CONTRAT À SA

- Entamez de la plus haute d'une séquence de fortes cartes.
- Sinon, entamez de la moins chère.

Voici un exemple d'entame de la plus haute d'une séquence de fortes cartes:

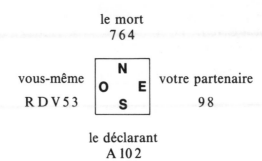

le mort
764

vous-même   votre partenaire
RDV53   98

le déclarant
A102

Si vous entamez d'une carte faible, le déclarant pourra gagner le pli avec son dix et son as emportera ensuite une autre levée. Si, par contre, vous entamez d'une de vos fortes cartes, vous ferez sortir l'as. Quand vous reprendrez la maîtrise, vous serez à même d'enlever deux plis avec vos cartes hautes promues et, comme le déclarant aura épuisé sa couleur, vous enlèverez deux autres plis avec vos cartes faibles restantes. Si vous entamez d'une de vos cartes hautes, vous limitez le déclarant à un seul pli dans la couleur.

Voyons quelques exemples. Vous êtes défenseur en contre-attaque dans un contrat à SA; quelle carte d'entame choisirez-vous dans chacune de ces couleurs:

1. AD72   2. RV643   3. V87653   4. DV107
5. RV1064   6. ARD43   7. A6   8. V73

1. Comme vos cartes hautes ne sont pas en séquence, choisissez la moins chère: le deux.

2. Attaquez aussi de la moins chère: le trois. Certains joueurs préfèrent entamer «de la quatrième meilleure» et choisissent le quatre. Ce point sera analysé dans la section Pour les «fureteurs».

3. Avec une couleur sixième, choisissez la moins chère, le deux, ou la meilleure quatrième, le six.

4. Les cartes hautes sont en séquence; choisissez la plus forte: la dame.

5. Entamez de la plus haute de vos fortes cartes en **séquence**: le valet.

6. Avec trois cartes hautes en séquence, entamez de la plus forte: l'as. Si la chance vous favorise, lorsque vous aurez emporté les levées avec l'as, le roi et la dame, vos adversaires auront épuisé leur couleur et vous pourrez enlever deux autres plis.

7. Si vous avez l'intention d'entamer de cette couleur, faites-le avec l'as, la plus forte du doubleton. Vous jouerez de cette façon uniquement si votre partenaire a annoncé cette couleur.

8. Si vous entamez d'une couleur troisième non en séquence, servez-vous d'une carte faible: le trois. Ici encore, ce sera probablement une attaque dans la couleur que votre partenaire a déjà annoncée.

Les retours après la première levée

Supposons que votre partenaire entame du pique en défense d'un contrat à SA. Le déclarant gagne le pli et joue un carreau. Vous enlevez le pli. Dans quelle couleur devez-vous revenir? Vous devrez **revenir dans la couleur de votre partenaire**, en espérant gagner ou transformer une ou plusieurs levées dans cette couleur. Si votre partenaire et vous tentez de transformer des levées probables dans diverses couleurs, c'est la preuve manifeste que vous ne vous êtes pas compris. Si vous avez l'intention de faire chuter le contrat de vos adversaires, vous devez tentez de vous concerter.

REVENEZ DANS LA COULEUR ENTAMÉE PAR
VOTRE PARTENAIRE À MOINS D'AVOIR
UNE OPTION MEILLEURE ET PLUS CLAIRE.

L'entame en défense d'un contrat à la couleur

Pour savoir quelle carte d'entame vous devez jouer en défense d'un contrat à la couleur, posez-vous les deux mêmes questions que lors d'un contrat à SA.

Première question:

DE QUELLE COULEUR DOIS-JE ENTAMER?

Si votre partenaire a annoncé une couleur, entamez de cette même couleur, à moins d'avoir une option meilleure et plus claire. Votre partenaire doit détenir une certaine force et, avec de la chance, une force dans la couleur qu'il annonce.

Si, par contre, votre partenaire n'a pas annoncé de couleur, votre choix d'une couleur est plus épineux. Contrairement à la défense d'un contrat à SA, il se peut que la transformation en levées sûres de cartes faibles de votre couleur de maîtrise la plus longue ne soit pas opportune. Lorsque vous tentez d'emporter vos levées sûres, le déclarant risque de les couper avec ses propres cartes d'atout. À cette tactique, préférez celle de transformer des levées probables en affranchissant des cartes hautes. Par exemple, si vous détenez le roi et la dame dans une couleur, vous entamez du roi pour faire sortir l'as et affranchir ainsi votre dame pour une levée sûre.

De quelle couleur devez-vous entamer si vous n'avez pas de couleurs contenant de fortes cartes en séquence? Essayez d'entamer d'une couleur autre que celle d'atout, dans laquelle vous n'avez qu'une ou deux cartes faibles. Si vous réussissez à obtenir une chicane dans une couleur, il vous sera peut-être loisible, plus tard, de couper. Il se peut que votre partenaire puisse gagner une levée et reprenne la maîtrise de la couleur. Vous serez alors en mesure de jouer l'atout, couvrant ainsi une des levées sûres du déclarant et l'enlevant à votre profit.

Si votre partenaire n'a pas annoncé et que vous n'avez pas de fortes cartes en séquence ou une couleur courte (autre que celle d'atout), entamez d'*une couleur non déclarée*. Une couleur non déclarée est une couleur que vos adversaires n'ont pas annoncée. Si vos adversaires ont signalé une couleur, il est vraisemblable qu'ils possèdent, contrairement à votre partenaire, la plupart sinon toutes les fortes cartes restantes dans la couleur.

LE CHOIX DE LA COULEUR D'ENTAME
EN DÉFENSE D'UN CONTRAT À LA COULEUR

- Si votre partenaire a annoncé une couleur, entamez de cette couleur.
- Sinon:
  — entamez d'une couleur dans laquelle vous avez de fortes cartes en séquence;
  — entamez d'une couleur courte (autre que celle d'atout);
  — entamez d'une couleur non déclarée.

Deuxième question:

DE QUELLE CARTE DOIS-JE ENTAMER?

Si vous entamez de la couleur de votre partenaire, vous pouvez choisir la même carte que vous auriez prise en défense d'un contrat à SA.

L'ENTAME DANS LA COULEUR DE VOTRE PARTENAIRE EN DÉFENSE D'UN CONTRAT À LA COULEUR

- La plus forte carte d'un doubleton (R4, 73);
- La plus haute de fortes cartes en séquence (RD7, V104);
- La moins chère de trois cartes ou plus (R73, D95, 863, R865).

Si vous entamez de votre propre couleur, vous choisissez aussi la même carte que celle avec laquelle vous auriez ouvert en défense d'un contrat à SA.

L'ENTAME DANS VOTRE COULEUR EN DÉFENSE D'UN CONTRAT À LA COULEUR

- Entamez de la plus haute d'une séquence de fortes cartes (RDV3, AR7542)
- Sinon, entamez de la moins chère (R8543, D972)

Les exemples suivants démontrent comment choisir judicieusement une carte d'entame. Si vous êtes défenseur d'un contrat à la couleur, quelle carte choisirez-vous pour attaquer de chacune de ces couleurs?

1. AR72   2. RD63   3. R7532   4. D97
5. RV1064   6. 653   7. R6

1. Entamez de la plus haute d'une séquence de fortes cartes: l'as.
2. Avec une séquence, entamez de la plus haute: le roi. Si le camp adverse détient l'as, faites-le tomber et transformez votre dame en une levée sûre. Si, par contre, votre partenaire détient l'as, il vous laissera enlever le pli avec votre roi. Vous pouvez alors continuer à remporter d'autres levées dans la couleur.
3. Puisque vous n'avez pas de séquence de cartes hautes, entamez d'une carte moins chère: le deux; ou le trois si vous préférez attaquer de la quatrième meilleure.

4. Avec trois cartes dépourvues d'une séquence de cartes hautes, entamez d'une carte moins chère: le sept.

5. Ici, vous avez une séquence de cartes hautes. Entamez du valet.

6. Avec trois cartes, entamez de la moins chère: le trois.

7. Entamez du roi, la plus forte du doubleton. Si votre partenaire détient l'as ou la dame, jouez d'abord les fortes cartes dans votre couleur courte.

Directives générales

Ces directives sont souvent mentionnées lorsqu'il s'agit d'aider une main défensive:

Au cours d'une levée:
* Le deuxième joueur laisse tomber une faible.
* Le troisième joueur laisse tomber une forte.
* Couvrir un honneur sur un honneur.

Ces directives sont utiles sans toutefois être une règle absolue. D'où vient que l'on s'en sert?

Le deuxième joueur laisse tomber une faible

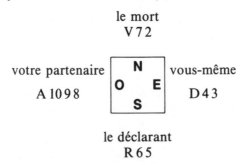

le mort
V 7 2

votre partenaire   vous-même
A 10 9 8   D 4 3

le déclarant
R 6 5

Supposons que le déclarant attaque du deux du mort. Vous êtes le deuxième joueur de la levée. Vous n'êtes pas obligé de lâcher votre dame pour faire sortir le roi. Il est peu probable, de toute manière, que le déclarant joue une carte faible. S'il le fait, le dernier joueur, votre partenaire, sera en position d'enlever le pli. Jouez «la deuxième main laisse tomber une faible» et laissez tomber votre trois sur la levée. Si le déclarant joue son roi, votre partenaire pourra remporter la levée avec son as. Vous aurez encore votre dame pour vous permettre de gagner un deuxième pli dans la couleur. Si vous laissez tomber votre dame, le déclarant jouera son roi pour faire sortir l'as de votre partenaire. Par conséquent, il aura transformé le valet du mort en une levée sûre.

Le troisième joueur laisse tomber une forte

le mort
742

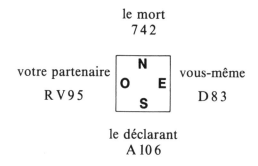

votre partenaire
RV95

vous-même
D83

le déclarant
A106

Supposons que votre partenaire entame du cinq et que le déclarant joue le deux du mort. Vous êtes le troisième joueur de la levée. Pour votre camp, c'est la chance ultime de jouer cette levée. Dans ce cas, jouez «la troisième main laisse tomber une forte» et jetez votre dame dans la mêlée. Vous tentez de gagner le pli pour votre camp.

Si vous ne pouvez enlever le pli, comme dans l'exemple en question, faites sortir une carte forte du déclarant: l'as. Cette manœuvre a pour effet de transformer le roi et le valet de votre partenaire en levées sûres que votre camp pourra emporter plus tard. Si vous avez joué le trois ou le huit, le déclarant gagnera le dix et conservera ainsi son as avec lequel il emportera une seconde levée. N'allez pas trop vite! Ne jouez une carte forte que si elle est nécessaire pour gagner un pli.

le mort
D72

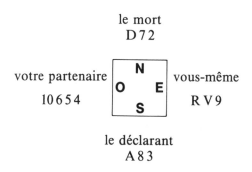

votre partenaire
10654

vous-même
RV9

le déclarant
A83

Si votre partenaire entame du quatre et que le mort joue le deux (il est fréquent que le déclarant se serve aussi de la directive «la deuxième main laisse tomber une faible»), vous n'avez pas à jouer votre plus forte carte, le roi. Comme vous voyez la dame dans la main du mort, laissez tomber votre valet. Cette tactique vous fera gagner la levée si votre partenaire détient l'as. Par contre, si le déclarant l'a, il gagnera le pli, mais vous aurez encore votre roi au cas où le déclarant tenterait d'emporter la levée en jouant vers la dame du mort. Si, par contre, vous lâchez le roi, le déclarant emportera le pli avec son as et la dame gagnera une deuxième levée.

Couvrir un honneur sur un honneur

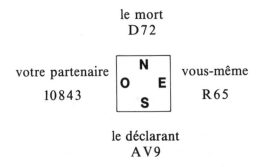

le mort
D72

votre partenaire   vous-même

10843   R65

le déclarant
AV9

Supposons que le déclarant essaie de faire une impasse en jouant de la dame du mort. Si vous vous abstenez de lâcher votre roi sur cette levée, le déclarant sera en mesure de laisser tomber une faible carte et il emportera le pli puisque votre partenaire n'a pas de meilleures cartes fortes. Puis le déclarant attaquera de nouveau dans la couleur et prendra en impasse votre roi, enlevant ainsi les trois levées dans cette couleur. Au lieu d'adopter cette manœuvre, vous devriez «couvrir un honneur sur un honneur» et jouer votre roi. (Un *honneur* est l'une des cinq cartes les plus fortes dans une couleur: as, roi, dame, valet et dix.) S'il veut gagner la levée, le déclarant joue l'as; il a ainsi affranchi son valet en vue d'une levée sûre, mais cette tactique ne lui rapporte que deux plis. Votre partenaire enlève le troisième pli avec son dix qui était devenu la plus forte carte restante dans la couleur.

Ne couvrez que si vous pressentez la possibilité de promouvoir (transformer) une levée probable en votre faveur. Si, dans l'exemple ci-dessus, le mort détenait le valet et le dix, il n'y aurait eu aucun avantage à couvrir, car, ce faisant, vous ne promouviez que les cartes du camp adverse.

Ces directives vous aideront en de nombreuses circonstances, mais appliquez-les avec prudence.

Résumé

Pour fixer l'entame d'un contrat en défense, répondez à ces deux questions:

Première question: DE QUELLE COULEUR DOIS-JE ENTAMER?

LE CHOIX DE LA COULEUR D'ENTAME EN DÉFENSE D'UN CONTRAT À SA

- Si votre partenaire a annoncé une couleur, entamez de cette couleur.
- Sinon, entamez de votre couleur la plus longue. Entre deux couleurs de même longueur, entamez de la plus forte.

LE CHOIX DE LA COULEUR D'ENTAME EN DÉFENSE D'UN CONTRAT À LA COULEUR

- Si votre partenaire a annoncé une couleur, entamez de cette couleur.
- Sinon:
  - entamez d'une couleur dans laquelle vous avez de fortes cartes en séquence;
  - entamez d'une couleur courte (autre que celle d'atout);
  - entamez d'une couleur non déclarée.

Deuxième question: DE QUELLE CARTE DOIS-JE ENTAMER?

L'ENTAME DANS LA COULEUR DE VOTRE PARTENAIRE

- La plus haute carte d'un doubleton (A 4, R 3);
- La plus haute de fortes cartes en séquence (D V 7, R V 10);
- La moins chère de trois cartes ou plus quand les cartes hautes ne sont pas en séquence (D 9 3, R V 5, D 7 6 4, 7 6 3).

L'ENTAME DANS VOTRE COULEUR

- Entamez de la plus haute d'une séquence de fortes cartes (R D V 3, A R 7 5 4 2);
- Sinon, entamez de la moins chère (R V 8 4 3, D 9 7 2);

En défense, si vous n'êtes pas certain du choix de la carte à jouer, inspirez-vous des directives suivantes:

LES DIRECTIVES CONCERNANT LA DÉFENSE

Au cours d'une levée:
- Le deuxième joueur laisse tomber une faible.
- Le troisième joueur laisse tomber une forte.
- Couvrir un honneur sur un honneur.

Exercices

1. De quelle carte devez-vous entamer avec chacune de ces mises?

a) A 8 6 4 3   b) R D V 4 3   c) D V 9 3   d) 9 7 5 4 2

e) R 4 3   f) V 3   g) A R D 3   h) A D V 7 4

2. De quelle carte devez-vous attaquer avec chacune de ces mises?

a) A R 6   b) D 7 6 4 3   c) 7 3   d) R V 7 2

e) D 6 5 3   f) R D V 8   g) 8 5 3   h) V 8 2

3. Avec chacune des ces mains, de quelle couleur entamez-vous en défense d'un contrat à SA? En défense d'un contrat à la couleur?

a) ♠ 6 3
    ♥ D 8 6 5 3
    ♦ R D V
    ♣ A 8 4

b) ♠ 7 5
    ♥ A R 4
    ♦ V 6 4 3
    ♣ D 10 7 3

4. Vous êtes l'Est. Quelle carte devez-vous jouer si le déclarant entame de la carte indiquée chez le mort?

a) le mort
   8 7 3
   ☐ vous-même
     R 9 5 2

b) le mort
   D 7 3
   ☐ vous-même
     R 9 5 2

c) le mort
   D V 10
   ☐ vous-même
     R 9 5 2

Pour les «fureteurs»

L'entame en défense d'un contrat à la couleur quand vous détenez l'as

Supposons que vous décidiez d'entamer d'un pique lorsque vous avez A D 4 3 2 dans une couleur. S'il s'agit d'un contrat à SA, entamez d'une carte faible. Ne vous étonnez pas de perdre une ou même deux levées avant que votre couleur soit transformée. Vous n'avez pas à vous inquiéter si vous n'avez pas enlevé de pli avec votre as, parce que le contrat est à SA. Il est fort possible que vous fassiez appel à votre as plus tard lorsque vous essayerez de jouer votre couleur à pique.

La conjoncture est tout autre si vos adversaires jouent un contrat à la couleur. L'inquiétude n'est pas due au fait de ne pouvoir transformer des levées au moyen de cartes faibles, mais plutôt à celui d'emporter vos levées dans une couleur avant que vos adversaires réussissent à les couper. C'est la raison pour laquelle vous devriez **entamer de votre as**.

SI VOUS ENTAMEZ D'UNE COULEUR EN DÉFENSE
D'UN CONTRAT À LA COULEUR ALORS QUE VOUS
DÉTENEZ L'AS, ENTAMEZ DE CET AS ET NON D'UNE
CARTE FAIBLE

Souvenez-vous qu'une bonne part de l'art du bridge consiste à **transformer des levées probables** en levées sûres. L'une des façons de mettre cela en pratique est de prendre en impasse les fortes cartes de vos adversaires en les faisant tomber avant vous. Si votre opposant de flanc droit a le roi et que vous jouez votre as, vous transformerez la levée en faveur de son roi. Vous n'aurez sans doute pas l'occasion d'enlever de pli avec votre dame parce qu'ils pourront probablement couper d'un atout la troisième ouverture à pique. Si, par contre, vous attendez que votre partenaire, ou un adversaire, joue pique, vous serez alors en bonne voie de prendre en impasse le roi du déclarant. Par conséquent: **évitez d'entamer d'un as «découvert» du roi en défense d'un contrat à la couleur.**

Les signaux usuels de la défense

Nous avons vu l'importance, pour les partenaires, de pouvoir communiquer lors des enchères en vue de décider du meilleur contrat. Les défenseurs doivent également pouvoir se concerter dans le but de faire chuter le contrat du déclarant. Certaines de ces manœuvres consistent à entamer de la couleur du partenaire, à entrer dans la couleur du partenaire, et à ne pas jouer un as sur le roi du partenaire.

Les défenseurs peuvent aussi utiliser les signaux de la défense. Vous avez déjà vu plusieurs de ces signaux: entamer de la plus forte d'une séquence d'honneurs, entamer de la plus forte d'un doubleton, et entamer de la moins chère de trois cartes ou plus. Ces signaux permettent aux partenaires de travailler en équipe dans le but de gagner des levées transformées.

D'autres signaux courants de défense ne sont pas à conseiller aux débutants, car ils sont difficiles à utiliser. Toutefois, ne vous privez pas de les mettre en pratique lorsque vous aurez acquis une certaine expérience du jeu.

Le premier consiste à **entamer de la quatrième meilleure carte quand vous devez entamer d'une carte faible**. (Si vous n'avez que trois cartes, entamez de la plus faible... on parle ici de la quatrième meilleure!) Cette convention est dite **entame de la quatrième meilleure**. Rien ne vous empêche de jouer cette convention, mais elle n'aidera pas votre partenaire, à moins qu'il ne maîtrise une foule de concepts intermédiaires et avancés relatifs à la défense, incluant la «règle de onze» qui doit être appliquée lorsqu'il croit que vous entamez de la quatrième meilleure. La «règle de onze» dépasse le niveau du bridge élémentaire et ne sera pas traitée ici.

En outre, il existe une autre convention très utile: les *signaux d'attitude*. Si votre partenaire entame d'une couleur et que vous pouvez vous permettre de jouer une carte faible, signalez ainsi votre «attitude» concernant l'entame:

- Jouer **une faible carte, c'est désespérant**, signifie «s'il vous plaît, n'attaquez plus de cette couleur».
- Jouer **une forte carte c'est stimulant**, signifie «s'il vous plaît, continuez à attaquer de cette couleur».

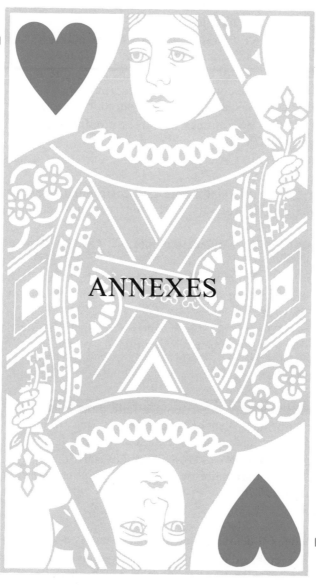

ANNEXES

Annexe 1 Glossaire

ADVERSAIRE (DE FLANC GAUCHE, DE FLANC DROIT) Adversaire (à la gauche, à la droite) d'un joueur. (page 3)

AFFRANCHISSEMENT — AFFRANCHIR Rendre maîtresse une ou plusieurs cartes qui, à l'origine, ne l'étaient pas. (page 299)

ANNONCE • Promesse de gagner au moins le nombre requis de levées dans une couleur déterminée. (page 8)

• Toute déclaration: contre, surcontre ou passe. (page 164)

ANNONCER Série d'annonces déclarées conduisant à conclure les enchères. (page 7)

ARRÊT (ENCHÈRES D') Annonce invitant le partenaire à passer. (page 56)

ARTIFICIELLE (ENCHÈRE) Enchère sans correspondance avec la valeur d'une main mais qui sert à découvrir certains éléments chez le partenaire. (page 239)

ATOUT (COULEUR D') Couleur nommée, s'il y a lieu, dans un contrat. (page 7)

AU-DESSOUS DE LA LIGNE Partie inférieure de la feuille de marque d'un robre au bridge où sont inscrits les points de contrats conclus et réalisés. (page 34)

AU-DESSUS DE LA LIGNE Partie supérieure de la feuille de marque d'un robre où l'on inscrit les points de prime et les points de pénalité. (page 34)

BARRAGE (OUVERTURE DE) Annonce faite dans le but de troubler la séquence normale d'enchères des adversaires. Elle est utilisée de préférence avec une couleur longue et une main faible. (page 277)

BLACKWOOD (LA CONVENTION) Enchère artificielle à quatre SA demandant au partenaire de signaler le nombre d'as contenu dans sa main. (page 276)

CAMP Les deux joueurs (partenaires) assis en vis-à-vis. (page 2)

CAPITAINE Membre d'un camp le mieux renseigné sur la composition des mains combinées et responsable de la conduite du camp jusqu'au contrat définitif. Le répondant est habituellement le capitaine. (page 38)

CARTE HAUTE (OU FORTE CARTE) L'une des quatre cartes les plus fortes d'une couleur: as, roi, dame ou valet. (page 16)

CHELEM Contrat requérant douze ou treize levées. (pages 31 et 265)

CHÈRE (COULEUR) Rang d'une couleur: rang supérieur (plus cher); rang inférieur (moins cher). (page 2)

CHICANE Dans une main, absence d'une couleur donnée. (page 18)

CHUTE Contrat avorté (page 11)

CHUTE Chacun des plis que le camp du déclarant ne peut enlever pour réaliser son contrat. (page 31)

CHUTER Empêcher le déclarant de réaliser le contrat. (page 11)

COMPÉTITIVES (ENCHÈRES) Enchères au cours desquelles les deux camps interviennent pour s'adjuger le contrat. (pages 168 et 220) *Voir* INTERVENTION

CONTRAT Promesse faite par le camp du déclarant de gagner au moins le nombre déterminé de levées dans la couleur spécifiée, tel que cela a été annoncé durant la dernière annonce des enchères. (page 9)

CONTRAT DE MANCHE Contrat dont la valeur des levées est de 100 points ou plus. (page 28)

CONTRE, CONTRER — CONTREUR Annonce qui augmente la prime lorsqu'un contrat est réalisé ou a été battu. — Celui qui contre. (page 164)

CONTRE D'APPEL Enchère conventionnelle qui demande au partenaire de nommer sa meilleure couleur. (page 196)

CONTRE DE PÉNALITÉ Contre dont l'objectif est d'obtenir des points de pénalité additionnels pour avoir fait chuter le contrat des opposants. (page 165)

CONVENTION Enchère artificielle transmettant un message dont la signification est différente de celle qu'on lui attribue normalement. (page 239)

CONVENTIONNELLE (ENCHÈRE) *Voir* ENCHÈRE ARTIFICIELLE.

COULEURS Les quatre groupes de cartes d'un jeu: pique, cœur, carreau et trèfle. (page 4)

COULEUR (À QUELLE COULEUR?) Dénomination dans laquelle un contrat doit être joué. (page 40)
Note: Pour simplifier la réponse à la question À QUELLE COULEUR?, on inclut le SA.

COULEUR DÉJÀ MENTIONNÉE Couleur annoncée lors d'une enchère précédente de l'ouvreur ou du répondant. (page 130)

COULEUR LONGUE Couleur contenant le plus grand nombre de cartes d'une main. (page 19)

COULEUR TROISIÈME, QUATRIÈME, *etc.* Couleur comptant trois, quatre cartes, etc., dans une main. (page 16)

COUPER Jouer un atout sur une levée quand on ne possède plus de cartes de la couleur jouée par l'attaquant. (page 7)

COUPER (LES CARTES) Tirer une carte au hasard d'un jeu étalé face contre table. Diviser un jeu en deux piles approximativement égales et placer la pile inférieure au-dessus de l'autre. (page 2)

COUVRIR (UN HONNEUR) Jouer une forte carte d'un rang supérieur à celle qui a été jouée auparavant sur une levée. (page 334)

CUE-BID Annonce déclarée dans la couleur des adversaires. C'est une enchère impérative pour la manche. (pages 217 et 283)

DÉCLARANT (LE) Joueur du camp gagnant le contrat qui, le premier, a annoncé la dénomination du contrat définitif. (page 11)

DÉDUCTION 5-4 (LA) Posséder une couleur cinquième ou plus et une couleur quatrième ou plus dans une autre couleur. (page 153)

DÉFAUSSE, DÉFAUSSER Fournir une carte qui n'est pas de la couleur attaquée et qui n'est pas un atout. (page 5)

DÉFENSE Camp qui n'a pas gagné le contrat définitif. (page 11)

DÉNOMINATION Couleur ou SA désigné dans l'annonce. (page 8)

DESCRIPTEUR Joueur qui ouvre les enchères. (page 39)

DEUX FORT Ouverture au niveau de deux à la couleur. (page 249)

DEUXIÈME ENCHÈRE DE L'OUVREUR Deuxième annonce de l'ouvreur. (page 88)

DISSUASION (ENCHÈRE DE) Enchère qui déconseille au partenaire de poursuivre les enchères. (page 5)

DISTRIBUTION Nombre de cartes de chaque couleur qu'un joueur a dans sa main; nombre de cartes d'une même couleur que les deux membres d'un camp détiennent. (page 19)

DISTRIBUTION (POINTS DE) Valeur des couleurs longues dans une main. Une couleur cinquième: 1 point; une couleur sixième: 2 points; une couleur septième: 3 points; une couleur huitième: 4 points. (pages 16 et 17)

DONNE (LA) Distribution des cartes aux quatre joueurs. Le donneur a le privilège d'ouvrir le premier les enchères. (page 4)

DOUBLETON N'avoir que deux cartes dans une couleur. (page 18)

ÉCHELLE DES ENCHÈRES Ordre que doivent suivre les enchères. (page 10)

ÉCROULE (LA MAIN S') Donne au cours de laquelle personne n'annonce. (page 37)

ÉLIMINATION D'ATOUT Jouer la couleur d'atout jusqu'à élimination de cette couleur chez les adversaires. (page 318)

ENCHÈRE Procédure suivie pour définir un contrat au cours d'une suite d'annonces. (page 7)

ENCHÈRE À SAUT Surenchère dans une nouvelle couleur à un niveau plus élevé que nécessaire. C'est une enchère impérative de manche. (page 92)

ENCHÈRE DE BARRAGE Annonce déclarée faite à un niveau supérieur à celui que justifie la main et qui a pour but de gêner l'adversaire. (page 278)

ENTAME, ENTAMER Première carte jouée au premier pli. Le joueur de flanc gauche du déclarant est celui qui joue le premier. (pages 5 et 11)

ENTRÉE Carte servant à enlever un pli dans une main particulière. (page 298)

ÉQUILIBRÉE *Voir* **MAIN ÉQUILIBRÉE.**

ÉQUIPES Les deux camps de partenaires au bridge. (page 2)

ÉVALUATION (D'UNE MAIN) Méthode par laquelle on fixe la valeur en points d'une main spécifique durant les enchères. Ordinairement, l'évaluation est une combinaison de la valeur des cartes hautes et de la longueur d'une couleur. (page 16)

FEUILLE DE MARQUE Feuille sur laquelle on inscrit les points. Les points gagnés ou perdus sont notés sur une feuille partagée en deux colonnes verticales respectivement intitulées *Nous* et *Eux*. (page 27)

FINESSE Méthode utilisée pour obtenir des levées sûres en prenant en impasse les fortes cartes des adversaires. (page 302)

FIT MAGIQUE Couleur dans laquelle les deux membres d'un camp détiennent huit cartes ou plus. (page 43)

FLANC DROIT, FLANC GAUCHE (ADVERSAIRE DE) Adversaire assis à la droite (ou à la gauche) d'un joueur. (page 169)

FORCE Valeur en points d'une main. (page 17)

GERBER (LA CONVENTION) Enchère artificielle à quatre trèfles demandant au partenaire de signaler le nombre d'as contenu dans sa main. (page 276)

GRAND CHELEM equérant treize levées. (page 31)

HAUTE VALEUR DES COULEURS Le rang plus élevé qu'occupe une couleur sur l'échelle des valeurs: les piques ont préséance sur les autres couleurs; les cœurs sont deuxièmes; les carreaux, troisièmes; et les trèfles occupent le dernier rang, le moins cher. (page 2)

HONNEUR (CARTES D') L'as, le roi, la dame, le valet et le dix. (page 334)

HONORER (UN CONTRAT) Réussir à faire suffisamment de plis pour réaliser un contrat. (page 9)

IMPASSE Manœuvre par laquelle on transforme des levées probables en obligeant l'adversaire à jouer une carte avant de choisir la sienne propre. (page 302)

IMPÉRATIVE (ENCHÈRE) Enchère qui oblige le partenaire à poursuivre les enchères (le partenaire ne peut passer). (page 65)

IMPÉRATIVE POUR LA MANCHE (ENCHÈRE) Enchère qui oblige à annoncer au moins jusqu'au niveau de la manche. Aucun des deux partenaires ne peut passer avant d'avoir atteint au moins ce niveau. (page 65)

INTERMÉDIAIRE (MAIN) Main comptant 17 ou 18 points. (page 89)

INTERVENTION Enchère faite dans la ligne opposée à celle de l'ouverture. (page 168)

INTERVENTION À SAUT Surenchère à un niveau plus élevé que nécessaire. C'est une enchère de barrage. (page 289)

INVITATIVE, ou D'INVITATION Annonce exhortant le partenaire à poursuivre les enchères. (page 58)

JEU DE LA CARTE (LE) Seconde phase d'une donne, celle qui suit les enchères et durant laquelle le déclarant tente de réaliser son contrat. (page 4 et 296)

LANGAGE DES ENCHÈRES (LE) Échange de renseignements entre partenaires par l'entremise d'enchères. (page 36)

LEVÉE (OU PLI) Unité de jeu formée de quatre cartes, une par joueur, lâchée dans le sens des aiguilles d'une montre, en commençant par l'attaquant. (page 4 et 5)

LEVÉE SUPPLÉMENTAIRE Levée gagnée en sus du nombre requis par un contrat. (page 30)

LEVÉE (POINTS DE) Points gagnés à la suite d'un contrat déclaré et réalisé. Les points de levées supplémentaires ne sont pas inclus. (page 28)

LEVÉE PROBABLE Levée qui peut être transformée en levée réelle à la suite de manœuvres au jeu de la carte. (page 296)

LIGNE Tracé horizontal sur la feuille de marque d'un robre au bridge, délimitant les points de prime des points de levées. (page 34)

LIGNE OPPOSÉE Le camp adverse. (page 192)

LIVRE Les six premières levées gagnées par le camp offensif. (page 8)

LONGUE *Voir* **COULEUR LONGUE** .

MAIN Cartes tenues par chacun des joueurs; une donne. (page 4)

MAIN ÉQUILIBRÉE Main ne détenant aucune chicane, aucun singleton et au plus un doubleton. (page 18)

MAINS COMBINÉES Cartes composant les deux mains d'un camp. (page 38)

MAJEURE (COULEUR) Piques et Cœurs. (pages 26 et 28)

MANCHE (LA) Valeur totale des levées: 100 points ou plus. (page 28)

MANCHE PARTIELLE Valeur totale des levées: inférieure à 100 points. (page 28)

MARQUE (LA), POINTS DE MARQUE Total des points gagnés par un camp. (page 27)

MARQUER UNE MANCHE Réaliser un contrat de manche. (page 28)

MAXIMALE (MAIN) Main comptant de 19 à 21 points. (page 89)

MÉDIANE (COULEUR) Couleur du milieu: entre la plus chère et la moins chère de trois couleurs. (page 22)

MESSAGES DE L'ENCHÈRE (LES) L'enchère peut être impérative pour la manche, impérative, invitative ou d'arrêt. (page 63)

MINEURE (COULEUR) Carreaux et Trèfles. (pages 26 et 28)

MINIMALE (MAIN) Main comptant de 13 à 16 points. (page 89)

MORT (LE) Partenaire du déclarant; mise étalée face apparente après l'entame. (page 11)

NIVEAU (OU PALIER) Nombre de levées qu'un camp promet d'enlever quand une annonce est faite. Ce nombre inclut les six levées du livre. (page 8)

NIVEAU (À QUEL NIVEAU?) Palier où le contrat définitif doit être joué. (page 40)

NON DÉCLARÉE (COULEUR) Couleur qui n'a été annoncée par aucun camp au cours des enchères. (page 330)

NOUVELLE COULEUR Couleur qui, au cours des enchères, n'a pas été annoncée. (page 135)

OFFENSIF Camp gagnant le contrat définitif. (page 9)

ORDRE DES CARTES Durant le jeu, les cartes sont placées dans chaque couleur selon leur rang: l'as est le plus haut, suivi du roi, de la dame, du valet, du dix ... jusqu'au deux. (page 2)

ORDRE DES COULEURS Durant les enchères, les couleurs sont classées selon leur rang: les piques sont les plus hauts, suivis des cœurs, des carreaux et des trèfles. Le SA est supérieur aux piques dans l'ordre des valeurs. (page 2)

OUVERTURE Joueur qui fait la première annonce lors des enchères. (page 7)

OUVERTURE DE BARRAGE Annonce faite à un niveau supérieur à celui que justifie la main et qui a pour but de gêner l'adversaire. (page 278)

OUVREUR (L') Joueur qui annonce le premier au cours des enchères. (page 7)

OUVRIR LES ENCHÈRES Déclarer la première annonce d'une enchère. (page 7)

PAIRE (DE JOUEURS) *Voir* CAMP.

PALIER *Voir* NIVEAU.

PARTIE LIBRE (EN) Partie dans laquelle chaque camp, au moyen d'enchères, tente de trouver un contrat définitif. (page 168)

PARTIELLE (MANCHE) *Voir* MANCHE PARTIELLE.

PARTIELLE (MARQUE) *Voir* MANCHE PARTIELLE.

PASSE, PASSER Déclaration signifiant qu'un joueur, arrivé à son tour, refuse d'annoncer une enchère. (page 7)

PD Points de distribution. (page 17)

PÉNALITÉ (POINTS DE) Prime accordée au camp défensif pour avoir fait chuter le contrat du camp adverse. (page 28)

PERDANTE Levée susceptible d'être perdue au profit des adversaires. (page 306)

PETIT CHELEM Contrat requérant douze levées. (page 31)

PH Points d'honneur; valeur des fortes cartes d'une main. (page 17)

PLI *Voir* LEVÉE.

POINTS Les points notés sur la feuille de marque sont accordés au camp qui a déclaré et réalisé son contrat ou qui a fait chuter celui des adversaires. (page 27)

POINTS DE DISTRIBUTION *Voir* DISTRIBUTION.

POINTS DE LEVÉES Valeur en points de chaque levée gagnée. Le nombre de points par levée varie selon le type de contrat. (page 28)

POINTS DES CARTES HAUTES (POINTS D'HONNEUR) Valeur en points des cartes hautes (fortes) d'une main: l'as: 4; le roi: 3; la dame: 2; le valet: 1. (page 17)

POINTS DU MORT Système d'évaluation utilisé lorsqu'on planifie le soutien de la majeure du partenaire. (page 71)

PRÉFÉRENCE (DONNER LA) Choisir l'une des couleurs du partenaire. (page 144)

PRIME Points marqués pour avoir réalisé une manche partielle, une manche, un chelem, ou pour avoir fait chuter le contrat du camp adverse. (page 28)

PROMOTION (CARTE DE) Augmenter le pouvoir de levée d'une carte dans une couleur en faisant jouer d'abord les cartes hautes de cette couleur. (page 298)

QUATRE QUESTIONS (LES) Au cours de situations analogues, un joueur se pose, dans l'ordre, quatre questions qui lui indiquent le type d'action à réaliser. (page 70)

QUATRIÈME MEILLEURE (LA) Un joueur, privé d'honneurs en séquence, ouvre de la quatrième plus haute carte. (page 338)

REDEMANDE (LA) Deuxième annonce du répondant. (page 88)

RÉPARTITION DE LA MAIN *Voir* **DISTRIBUTION**.

RÉPONDANT (LE) Partenaire de l'ouvreur; partenaire du surenchérisseur ou du contreur d'appel. (page 38)

RÉPONSE (LA) Annonce, autre que «passe», faite quand le partenaire a déjà fait la sienne. (page 38)

RÉPONSE À SAUT Réponse à un niveau plus haut que nécessaire pour indiquer une main forte. (page 86)

ROBRE Partie de bridge; unité servant de marque de pointage quand un camp a remporté deux manches. (page 34)

SANS ATOUT (SA) Contrat sans couleur d'atout. La plus forte carte jouée dans la couleur attaquée emporte toujours le pli. (page 7)

SIMPLE SOUTIEN *Voir* **SOUTIEN SIMPLE**.

SINGLETON N'avoir qu'une carte dans une couleur. (page 18)

SOUTENIR Annoncer la couleur du partenaire à un niveau supérieur. (page 70)

SOUTIEN Nombre de cartes détenues dans une couleur quand le partenaire annonce cette couleur. (page 70)

SOUTIEN À LA MANCHE (SOUTENIR) Hausser la couleur du partenaire jusqu'au niveau de la manche. Ce niveau est atteint quand une mineure est relancée à trois SA. (page 119)

SOUTIEN À SAUT Hausser la couleur du partenaire au niveau supérieur (en sautant un palier), soit au niveau de trois. (page 119)

SOUTIEN SIMPLE Soutien au niveau de deux. (page 119)

STAYMAN (LA CONVENTION) Réponse artificielle de deux trèfles à une ouverture de un à la couleur, demandant à l'ouvreur de déclarer une quatrième majeure. (page 239)

SUIVRE DANS LA COULEUR Jouer une carte dans la couleur attaquée. (page 5)

SURCONTRE (LE) Annonce qui augmente la valeur en points des levées et des pénalités sur un contre des adversaires. Également utilisé comme enchère artificielle. (page 166)

SÛRES (LEVÉES) Levées qui peuvent être enlevées sans donner l'avantage aux opposants. (page 296)

TOUR ..... nains, une à chaque joueur. C'est l'unité de base utilisée dans cet ouvrage pour la marque. (page 27)

TRANSFORMER *Voir* **LEVÉES PROBABLES**.

UN À LA COULEUR Annonce d'ouverture au niveau de un. (page 19)

UN (AU NIVEAU DE) Niveau le plus bas (le plus économique) auquel une enchère peut s'ouvrir. Il oblige à gagner au moins sept levées. (page 7)

VALEUR TOTALE Procédé d'évaluation d'une main en fonction des points d'honneur (fortes cartes) et de ceux de distribution. (page 17)

VULNÉRABILITÉ Situation d'une main durant un tour de bridge qui influence les points de prime lorsqu'un contrat a été réalisé ou a chuté. Les primes et les pénalités sont plus fortes quand le déclarant est vulnérable. (page 29)

Annexe 2: Solutions des exercices

Chapitre premier

1. Les joueurs tirant LA DAME DE CŒUR ET LE DIX DE CŒUR forment une paire (camp). Les joueurs tirant LE DIX DE TRÈFLE ET LE QUATRE DE CARREAU forment l'autre paire (camp). Le joueur qui tire LA DAME DE CŒUR est le donneur.

2. L'AS DE PIQUE est la plus haute carte du jeu. Le DEUX DE TRÈFLE est la plus petite carte, la moins chère.

3. Le nombre maximum de levées que vous pouvez gagner avec votre partenaire est TREIZE.

4. EST enlève le pli en jouant le carreau le plus cher, l'as, et il attaque de la levée suivante.

5. SUD emporte la levée avec son valet de cœur et attaque de la levée suivante.

6. SUD encaisse le pli en jouant un atout supérieur à celui de Est.

7. Vous déclarez et tentez de réussir HUIT LEVÉES lorsque vous annoncez deux piques: six (le livre) plus deux. Pour que deux piques deviennent le contrat définitif, il faut que chacun des trois autres joueurs disent PASSE.

8. Vous devez enlever QUATRE PLIS pour faire chuter un contrat à quatre cœurs.

9. Vous devez annoncer QUATRE CŒURS pour que cœur devienne l'atout si l'annonce précédente est trois piques. (Les cœurs sont moins chers que les piques.)

10. Votre adversaire de FLANC GAUCHE entame. Votre PARTE-NAIRE devient le mort. Vous devez enlever NEUF LEVÉES (6 + 3) pour réaliser votre contrat.

Chapitre II

1. a) PASSEZ   Vous n'avez que 9 points; c'est insuffisant pour ouvrir les enchères.

   b) UN SA   Vous avez une main équilibrée comptant 16 points.

   c) UN PIQUE   Avec 15 points, ouvrez de votre couleur la plus longue.

   d) UN CŒUR   Avec 13 points et deux couleurs cinquièmes, ouvrez de la couleur la plus chère.

   e) UN TRÈFLE   Avec 14 points et deux couleurs quatrièmes, ouvrez de la couleur la moins chère.

f) UN CARREAU Avec une main non équilibrée de 16 points, ouvrez de la couleur quatrième de rang médian.

g) UN SA Vous avez 17 points et une main équilibrée.

h) UN CŒUR Avec 15 points, ouvrez de votre couleur sixième, la plus chère.

i) UN CŒUR Avec 19 points, ouvrez de votre couleur quatrième, la moins chère.

j) UN CARREAU Avec 13 points, ouvrez de votre couleur troisième de rang médian.

Chapitre III

1. Votre levée a une valeur de 120 points. Pour avoir honoré votre contrat, vous recevez une prime de 300 POINTS.

2. Puisque vos adversaires ouvrent, votre camp maîtrisera la deuxième main et VOUS SEREZ ainsi VULNÉRABLE. Vos opposants emportent une levée de 120 points pour avoir déclaré et réalisé leur contrat à quatre cœurs. Ils gagnent 300 points de prime parce qu'ils sont non vulnérables et ont honoré leur contrat de manche. Ils bénéficieront d'un total de 420 POINTS.

3. Puisque vous avez réalisé votre contrat à deux carreaux, vous emportez un pli de 40 POINTS. Votre prime est de 50 POINTS pour avoir complété la manche partielle.

4. C'est la quatrième main et les deux camps sont vulnérables. Votre prime est de 100 POINTS parce que vos adversaires ont subi une levée de chute.

5.

	NOUS	EUX	
Vos points de levées pour avoir réalisé quatre piques	120	120	Leurs points de levées pour avoir réalisé quatre cœurs
Votre prime de manche, n'étant pas vulnérables	300	300	Leur prime de manche, n'étant pas vulnérables
Vos points de levées pour avoir réalisé deux carreaux	40		
Votre prime de manche partielle	50		
Votre prime pour une levée de chute, étant vulnérables	100		
	610	420	

Vous gagnez la partie (tour) par 610 points contre 420.

JOKER

CONGRESS

CONGRESS

JOKER

6. Annoncez QUATRE PIQUES afin de pouvoir gagner suffisamment de points pour la manche (4 × 30 = 120). Vous avez peut-être l'intention d'annoncer plus haut et d'obtenir une prime si vous honorez votre CONTRAT DE CHELEM. Cependant vous courez le risque, en annonçant trop haut, de voir votre contrat CHUTER. En ce cas, vous ne gagneriez même pas les points de manche.

7. Il est préférable de jouer TROIS SA, car alors vous gagnerez 100 points, somme suffisante pour la manche. *Vous recevrez alors une prime de manche.* Si vous réalisez un contrat à trois trèfles, vous n'obtiendrez que 60 points, plus une prime de 50 points pour la manche partielle.

8. Vous devez emporter au moins SIX LEVÉES pour faire chuter le contrat à deux piques de vos opposants. Si vous réussissez, vous recevez une prime de 100 POINTS.

9. Vous obtenez une prime de levées de 60 points, plus 50 points de prime pour avoir complété la manche partielle et 30 points pour la levée supplémentaire, soit un total de 140 POINTS. Si vous n'encaissez que sept plis, vos adversaires obtiennent 50 points pour avoir fait chuter votre contrat non vulnérable.

10. Vous avez remporté DIX LEVÉES pour réaliser quatre cœurs. Vos adversaires en ont enlevé TROIS. Vous méritez 120 points de levées et 500 points de prime pour avoir complété la manche en étant vulnérable. Vous accumulez un total de 620 POINTS.

Chapitre IV

1. Vous êtes à la fois répondant et capitaine quand votre partenaire ouvre les enchères de un SA.

2. a) Vous avez 5 points. Vos forces combinées se chiffrent entre 21 (16 + 5) et 23 points (18 + 5). Annoncez la MANCHE PARTIELLE.

   b) Vous avez 12 points. Vos forces combinées se situent entre 28 (16 + 12) et 30 points (18 + 12). Jouez la MANCHE.

   c) Vous avez 7 points. Vos forces combinées se situent entre 23 (16 + 7) et 25 points (18 + 7). Déclarez la MANCHE PARTIELLE.

   d) Vous avez 11 points qui vous donnent une combinaison de 27 (16 + 11) à 29 (18 + 11) points. Jouez la MANCHE.

3. Vous avez 4 points. Le nombre minimum de points combinés est de 17 (13 + 4) et le maximum, de 25 (21 + 4). Le contrat définitif doit être la MANCHE PARTIELLE.

4. Les mains combinées comptent au moins HUIT CŒURS (4 + 4). Jouez le contrat à CŒUR à cause du FIT MAGIQUE DANS LA MAJEURE. Vous avez 13 PH et votre partenaire au moins 13 pour ouvrir les enchères. Le contrat définitif doit être la MANCHE.

5. Pour vous assurer d'un FIT MAGIQUE DANS LA MAJEURE, il vous faut au moins QUATRE PIQUES.

6. Pour vous assurer d'un FIT MAGIQUE DANS LA MAJEURE (votre partenaire risque de n'en compter que deux), vous devez avoir au moins SIX CŒURS.

7. Avec 26 points combinés ou plus, jouez la manche. Puisque vous avez une MISFIT DANS LA MAJEURE, jouez TROIS SA.

Chapitre V

1. a) DEUX SA   Avec 9 points, la manche est possible.

b) DEUX CŒURS   Avec 4 points, jouez la manche partielle dans la couleur cinquième à cœur.

c) TROIS PIQUES   Disposant de 13 points et d'une majeure cinquième, invitez votre partenaire à choisir entre quatre piques et trois SA.

d) QUATRE CŒURS   Avec 13 points et une majeure sixième, annoncez la manche.

e) TROIS SA   Avec 11 points et probablement sans fit magique dans la majeure, jouez la manche à SA.

f) TROIS PIQUES   Avec 11 points et une majeure cinquième, invitez votre partenaire à choisir entre quatre piques et trois SA.

g) QUATRE PIQUES   Avec 11 points et une majeure sixième, annoncez la manche.

h) DEUX CŒURS   Avec 6 points, jouez la manche partielle en annonçant la plus chère de vos deux couleurs cinquièmes.

i) Trois SA   Avec 12 points et probablement un misfit dans la majeure, jouez la manche à SA.

j) Passez   Avec 7 points, jouez la manche partielle. Sachez que vous n'annoncez pas deux trèfles, même si vous disposez d'une couleur sixième.

Chapitre VI

1. Ouvrir de un est INVITATIF. Puisqu'il se peut que l'ouvreur ait de 13 à 21 points, le partenaire est uniquement INVITÉ à répondre. Si le répondant n'a aucun point, il passe et joue la manche partielle.

2. Deux carreaux, deux cœurs, deux piques, trois SA, quatre cœurs et quatre piques sont des ENCHÈRES D'ARRÊT.

3. DEUX SA est une réponse invitative à une ouverture de un SA.

4. Trois cœurs et trois piques sont des réponses impératives à une ouverture de un SA, car l'ouvreur DOIT POURSUIVRE LES EN-CHÈRES (soit quatre dans la majeure, ou trois SA).

5. PASSEZ parce que la réponse de votre partenaire est une AN-NONCE D'ARRÊT.

6. PASSEZ parce que vous n'avez que 16 POINTS; votre partenaire vous a signalé une annonce invitative au cas où vous en auriez 18.

7. Annoncez TROIS SA parce que vous possédez 18 POINTS, somme suffisante pour accepter l'enchère invitative du répondant.

8. Avec 13 points, annoncez QUATRE CŒURS. Votre partenaire PASSE parce que c'est une DÉCLARATION D'ARRÊT.

9. PASSEZ parce que votre partenaire vous a signifié une RÉPONSE D'ARRÊT.

10. Annoncez QUATRE PIQUES. Votre partenaire vous demande de choisir entre quatre piques et trois SA. Puisqu'il vous signale une couleur cinquième à pique, choisissez quatre piques avec votre SOUTIEN TROISIÈME (5 + 3 = 8). Par contre, si votre partenaire annonce trois cœurs, vous déclarez TROIS SA parce que vous ne détenez que deux cœurs.

Chapitre VII

1. DEUX CŒURS Avec un soutien quatrième dans la majeure de votre partenaire et 8 points du mort, soutenez au niveau de deux.

2. PASSEZ Votre main est faible (4 points); c'est insuffisant pour annoncer.

3. UN PIQUE Avec 8 points, annoncez une nouvelle couleur au niveau de un.

4. UN SA Avec 9 points, votre main est minimale; c'est insuffisant pour annoncer une nouvelle couleur au niveau de deux.

5. DEUX CARREAUX Avec 17 points, vous en avez assez pour annoncer une nouvelle couleur au niveau de deux.

6. UN CŒUR Puisque vous avez un choix de deux couleurs quatrièmes, annoncez la moins chère.

7. DEUX TRÈFLES Avec 14 points et aucune couleur à annoncer au niveau de un, déclarez une nouvelle couleur au niveau de deux.

8. DEUX CARREAUX Avec 8 points et aucune couleur à annoncer au niveau de un, comme vous avez un soutien dans la mineure de votre partenaire, soutenez au niveau de deux.

9. TROIS CARREAUX Vous avez 11 points; c'est suffisant pour soutenir au niveau de trois la mineure de votre partenaire.

10. TROIS SA Avec 15 points et sans nouvelle couleur à annoncer, soutenez à la manche.

Chapitre VIII

1. a) UN PIQUE Vous conservez la latitude de déclarer une nouvelle couleur au niveau de un.

   b) UN SA Sans couleur à annoncer au niveau de un et possédant une main équilibrée de 14 points, redemandez SA au niveau le moins cher.

c) DEUX TRÈFLES Avec une main non équilibrée, sans deuxième couleur et avec 13 points, répétez votre couleur au niveau de deux.

d) DEUX CARREAUX Avec un soutien quatrième dans la mineure de votre partenaire et 13 points seulement, soutenez au niveau le moins cher.

2. a) DEUX CŒURS Avec un soutien dans la majeure de votre partenaire et 15 points, soutenez au niveau de deux.

b) UN PIQUE Vous pouvez encore annoncer une nouvelle couleur au niveau de un.

c) DEUX TRÈFLES N'ayant que 13 points, vous n'avez pas suffisamment de force pour annoncer une couleur plus chère au niveau de deux.

d) TROIS TRÈFLES Vos 17 points sont suffisants pour sauter à votre propre couleur.

3. a) TROIS PIQUES Comme vous pouvez soutenir la majeure de votre partenaire, réévaluez votre main à 17 points du mort, total suffisant pour annoncer au niveau de trois.

b) DEUX TRÈFLES Avec 15 points, sans soutien dans la majeure de votre partenaire et une main non équilibrée, annoncez votre deuxième couleur au niveau de deux.

c) QUATRE CŒURS Avec une main maximale de 19 points, sautez à la manche dans votre couleur.

d) TROIS CARREAUX Avec 20 points, faites une «intervention à saut» dans votre deuxième couleur.

4. a) PASSEZ Avec une main minimale de 14 points, jouez à SA au niveau le plus bas.

b) DEUX PIQUES Vos 18 points sont suffisants pour annoncer au niveau de deux dans une couleur plus chère.

c) DEUX TRÈFLES Avec 13 points, annoncez au niveau de deux dans une couleur moins chère.

d) TROIS SA Vos 20 points sont suffisants pour sauter à la manche à SA.

5. a) QUATRE PIQUES Avec un soutien dans la majeure de votre partenaire et 20 points du mort, vous pouvez annoncer la manche.

b) DEUX TRÈFLES Avec 14 points, vous annoncez votre deuxième couleur au niveau de deux.

c) DEUX SA Votre main équilibrée de 20 points vous permet de faire une enchère à saut à SA.

d) TROIS TRÈFLES Avec une main maximale de 20 points, faites une «enchère à saut» dans votre deuxième couleur.

Chapitre IX

1. a) TROIS CŒURS   Comme vous pouvez soutenir la majeure de votre partenaire et que vous avez 15 points du mort, annoncez à un niveau supérieur.

   b) DEUX SA   Avec une main équilibrée de 14 points, annoncez SA au niveau le moins cher.

   c) DEUX PIQUES   Vous n'avez que 14 points et votre force est insuffisante pour annoncer une nouvelle couleur au niveau de trois; répétez alors votre première couleur.

   d) QUATRE CŒURS   Vous pouvez soutenir la majeure de votre partenaire et vous disposez de 18 points du mort; soutenez à saut votre partenaire.

2. a) DEUX CŒURS   Avec 14 points, annoncez une couleur moins chère au niveau de deux.

   b) TROIS SA   Avec une d'une main équilibrée et 20 points, annoncez SA avec saut.

   c) DEUX PIQUES   Avec 14 points, vous ne pouvez annoncer une nouvelle couleur au niveau de trois; répétez alors votre première couleur.

   d) TROIS TRÈFLES   Avec 18 points, vous avez suffisamment de force pour annoncer votre deuxième couleur au niveau de trois.

3. a) DEUX SA   Avec une main équilibrée de 14 points, annoncez SA au niveau le moins cher.

   b) TROIS TRÈFLES   Avec 15 points et un soutien quatrième dans la mineure du répondant, soutenez au niveau de trois.

   c) DEUX PIQUES   Avec une main intermédiaire de 18 points, vous avez assez de force pour annoncer une couleur plus chère au niveau de deux.

   d) QUATRE CŒURS   Avec une main maximale de 20 points, sautez à la manche.

4. a) DEUX SA   Avec une main minimale équilibrée de 14 points, annoncez SA au niveau le moins cher.

   b) DEUX CARREAUX   Avec une main minimale non équilibrée de 13 points, répétez votre couleur au niveau de deux.

   c) TROIS CARREAUX   Avec une main maximale équilibrée de 18 points, répétez votre couleur avec saut.

   d) TROIS SA   Avec une main maximale équilibrée de 19 points, annoncez SA avec saut.

   e) DEUX CARREAUX   Avec une main minimale de 14 points, vous n'avez pas assez de force pour annoncer une couleur plus chère au niveau de deux.

   f) TROIS TRÈFLES   Avec 14 points et un soutien dans la mineure de votre partenaire, soutenez au niveau de trois.

g) QUATRE TRÈFLES Avec 17 points et un soutien dans la mineure de votre partenaire, annoncez avec saut au niveau de quatre.

h) DEUX PIQUES Vos 18 points sont suffisants pour annoncer une couleur plus chère au niveau de deux.

Chapitre X

1. a) QUATRE PIQUES Avec une main maximale de 21 points, vous en détenez assez pour la manche.

   b) PASSEZ Votre main minimale de 13 points vous contraint à vous limiter à la manche partielle.

   c) TROIS PIQUES Votre main intermédiaire de 17 points vous permet d'essayer la manche.

2. a) QUATRE CŒURS Vos 15 points vous accordent assez de forces combinées pour tenter la manche.

   b) PASSEZ Vous n'avez que 13 points, arrêtez-vous à la manche partielle.

   c) QUATRE CŒURS Vos 18 points vous accordent assez de force pour la manche, mais non pour le chelem.

3. a) PASSEZ Avec 14 points, limitez-vous à la manche.

   b) SIX PIQUES Avec une main maximale de 21 points, vous avez assez de forces combinées pour réaliser le chelem.

   c) CINQ PIQUES Avec 18 points, vous pouvez tenter le chelem.

4. a) TROIS TRÈFLES Vos 18 points vous permettent de soutenir au niveau de trois.

   b) PASSEZ Votre main minimale de 14 points vous oblige à vous arrêter à la manche partielle.

   c) TROIS SA Votre main maximale de 20 points vous permet d'aller à la manche.

5. a) PASSEZ Votre main minimale de 13 points ne vous autorise que la manche partielle.

   b) TROIS SA Vos 19 points vous permettent la manche, mais non le chelem.

   c) TROIS SA Avec 16 points, vous pouvez tenter la manche.

Chapitre XI

1. a) PASSEZ Vos 6 points ne vous accordent que la manche partielle.

   b) TROIS CŒURS Avec 11 points, essayez la manche.

   c) QUATRE CŒURS Avec 15 points, cela vous suffit pour la manche.

   d) PASSEZ N'ayant que 7 points, limitez-vous à la manche partielle.

2. a) DEUX PIQUES Vous disposez des 10 points du mort. Cela suffira probablement pour la manche si l'ouvreur possède une main intermédiaire.

   b) TROIS PIQUES Vos 12 points du mort vous autorisent à déclarer une couleur déjà mentionnée au niveau de trois.

   c) QUATRE PIQUES Vos 16 points du mort vous autorisent la manche.

3. a) PASSEZ Avec une main minimale de 9 points, ne songez qu'à la manche partielle.

   b) DEUX PIQUES N'ayant que 7 points, vous devez vous limiter à la manche partielle au niveau de deux.

   c) DEUX SA Vos 12 points vous autorisent à tenter la manche.

   d) DEUX TRÈFLES Avec 15 points et non certain de la couleur à jouer, annoncez une nouvelle couleur.

4. a) DEUX PIQUES Avec 8 points, donnez la préférence à la couleur de votre partenaire au niveau de deux.

   b) PASSEZ À cause de vos 8 points, contentez-vous de la manche partielle dans la deuxième couleur de l'ouvreur.

   c) DEUX PIQUES Avec 9 points, donnez la priorité à la première couleur de l'ouvreur, aussi longue, sinon plus, que sa deuxième couleur.

   d) PASSEZ Vos 6 points vous contraignent à la manche partielle dans la deuxième couleur de l'ouvreur.

5. a) TROIS SA Avec 15 points et un misfit dans la majeure, jouez la manche à SA.

   b) TROIS CŒURS Avec 12 points, annoncez la couleur précédente au niveau de trois.

   c) PASSEZ Vos 7 points vous limitent à la manche partielle dans la couleur de l'ouvreur.

   d) TROIS TRÈFLES Vous avez 15 points, mais n'êtes pas certain de la couleur à jouer. Annoncez une nouvelle couleur.

Chapitre XII

1. a) PASSEZ N'ayant que 6 points, contentez-vous de la manche partielle.

   b) QUATRE CŒURS Vos 11 points vous accordent assez de force pour accepter l'invitation de l'ouvreur.

   c) QUATRE CŒURS Vos 13 points vous permettent la manche, mais non le chelem.

   d) PASSEZ N'ayant que 8 points, vous n'avez qu'une faible marge de manœuvre. Si l'ouvreur n'a que 17 points, vous ne possédez pas assez de forces combinées pour quatre cœurs. Si, par contre, il a 18 points, déclarer quatre cœurs est un choix sensé.

2. a) PASSEZ   Vos 7 points du mort vous limitent à la manche partielle.

   b) QUATRE CŒURS   Vos 9 points vous autorisent la manche et votre partenaire vous signale une main non équilibrée longue en cœur.

   c) TROIS SA   Vos 10 points vous autorisent la manche; il est préférable de jouer SA plutôt que jouer à cœur.

   d) TROIS SA   Avec 13 points, la manche est encore préférable à SA.

3. a) TROIS SA   L'annonce de l'ouvreur est une enchère impérative pour la manche et vous en savez assez pour annoncer la manche.

   b) TROIS PIQUES   Poursuivez les enchères pour être capable de faire la meilleure annonce descriptive possible.

   c) QUATRE CŒURS   La déduction 5 - 4 sous-entend que l'ouvreur possède au moins cinq cœurs; cela vous permet d'annoncer la manche ad hoc.

   d) TROIS PIQUES   Cette déclaration est plus significative que: trois SA.

4. a) PASSEZ   Vos 7 points vous interdisent la manche.

   b) TROIS SA   Vos 10 points vous autorisent la manche, mais votre soutien est insuffisant pour jouer dans la couleur de votre partenaire.

   c) QUATRE PIQUES   Vos 9 points suffisent pour la manche et un soutien de deux cartes permet d'appuyer la couleur de votre partenaire dans laquelle il a sauté.

   d) PASSEZ   N'ayant que 8 points, vous oscillez entre les possibilités de passer ou de poursuivre jusqu'à la manche. Annoncer quatre piques serait un bon choix si votre partenaire a 18 points, mais est à déconseiller s'il n'en a que 17.

5. a) TROIS SA   La deuxième enchère de l'ouvreur est impérative pour la manche et il y a un MISFIT DANS LA MAJEURE.

   b) QUATRE CŒURS   Comme l'ouvreur a une main équilibrée, il doit détenir au moins deux cœurs.

   c) TROIS CŒURS   Cette annonce demande à l'ouvreur de choisir entre quatre cœurs et trois SA.

   d) TROIS SA   Puisqu'il y a un MISFIT DANS LA MAJEURE, annoncez la manche à SA.

Chapitre XIII

1. Les adversaires reçoivent une prime de 100 POINTS pour avoir fait chuter le contrat de deux levées (50 + 50).

2. Les adversaires reçoivent une prime de 300 POINTS (100 + 100 + 100) pour avoir fait chuter votre contrat.

3. Vous recevez 300 POINTS (100 + 200) pour avoir fait chuter de deux levées un contrat contré.

4. Vos adversaires se voient accorder 500 POINTS (200 + 300) pour avoir fait chuter votre contrat contré.

5.

	NOUS	EUX
Vos points de levées pour avoir réalisé un contrat à deux cœurs contré	120	
Votre prime pour avoir subi «l'insulte d'être contré»	50	
Votre prime pour la manche non vulnérable	300	
Votre résultat pour les levées supplémentaires	100	

Notez que le contre vous a procuré assez de points de levées pour atteindre la manche.

Chapitre XIV

1. a) UN PIQUE Avec 14 points, intervenez de votre couleur cinquième.

   b) PASSEZ Même si vous avez 13 points, vous ne détenez pas de couleur cinquième.

   c) DEUX TRÈFLES Vos 14 points vous suffisent pour intervenir de votre couleur cinquième.

   d) UN SA Avec une main équilibrée de 17 points, une intervention à SA est préférable à l'annonce d'une couleur cinquième à trèfle.

   e) UN CŒUR Comme vous possédez deux couleurs cinquièmes, annoncez la plus chère.

   f) PASSEZ Ne faites pas d'intervention de la couleur de votre adversaire.

   g) PASSEZ Vos 11 points ne vous autorisent pas à faire une intervention.

   h) PASSEZ Vous n'avez pas de couleur cinquième.

2. a) DEUX CŒURS Vos 14 points et une couleur sixième vous accordent assez de force pour une intervention.

   b) PASSEZ Même avec 15 points, vous êtes dépourvu d'une couleur cinquième autre que celle qu'ont déclarée vos adversaires.

   c) TROIS TRÈFLES Avec 18 points, faites une intervention de votre couleur sixième, même si vous êtes au niveau de trois.

Chapitre XV

1. a) PASSEZ Après avoir réévalué votre main avec les points du mort, vous n'en comptez que 5.

   b) DEUX CŒURS Les 8 points du mort et votre soutien troisième vous accordent assez de force pour soutenir au niveau de deux.

   c) TROIS CŒURS Vous avez les 11 points du mort; soutenez au niveau de trois.

   d) QUATRE CŒURS Vous avez les 15 points du mort; annoncez à la manche.

   e) PASSEZ Vos 4 points ne vous autorisent pas à annoncer.

   f) UN PIQUE Vos 8 points vous permettent d'annoncer une nouvelle couleur au niveau de un.

   g) UN SA N'ayant que 10 points, vous ne pouvez annoncer une nouvelle couleur au niveau de deux.

   h) DEUX TRÈFLES N'ayant que 14 points et deux cartes seulement dans la couleur de votre partenaire, annoncez une nouvelle couleur.

   i) DEUX TRÈFLES Vos 12 points vous autorisent à annoncer une nouvelle couleur au niveau de deux.

   j) UN PIQUE N'ayant aucun soutien, annoncez, si vous le pouvez, une nouvelle couleur au niveau de un.

2. a) PASSEZ Avec 5 points, limitez-vous à la manche partielle.

   b) DEUX CARREAUX Avec 6 points et une couleur sixième, faites une enchère d'arrêt.

   c) TROIS PIQUES À cause de vos 13 points et de votre couleur cinquième, signalez à l'ouvreur de choisir entre quatre piques et trois SA.

   d) TROIS SA À cause de vos 11 points et de votre MISFIT DANS LA MAJEURE, annoncez la manche à SA.

Chapitre XVI

1. a) PASSEZ Vos 6 points ne vous autorisent pas à faire une intervention au niveau de deux.

   b) TROIS CŒURS Les 11 points du mort vous autorisent à soutenir au niveau de trois.

   c) QUATRE CŒURS Les 13 points du mort vous permettent de soutenir à la manche.

   d) QUATRE CŒURS Avec les 14 points du mort, soutenez à la manche.

2. a) PASSEZ Vous n'avez que 6 points; c'est insuffisant pour soutenir au niveau de trois.

   b) DEUX CARREAUX Vos 11 points vous autorisent à annoncer une nouvelle couleur au niveau de deux.

c) DEUX CŒURS   Avec 16 points, annoncez une nouvelle couleur au niveau de deux.

d) DEUX CŒURS   Annoncez la plus chère de vos deux couleurs cinquièmes.

e) TROIS TRÈFLES   Avec 11 points et un soutien quatrième, soutenez au niveau de trois.

f) TROIS SA   Avec 14 points et sans soutien quatrième ou couleur plus longue que la mineure de votre partenaire, annoncez la manche à SA.

Chapitre XVII

1. a) Le contre de votre partenaire est un CONTRE D'APPEL.

b) Le contre de votre partenaire est un CONTRE D'APPEL (signalant un soutien à pique et à carreau).

c) Le contre de votre partenaire est un CONTRE DE PÉNALITÉ parce que vous avez déjà annoncé une couleur.

d) Le contre de votre partenaire est un CONTRE DE PÉNALITÉ parce qu'il contre un contrat de manche.

2. a) PASSEZ   Les 11 points du mort ne vous donnent pas assez de force pour une intervention ou un contre d'appel.

b) CONTREZ   Vous possédez 16 points du mort et un soutien dans les couleurs non annoncées.

c) UN PIQUE   Avec 15 points et une couleur cinquième, l'intervention est préférable au contre d'appel parce que vous n'avez pas de soutien à cœur.

d) UN SA   Avec une main équilibrée, 18 points et des arrêts dans la couleur de votre adversaire, faites une intervention à SA.

e) PASSEZ   Même si vous avez 13 points, vous n'avez ni couleur cinquième ni soutien à cœur.

f) CONTREZ   Vous n'avez que 10 PH, mais vous pouvez prendre les 5 points du mort par suite de votre chicane à carreau et vous permettre ainsi de faire un contre d'appel.

g) PASSEZ   Vous n'avez qu'une couleur cinquième dans la couleur de vos adversaires; vous êtes incapable de faire une intervention.

Chapitre XVIII

1. a) UN PIQUE   Vous ne pouvez passer; annoncez alors votre majeure quatrième.

b) DEUX CŒURS   Vos 11 points vous autorisent à sauter dans votre majeure quatrième.

c) QUATRE PIQUES   Avec 13 points, sautez à la manche dans votre couleur cinquième.

d) UN CARREAU Ne disposant d'aucune majeure cinquième, annoncez votre meilleure mineure au niveau le moins cher possible.

e) UN SA N'ayant que 8 points et sans couleur quatrième autre que celle de vos adversaires, annoncez SA au niveau le moins cher possible.

f) DEUX SA N'ayant que 12 points et sans couleur quatrième autre que celle de vos adversaires, sautez à SA.

g) TROIS SA Avec 14 points et un MISFIT DANS LA MAJEURE, annoncez la manche à SA.

h) UN PIQUE Avec deux couleurs cinquièmes, annoncez la plus chère.

i) TROIS CARREAUX Vos 11 points vous autorisent à sauter dans votre mineure.

2. a) PASSEZ Même avec les 16 points du mort, vous n'avez pas suffisamment de force pour faire une nouvelle annonce lorsque votre partenaire n'a que de 0 à 10 points.

b) DEUX CŒURS Les 17 points du mort vous autorisent à soutenir au niveau de deux.

c) TROIS CŒURS Les 20 points du mort vous autorisent à soutenir au niveau de trois.

d) PASSEZ Vous ne possédez que les 15 points du mort.

e) TROIS CŒURS Les 21 points du mort vous suffisent pour tenter la manche, même si votre partenaire ne possède rien.

Chapitre XIX

1. a) UN PIQUE L'annonce de votre adversaire ne vous a pas empêché de déclarer une nouvelle couleur au niveau de un.

b) UN SA Vos 10 points vous permettent de déclarer une réponse normale.

c) DEUX CARREAUX Avec 7 points et un soutien cinquième dans la mineure de votre partenaire, soutenez au niveau de deux.

d) DEUX TRÈFLES Vos 14 points vous autorisent à annoncer une nouvelle couleur au niveau de deux.

2. a) QUATRE CŒURS Les 14 points du mort vous permettent de soutenir à la manche.

b) DEUX PIQUES Vos 12 points vous accordent suffisamment de force pour annoncer une nouvelle couleur au niveau de deux.

c) DEUX SA Avec 12 points, vous vous devez d'annoncer et déclarer SA est l'enchère la plus descriptive.

d) CONTREZ Vos adversaires semblent ne pas pouvoir réussir à réaliser leur contrat; faites alors un contre de pénalité.

3. a) PASSEZ   Le contre de vos adversaires n'a aucune influence sur votre réponse.
   b) UN CŒUR   Avec une couleur quatrième, annoncez au niveau le moins cher.
   c) DEUX TRÈFLES   Vos 8 points et votre soutien dans la mineure de votre partenaire vous autorisent à soutenir au niveau de deux.
   d) TROIS SA   Avec 14 points et sans couleur quatrième autre que la mineure de votre partenaire, annoncez la manche à SA.
4. a) PASSEZ   N'ayant que 9 points et un soutien de moins de trois cartes en faveur de votre partenaire, vous n'avez aucune enchère intéressante à proposer.
   b) TROIS PIQUES   Les 11 points du mort vous autorisent à soutenir au niveau de trois.
   c) QUATRE PIQUES   Les 15 points du mort vous accordent assez de force pour annoncer la manche.
   d) TROIS PIQUES   Vos 12 points et votre soutien troisième vous autorisent à soutenir au niveau de trois.
5. a) PASSEZ   La déclaration de votre adversaire de flanc droit signifie que vous n'avez plus à annoncer.
   b) DEUX CŒURS   Vos 7 points vous accordent assez de force pour continuer la lutte en annonçant votre majeure la plus longue au niveau le moins cher possible.
   c) TROIS PIQUES   Avec 11 points, vous avez suffisamment de force pour sauter dans votre majeure quatrième.
   d) TROIS CARREAUX   Avec 12 points, sautez dans votre mineure.

Chapitre XX

1. a) DEUX PIQUES   Annoncez votre majeure quatrième.
   b) DEUX CŒURS   Annoncez votre majeure quatrième.
   c) DEUX CŒURS   Vous avez deux majeures quatrièmes; annoncez d'abord la moins chère.
   d) DEUX CARREAUX   Faites une réponse invitative signalant que vous ne possédez pas de majeure quatrième.
2. a) PASSEZ   N'ayant que 5 points et aucune couleur cinquième, limitez-vous à la meilleure manche partielle.
   b) DEUX PIQUES   Vos 6 points vous autorisent à faire une enchère d'arrêt avec votre couleur cinquième.
   c) DEUX SA   Avec 8 points, faites un soutien invitatif.
   d) DEUX TRÈFLES   À cause de vos 10 points et de votre intérêt pour la manche dans une majeure, utilisez la convention Stayman pour découvrir si l'ouvreur détient une couleur quatrième à pique.

e) DEUX TRÈFLES Vos 8 points vous donnent suffisamment de force pour tenter la manche et tenter, à l'aide de la convention Stayman, de découvrir un fit magique dans une majeure.

f) DEUX TRÈFLES À cause de vos 9 points et de votre intérêt à trouver un FIT MAGIQUE DANS UNE MAJEURE, annoncez en vous servant de la convention Stayman.

g) TROIS SA Nullement intéressé par une quelconque majeure et détenant 10 points, annoncez la manche à SA.

h) TROIS PIQUES Vos 10 points vous accordent la possibilité d'annoncer votre majeure cinquième au niveau de trois. Demandez à l'ouvreur de choisir entre quatre piques et trois SA.

i) QUATRE CŒURS Avec 11 points et une majeure sixième, annoncez la manche.

j) DEUX TRÈFLES À cause de vos 8 points et de votre intérêt dans les deux majeures, répondez à l'aide de la convention Stayman.

k) DEUX TRÈFLES Avec 8 points et l'espoir de jouer dans une majeure, utilisez la convention Stayman.

Chapitre XXI

1. a) DEUX SA Vous jouissez d'une main équilibrée de 23 points.

   b) DEUX PIQUES Possédant deux couleurs cinquièmes et 27 points, ouvrez de votre couleur la plus chère au niveau de deux.

   c) DEUX TRÈFLES À cause de votre main non équilibrée et de vos 25 points, ouvrez de votre couleur la plus longue au niveau de deux.

   d) TROIS SA Vous avez une main équilibrée et 26 points.

   e) UN PIQUE Vos 21 points ne vous permettent pas d'ouvrir au niveau de deux.

   f) DEUX CARREAUX Avec une main non équilibrée et 23 points, ouvrez de votre plus longue au niveau de deux.

   g) DEUX CARREAUX Avec 23 points et trois couleurs quatrièmes, ouvrez de la couleur de rang médian au niveau de deux.

   h) UN TRÈFLE À cause de vos 20 points, ouvrez de votre plus longue couleur.

2. a) DEUX SA N'ayant que 2 points, donnez une réponse invitative pour signaler votre main faible.

   b) TROIS CŒURS Les 8 points du mort vous autorisent à soutenir la couleur de votre partenaire au niveau de trois.

   c) TROIS TRÈFLES Avec 9 points, annoncez une nouvelle couleur.

   d) TROIS CŒURS Avec 9 points et un soutien troisième dans la majeure de votre partenaire, soutenez au niveau de trois.

e) DEUX SA   N'ayant que 5 points, donnez une réponse conventionnelle pour signaler votre main faible.

f) TROIS CARREAUX   Avec 10 points et deux couleurs cinquièmes, annoncez la plus chère des deux.

g) TROIS CŒURS   Vos 8 points du mort vous autorisent à soutenir.

h) TROIS TRÈFLES   Vos 12 points vous permettent d'annoncer une nouvelle couleur.

3. a) TROIS TRÈFLES   Avec 4 points, utilisez la convention Stayman pour découvrir s'il existe UN FIT MAGIQUE dans une majeure.

b) TROIS CŒURS   Avec 6 points, annoncez votre majeure cinquième et demandez à l'ouvreur de choisir entre quatre cœurs et trois SA.

c) PASSEZ   Sans aucun point, vous n'avez pas à répondre à une ouverture de deux SA.

d) TROIS SA   Avec 6 points et UN MISFIT probable dans une majeure, annoncez la manche à SA.

Chapitre XXII

1. a) PASSEZ   Même si votre partenaire a de 19 à 21 points, vous n'en possédez que 9.

b) SIX CŒURS   Vos 14 points vous donnent assez de forces combinées pour le petit chelem, même si votre partenaire n'a que 19 points.

c) SEPT CŒURS   Avec 18 points, vous pouvez envisager le grand chelem, car votre partenaire dispose d'au moins 19 points.

d) CINQ CŒURS   Comme vous avez 12 points, incitez votre partenaire à tenter le chelem. S'il n'a que 21 points, deux points «de supplément», il annoncera six cœurs.

2. a) TROIS SA   Vous n'avez que 11 points et aucun FIT MAGIQUE dans une majeure.

b) QUATRE SA   Avec 15 points, vous avez assez de force pour songer au chelem. Si votre partenaire a 18 points, deux points «de supplément», il annoncera six. Avec un misfit dans la majeure, SA semble un choix convenable.

c) SIX SA   Avec 18 points, envisagez le chelem même si votre partenaire n'a que 16 points.

d) SEPT SA   Avec 21 points, annoncez le grand chelem puisque vous totalisez au moins 37 points.

e) QUATRE CŒURS   Vos 13 points vous autorisent à déclarer la manche, sachant qu'il existe un FIT MAGIQUE dans la majeure.

f) CINQ PIQUES Fort de vos 15 points, invitez au chelem en annonçant un niveau au-delà de la manche. S'il détient 18 points, votre partenaire annonce six piques.

g) SIX PIQUES Avec 17 points, envisagez le chelem à cause du FIT MAGIQUE.

h) SIX TRÈFLES Vos 17 points vous autorisent le chelem. Lorsque vous décidez de la COULEUR, tout FIT MAGIQUE est acceptable au niveau du chelem.

3. a) PASSEZ Vous n'avez que 13 points; rejetez l'invitation de votre partenaire.

b) SIX CŒURS Vous avez 17 points, quatre de plus qu'il ne faut pour ouvrir les enchères. Acceptez l'invitation de votre partenaire et annoncez le chelem.

Chapitre XXIII

1. a) TROIS TRÈFLES Avec une couleur septième, trois des cinq cartes les plus fortes et 10 points seulement, votre main vous permet d'annoncer une ouverture de barrage.

b) PASSEZ N'ayant qu'une des cinq hautes cartes de votre couleur et 4 points, vous ne pouvez ouvrir au niveau de trois.

c) UN CARREAU Avec 13 points, faites une ouverture normale au niveau de un.

d) QUATRE CŒURS Avec une couleur huitième et 10 points seulement, ouvrez au niveau de quatre.

e) TROIS TRÈFLES Autre main idéale pour une ouverture de barrage.

f) DEUX CŒURS Votre main non équilibrée et vos 23 points vous autorisent à ouvrir au niveau de deux.

g) PASSEZ N'ayant que 11 points et privé de trois des cinq plus hautes cartes dans votre couleur, abstenez-vous de faire une ouverture de barrage.

h) QUATRE PIQUES Ouvrez au niveau de quatre, puisque vous avez une couleur huitième et 12 points seulement.

2. a) PASSEZ N'ayant que 13 points, vous manquez de force pour annoncer sur une ouverture de barrage de votre partenaire.

b) QUATRE PIQUES Avec les 16 points du mort, cela vous suffit pour soutenir à la manche.

c) PASSEZ Vos 13 points ne vous accordent pas assez de force pour répondre à une annonce de votre partenaire.

d) QUATRE PIQUES Avec 16 points, soutenez à la manche même avec un singleton.

3. a) QUATRE TRÈFLES Avec 16 points, vous avez assez de force pour une intervention dans votre couleur longue.

b) CONTREZ Les 19 points du mort et votre soutien dans les couleurs non déclarées vous autorisent à faire un contre d'appel.

c) TROIS SA Avec 20 points, annoncez la manche à SA paraît être une meilleure déclaration qu'une surenchère dans votre couleur cinquième au niveau de quatre.

d) PASSEZ N'ayant que 14 points et aucun soutien à pique, vous n'avez aucune annonce raisonnable à déclarer.

4. a) UN PIQUE Avec 14 points et deux couleurs cinquièmes, faites une surenchère dans la couleur la plus chère.

b) DEUX PIQUES Avec une bonne couleur sixième et 9 points seulement, annoncez une intervention à saut de barrage.

c) TROIS TRÈFLES Avec une couleur septième, trois des cinq plus hautes cartes et 10 points seulement, faites une intervention à saut de barrage.

d) PASSEZ N'ayant qu'une couleur cinquième et 10 points, vous manquez de force pour annoncer.

Chapitre XXIV

1. a) Vous possédez TROIS levées sûres: l'as, le roi et la dame.

b) Vous possédez DEUX levées sûres: l'as et le roi.

c) Vous ne possédez que DEUX levées sûres, parce que vous devez jouer deux hautes cartes à chaque levée.

d) Vous possédez SIX levées sûres. Après avoir ramassé les levées avec vos quatre hautes cartes, vous pourrez gagner deux autres plis avec vos petites cartes, car vos adversaires seront dépourvus de cartes dans la couleur.

2. a) Vous pouvez ramasser DEUX levées. Ouvrez de votre roi (ou dame ou valet) pour faire sortir l'as de vos adversaires; vous VALORISEZ, ce faisant, l'utilité de votre dame et de votre valet.

b) Vous pouvez ramassez QUATRE levées. Ouvrez du roi pour faire tomber l'as et valorisez ainsi vos autres cartes. Ouvrez d'abord de la haute carte de votre COULEUR COURTE.

c) Ici, vous devriez ramassez TROIS levées. Ouvrez de la dame pour faire sortir l'as (ou le roi) et, plus tard, ouvrez du valet pour faire tomber la plus haute carte restante. Cette manœuvre aura pour effet de VALORISER l'utilité de votre dix et de votre neuf. Lorsque vous aurez joué quatre fois la couleur, vos opposants seront peut-être dépourvus de cartes. Par conséquent, votre carte restante deviendra une levée sûre à travers la LONGUEUR de votre couleur.

d) Vous pouvez escompter DEUX levées. Jouez l'as, une levée sûre, puis ouvrez deux autres fois de la couleur, accordant ainsi deux plis à vos adversaires. Si les cinq cartes restantes (13 - 8 = 5) sont partagées en trois et deux, votre longueur vous permettra éventuellement de transformer vos levées probables en levées sûres.

e) Vous détenez de nouveau huit cartes et vos adversaires n'en ont que cinq. Si leurs cartes sont partagées en trois et deux, vous pouvez ramasser TROIS levées en ouvrant de la couleur dès que se présente une occasion favorable. Grâce à votre LONGUEUR, vous gagnerez l'as et deux plis en supplément. Si les cartes de vos adversaires sont partagées en quatre et une, vous ne pourrez transformer qu'une seule levée.

f) Il se peut que vous transformiez QUATRE levées. Vous avez neuf cartes et vos adversaires en ont quatre (13 - 9 = 4). Si vous ouvrez deux fois de la couleur et que les cartes de vos adversaires soient distribuées en deux et deux, vous pourrez, avec les cartes restantes, les transformer en levées sûres grâce à votre LONGUEUR. Si les cartes de vos adversaires sont partagées en trois et une, vous ne pouvez transformer que trois levées probables en levées sûres. Si elles le sont en quatre et zéro, il vous est encore possible de transformer deux levées.

g) Dans ce cas-ci, vous ne pouvez faire qu'UNE seule levée. Essayez une impasse à l'as de votre adversaire de flanc gauche en ouvrant VERS votre roi.

h) Il est possible que vos mains combinées réussissent à ramasser TROIS levées. Ouvrez du mort VERS votre dame et essayez une impasse au roi de votre adversaire de flanc droit. Si cette manœuvre réussit, vous obtiendrez deux levées au lieu d'une. Si les cartes de vos adversaires sont partagées en trois et trois, vous pouvez transformer une troisième levée à travers votre COULEUR LONGUE.

Chapitre XXV

1. a) Il vous faut SEPT levées à un SA.
   b) Il vous faut HUIT levées à deux SA.
   c) Il vous faut NEUF levées à trois SA.
   d) Il vous faut DOUZE levées à six SA.
   e) Il vous faut HUIT levées à deux trèfles.
   f) Il vous faut DIX levées à quatre piques.
   g) Il vous faut DOUZE levées à six cœurs.
   h) Il vous faut TREIZE levées à sept piques.

2. **Combien de levées dois-je gagner?** SEPT à un SA.

   Combien ai-je de levées sûres? SIX: l'as et le roi de pique, l'as de cœur, l'as de carreau et l'as et le roi de trèfle.

   Comment puis-je transformer les levées probables? Il existe deux éventualités: à carreau, vous pouvez transformer une levée probable si vous réussissez à prendre le roi en impasse en ouvrant vers votre as et votre dame (une tactique toute en FINESSE!); à trèfle, vous pouvez transformer une levée à travers votre LONGUEUR en ouvrant de votre couleur trois fois et en espérant que les cinq autres cartes de vos adversaires (13 - 8 = 5) sont partagées en trois et deux.

Comment puis-je allier les renseignements obtenus? À l'aide de votre roi (ou de votre as) de pique, enlevez la première levée, puis essayez de transformer une levée à trèfle. Jouez l'as, puis le roi et, ensuite, un troisième trèfle et essayez de savoir si les trèfles de vos adversaires sont partagés en trois et deux. S'ils le sont, vous pouvez enlever les plis, quelle que soit la couleur d'ouverture à venir de vos adversaires. Ensuite, à l'aide de vos cartes transformées à trèfle, vous gagnerez vos autres levées sûres. Si l'un de vos adversaires a quatre ou cinq trèfles (vous le saurez quand vous lâcherez votre as et votre roi), vous pouvez tenter votre deuxième chance de transformer une autre levée. À l'aide de votre as de cœur, essayez d'avoir une entrée chez le mort et d'ouvrir à carreau vers votre main en tentant une impasse au roi de votre adversaire de flanc droit.

3. **Combien de levées dois-je gagner?** NEUF à trois SA.

   Combien ai-je de levées sûres? SIX: l'as de pique, l'as et le roi de cœur, l'as, le roi et la dame de carreau.

   Comment puis-je transformer les levées probables? Il y a deux possibilités: vous détenez sept piques, donc vos adversaires en ont six (13 - 7 = 6) et vous espérez qu'ils sont partagés en trois et trois; à carreau, vous pouvez VALORISER votre dame, votre valet et votre dix si vous faites tomber l'as de vos adversaires à l'aide de votre roi (vous pouvez même obtenir une levée de supplément à travers votre longueur).

   Comment puis-je allier les renseignements obtenus? Si vous jouez à pique, vous ne pouvez transformer qu'une levée et vous devrez espérer que les cartes de vos adversaires soient partagées en trois et trois. Au lieu d'adopter cette manoeuvre, transformez les trois levées requises à trèfle. Ouvrez du roi (la main courte d'abord) et continuez à ouvrir de la couleur jusqu'à ce que l'as sorte. Vous aurez alors valorisé les trois levées requises. Par la suite, vous ramassez les autres levées sûres. Assurez-vous, lorsque vous enlevez vos plis à carreau, de gagner le premier à l'aide du roi (main courte d'abord). Si aucun de vos adversaires n'a plus de quatre trèfles, vous obtiendrez une autre levée à l'aide de votre couleur cinquième à trèfle. (Ce sera une levée obtenue à travers votre longueur.)

4. **Combien de levées dois-je gagner?** HUIT à deux cœurs.

   Combien ai-je de levées sûres? TROIS: l'as de pique et l'as et le roi de carreau.

   Comment puis-je transformer les levées probables? À cœur, vous pouvez VALORISER quatre levées en faisant sortir l'as de vos adversaires. À carreau, vous obtenez une autre levée en coupant votre perdante à carreau au moyen de l'un des atouts du mort. À trèfle, vous essayez une autre levée en ouvrant VERS votre roi, espérant prendre en impasse l'as de votre adversaire de flanc gauche.

Comment puis-je allier les renseignements obtenus? Ramassez la première levée à l'aide de votre as de pique et ouvrez à cœur pour faire tomber l'as de vos adversaires. Avant de ramassez vos levées sûres, ÉLIMINEZ L'ATOUT de vos adversaires. Ayez cependant la prudence de ne pas emporter coup sur coup vos quatre levées d'atout. Coupez de votre perdante à carreau du mort. Cette manœuvre vous procurera les huit levées nécessaires à la réalisation de votre contrat. Essayez d'obtenir une levée supplémentaire en ouvrant vers le roi de trèfle du mort, dès que l'occasion s'en présente.

5. **Combien de levées dois-je gagner?** Il vous faut DIX levées pour réaliser un contrat à quatre piques.

Combien ai-je de levées sûres? SIX: le roi, la dame et l'as de cœur, l'as de carreau et l'as et le roi de trèfle.

Comment puis-je transformer les levées probables? À pique, faites sortir l'as et le roi de vos adversaires; vous vous assurerez ainsi de VALORISER quatre levées. Il n'existe aucune autre éventualité de transformation de levées. Notez que vous n'aurez aucun bénéfice à affranchir les petits trèfles du mort à l'aide de vos atouts; vous n'obtiendrez pas plus que vos quatre levées à pique.

Comment puis-je allier les renseignements obtenus? À l'aide de vos six levées sûres et de quatre autres levées, vous pouvez réaliser votre contrat uniquement en ÉLIMINANT L'ATOUT. Le camp adverse n'enlèvera que trois plis avec l'as et le roi de pique et un à carreau. N'hésitez pas à ouvrir de l'atout lorsque vous êtes dépourvu de cartes hautes.

Chapitre XXVI

1. a) Entamez du TROIS avec les petites cartes de votre couleur longue.

   b) Entamez du ROI, la plus haute des fortes cartes en séquence.

   c) Entamez de la DAME, la plus haute des fortes cartes en séquence.

   d) Entamez de la plus petite d'une couleur longue: le DEUX.

   e) Entamez de la plus petite de trois cartes ou plus: le TROIS.

   f) Entamez du VALET, la plus haute d'un doubleton.

   g) Entamez de la plus haute des fortes cartes en séquence: l'AS.

   h) Entamez de la DAME, la plus haute des fortes cartes en séquence.

2. a) Entamez de l'AS, la plus haute des fortes cartes en séquence.

   b) Entamez de la plus petite de trois cartes ou plus lorsqu'elles ne sont pas précédées de cartes hautes en séquence: le TROIS.

   c) Entamez du SEPT, la plus haute d'un doubleton.

d) Avec quatre cartes et sans aucune des cartes hautes en séquence, entamez de la plus petite: le DEUX.

e) Entamez de la plus petite: le TROIS.

f) Entamez du ROI, la plus haute des fortes cartes en séquence.

g) Entamez du TROIS, la plus petite de trois cartes ou plus non précédées de hautes cartes en séquence.

h) Entamez du DEUX, la plus petite de trois cartes non précédées de hautes cartes en séquence.

3. a) Entamez du TROIS DE CŒUR, la plus petite de votre couleur la plus longue, en défense d'un contrat à SA. Entamez du ROI DE CARREAU, la plus haute de fortes cartes en défense d'un contrat à la couleur.

b) Entamez du TROIS DE TRÈFLE, en défense d'un contrat à SA, la plus petite carte de la plus chère de vos deux couleurs longues. Entamez de l'AS DE CŒUR, la plus haute de fortes cartes en séquence, en défense d'un contrat à deux piques.

4. a) Jouez le DEUX, la deuxième main joue faible.

b) Jouez le ROI, couvrir un honneur sur un honneur.

c) Jouez le DEUX. Vous ne devez pas couvrir un honneur si vous constatez qu'il n'y a rien à valoriser dans votre camp.

Annexe 3: Abrégé du calcul de la marque

Points de levées

SA	40 points pour la première levée
	30 points pour les autres levées
pique ou cœur	30 points pour chaque levée
carreau ou trèfle	20 points pour chaque levée
contrats contrés	le double des points d'une levée non contrée
contrats surcontrés	le quadruple des points d'une levée non contrée

Prime de niveau

la manche partielle	tout contrat dont les points de levées sont inférieurs à 100

la manche	tout contrat dont les points de levées sont de 100 points ou plus:
	    cinq carreaux ou cinq trèfles
	    quatre piques ou quatre cœurs
	    trois SA

le petit chelem	tout contrat requérant douze levées
le grand chelem	tout contrat requérant treize levées

Points de prime

	Vulnérable	*Non vulnérable*
la manche partielle	50 points	50 points
la manche	500 points	300 points
le petit chelem	750 points	500 points
le grand chelem	1500 points	1000 points
contrat contré ou surcontré et réalisé (prime d'insulte)	50 points	50 points

Levées supplémentaires

non contrées	points de levées	points de levées
contrées	200 points par levée supplémentaire	100 points par levée supplémentaire
surcontrées	400 points par levée supplémentaire	200 points par levée supplémentaire

Pénalités

non contrées	100 points par levée perdante	50 points par levée perdante
contrées	200 points pour la première levée perdante	100 points pour la première levée perdante

surcontrées	300 points pour chacune des autres levées perdantes	200 points pour chacune des autres levées perdantes
	400 points pour la première levée perdante	200 points pour la première levée perdante
	600 points pour chacune des autres levées perdantes	400 points pour chacune des autres levées perdantes

Somme des points

la manche partielle	les points de levées + la prime de manche partielle
la manche	les points de levées + la prime de manche
le petit chelem	les points de levées + la prime de manche + la prime de petit chelem
le grand chelem	les points de levées + la prime de manche + la prime de grand chelem
contrat contré ou surcontré	le double (le quadruple) des points de levées + la (les) prime(s) appropriée(s) + la prime d'insulte (50 points)

Les levées supplémentaires, s'il y en a, sont ajoutées au résultat approprié ci-dessus.

Exemples

1. Un contrat à six cœurs non vulnérable. Le déclarant enlève les 13 levées.

Points de levées	180
Prime de manche non vulnérable	300
Prime de petit chelem non vulnérable	500
Prime de levées supplémentaires	+ 30
Marque totale	1010

2. Un contrat à sept trèfles vulnérable. Le déclarant enlève les 13 levées.

Points de levées	140
Prime de manche vulnérable	500
Prime de grand chelem vulnérable	+ 1500
Marque totale	2140

3. Un contrat à deux trèfles contré et non vulnérable. Le déclarant enlève 9 levées.

Points de levées contrées	80
Prime de manche partielle	50
Prime d'insulte	50
Levée contrée non vulnérable	+ 100
Marque totale	280

4. Un contrat à un SA surcontré et vulnérable. Le déclarant enlève 5 levées.

Première levée de chute surcontrée et vulnérable	400
Chaque levée de chute surcontrée additionnelle	+ 600
Marque totale	1000

Vulnérabilité

La première donne d'un tour: aucun camp n'est vulnérable.

La deuxième donne d'un tour: le camp du donneur est vulnérable.

La troisième donne d'un tour: le camp du donneur est vulnérable.

La quatrième et dernière donne d'un tour les deux camps sont vulnérables.

Achevé d'imprimer à Montmagny
par les travailleurs des ateliers Marquis Ltée
en octobre 1988